큐브수학 개념 무료 스마트러닝

KB046959

첫째 QR코드 스캔하여 1초 만에 바로 강의 시청

둘째 최적화된 강의 커리큘럼으로 학습 효과 UP!

❶ **수학 개념 설명 강의**
교재의 개념 학습과 동영상을 함께 보면 개념이 쉽게 이해됩니다.

❷ **익힘 문제 풀이 강의**
수학 익힘 문제를 틀렸을 때 수학 전문 선생님의 강의를 보면서 문제 푸는 방법을 쉽게 이해합니다.

❸ **서술형 문제 풀이 강의**
서술형 잡기에서 풀이를 쓰기 어려울 때 문제 해결 전략 강의를 통해 서술형 풀이를 체계적으로 완성합니다.

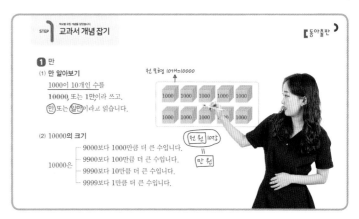

#큐브수학 #초등수학 #무료

큐브수학 개념 초등수학 5학년 강의 목록

단원명	학습 내용	단원명	학습 내용
1. 자연수의 혼합 계산	**개념 강의** ❶ 덧셈과 뺄셈이 섞여 있는 식 ❷ 곱셈과 나눗셈이 섞여 있는 식 ❸ 덧셈, 뺄셈, 곱셈이 섞여 있는 식 ❹ 덧셈, 뺄셈, 나눗셈이 섞여 있는 식 ❺ 덧셈, 뺄셈, 곱셈, 나눗셈이 섞여 있는 식 **문제 강의** 수학 익힘 문제 잡기 **서술형 강의** 서술형 잡기	4. 약분과 통분	**개념 강의** ❶ 크기가 같은 분수 / ❷ 크기가 같은 분수 만들기 ❸ 분수를 간단하게 나타내기 ❹ 분모가 같은 분수로 나타내기 ❺ 분수의 크기 비교 / ❻ 분수와 소수의 크기 비교 **문제 강의** 수학 익힘 문제 잡기 **서술형 강의** 서술형 잡기
2. 약수와 배수	**개념 강의** ❶ 약수와 배수 ❷ 약수와 배수의 관계 ❸ 공약수와 최대공약수 ❹ 최대공약수 구하는 방법 ❺ 공배수와 최소공배수 ❻ 최소공배수 구하는 방법 **문제 강의** 수학 익힘 문제 잡기 **서술형 강의** 서술형 잡기	5. 분수의 덧셈과 뺄셈	**개념 강의** ❶ 받아올림이 없는 진분수의 덧셈 ❷ 받아올림이 있는 진분수의 덧셈 ❸ 받아올림이 있는 대분수의 덧셈 ❹ 받아내림이 없는 진분수의 뺄셈 ❺ 받아내림이 없는 대분수의 뺄셈 ❻ 받아내림이 있는 대분수의 뺄셈 **문제 강의** 수학 익힘 문제 잡기 **서술형 강의** 서술형 잡기
3. 규칙과 대응	**개념 강의** ❶ 두 양 사이의 관계 ❷ 대응 관계를 식으로 나타내기 ❸ 생활 속에서 대응 관계를 찾아 식으로 나타내기 **문제 강의** 수학 익힘 문제 잡기 **서술형 강의** 서술형 잡기	6. 다각형의 둘레와 넓이	**개념 강의** ❶ 정다각형의 둘레 / ❷ 사각형의 둘레 ❸ 1 cm² / ❹ 직사각형의 넓이 ❺ 1 cm²보다 더 큰 넓이의 단위 ❻ 평행사변형의 넓이 ❼ 삼각형의 넓이 ❽ 마름모의 넓이 ❾ 사다리꼴의 넓이 **문제 강의** 수학 익힘 문제 잡기 **서술형 강의** 서술형 잡기

큐브수학

초등수학 5학년

학습 계획표

학습 계획표를 따라
차근차근 수학 공부를
시작해 보세요.
큐브수학과 함께라면
수학 공부, 어렵지 않습니다.

단원명	공부한 날		공부할 내용	
			진도북	매칭북
1. 자연수의 혼합 계산	1일차	월 일	008~013쪽	01~02쪽
	2일차	월 일	014~019쪽	03~05쪽
	3일차	월 일	020~023쪽	30~34쪽
	4일차	월 일	024~026쪽	
2. 약수와 배수	5일차	월 일	030~033쪽	06~07쪽
	6일차	월 일	034~037쪽	08~09쪽
	7일차	월 일	038~041쪽	10~11쪽
	8일차	월 일	042~045쪽	35~40쪽
	9일차	월 일	046~048쪽	
3. 규칙과 대응	10일차	월 일	052~057쪽	12~13쪽
	11일차	월 일	058~061쪽	41~43쪽
	12일차	월 일	062~064쪽	
4. 약분과 통분	13일차	월 일	068~071쪽	14쪽
	14일차	월 일	072~075쪽	15쪽
	15일차	월 일	076~079쪽	16쪽
	16일차	월 일	080~083쪽	44~49쪽
	17일차	월 일	084~086쪽	
5. 분수의 덧셈과 뺄셈	18일차	월 일	090~093쪽	17~18쪽
	19일차	월 일	094~097쪽	19쪽
	20일차	월 일	098~101쪽	20~21쪽
	21일차	일 일	102~105쪽	22쪽
	22일차	월 일	106~109쪽	50~55쪽
	23일차	월 일	110~112쪽	
6. 다각형의 둘레와 넓이	24일차	월 일	116~121쪽	23~25쪽
	25일차	월 일	122~125쪽	
	26일차	월 일	126~129쪽	26~27쪽
	27일차	월 일	130~133쪽	28쪽
	28일차	월 일	134~137쪽	29쪽
	29일차	월 일	138~143쪽	56~64쪽
	30일차	월 일	144~146쪽	

진도북

큐브수학
개념

5·1

구성과 특징

진도북

큐브수학 개념
이렇게 활용하세요.

추천1

개념 반복 학습과 수학 익힘 반복 학습
으로 기본을 다지는 방법

| 개념 반복 학습 | 진도북 STEP 1 | → | 매칭북 학습지 | → | 진도북 STEP 2 |
| 수학 익힘 반복 학습 | 진도북 STEP 3 | → | 매칭북 수학 익힘 | | |

추천2

예습과 복습으로 개념을 쉽고 빠르게
이해하는 방법

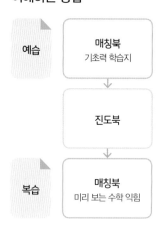

예습	매칭북 기초력 학습지
	진도북
복습	매칭북 미리 보는 수학 익힘

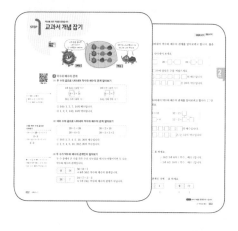

STEP 1 교과서 개념 잡기

교과서 개념과 문제로 개념을 쉽게 이해할
수 있습니다.

한눈에 쏙 그림으로 공부할 개념에 대해
흥미를 가집니다.

교과서 공통 꼭 알아야 할 교과서 핵심 문
제입니다.

▶ 개념 강의 동영상 제공

STEP 2 개념 한 번 더 잡기

〈교과서 개념 잡기〉의 유사 문제로 개념을 한
번 더 공부하여 완벽하게 다집니다.

STEP 3 수학 익힘 문제 잡기

수학 익힘 문제 유형으로 실력을 다집니다.

익힘책 공통 꼭 알아야 할 익힘책의 중요
문제를 익힙니다.

생각+문제 문제 해결 능력과 교과 역량을
키우는 문제입니다.

▶ 문제 강의 동영상 제공

큐브수학 개념은 학교별 모든 교과서 개념과 수학 익힘 문제를
한 권에 담은 기본 개념서입니다. 무료 스마트러닝과 함께
큐브수학 개념으로 수학의 자신감을 키우세요.

매칭북

서술형 잡기

풀이 과정을 따라 익히며 체계적으로 서술형
문제를 해결합니다.

▶ 서술형 강의 동영상 제공

기초력 학습지

개념별 기초 문제입니다.
진도북의 〈교과서 개념 잡기〉를
공부한 다음 학습지로 개념별
기초력을 완성합니다.

단원 마무리

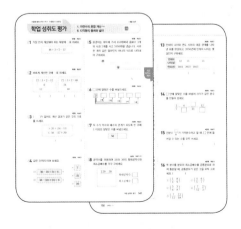

해당 단원을 잘 공부했는지 확인하여 실력을
점검합니다.

학업 성취도 평가

한 학기를 마무리 하며 나의 수준을 평가하
고, 다음 학기를 대비합니다.

미리 보는 수학 익힘

수학 익힘의 유사 문제입니다.
진도북의 〈수학 익힘 문제 잡기〉
를 공부한 다음 반복 학습하여
수학 실력을 완성합니다.

차례

1 자연수의 혼합 계산

오늘 농구 경기에서 난 2점 슛 4개와 3점 슛 2개를 성공했어.
다음에는 더 많은 점수를 얻을 테다~!

동영상 강의와 함께 계획을 세워 공부합니다.
동영상 강의를 시청했으면 ☐에 ∨표 하세요.

공부한 날	동영상 확인	쪽수	학습 내용
월　일	▶ ☐	008~011쪽	**교과서 개념 잡기** ❶ 덧셈과 뺄셈이 섞여 있는 식 ❷ 곱셈과 나눗셈이 섞여 있는 식
월　일		012~013쪽	**개념 한 번 더 잡기**
월　일	▶ ☐	014~017쪽	**교과서 개념 잡기** ❸ 덧셈, 뺄셈, 곱셈이 섞여 있는 식 ❹ 덧셈, 뺄셈, 나눗셈이 섞여 있는 식 ❺ 덧셈, 뺄셈, 곱셈, 나눗셈이 섞여 있는 식
월　일		018~019쪽	**개념 한 번 더 잡기**
월　일	▶ ☐	020~022쪽	**수학 익힘 문제 잡기**
월　일	▶ ☐	023쪽	**서술형 잡기**
월　일		024~026쪽	**단원 마무리**

한눈에
방법쏙

개념 강의

❶ 덧셈과 뺄셈이 섞여 있는 식

(1) 덧셈과 뺄셈이 섞여 있는 경우

예 $37+14-6=51-6$
     $\qquad\qquad\quad=45$
     ① ②

$\qquad$ ① $37+14=51$
$\qquad$ ② $51-6=45$

예 $43-8+11=35+11$
     $\qquad\qquad\quad=46$
     ① ②

$\qquad$ ① $43-8=35$
$\qquad$ ② $35+11=46$

> 덧셈과 뺄셈이 섞여 있는 식은 **앞에서부터 차례로** 계산합니다.

덧셈과 뺄셈이 섞여 있는 식은 앞에서부터 차례로 계산하지 않으면 계산 결과가 달라질 수 있습니다.

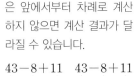

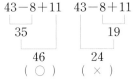

(2) 덧셈과 뺄셈이 섞여 있고 ( )가 있는 경우

예 $21+(19-5)=21+14$
     $\qquad\qquad\qquad=35$
     ① ②

$\qquad$ ① $19-5=14$
$\qquad$ ② $21+14=35$

예 $27-(8+10)=27-18$
     $\qquad\qquad\qquad=9$
     ① ②

$\qquad$ ① $8+10=18$
$\qquad$ ② $27-18=9$

> 덧셈과 뺄셈이 섞여 있고 ( )가 있는 식은 ( ) 안을 먼저 계산합니다.

(3) ( )가 있을 때와 없을 때의 계산 결과 비교

예 • $43-8+11=35+11=46$
    • $43-(8+11)=43-19=24$
    → 두 식의 계산 순서가 다르므로 계산 결과는 서로 다릅니다.

1 재하네 반 교실에 학생이 23명 있었습니다. 그중에서 8명이 운동장으로 나간 후 5명이 교실로 돌아왔습니다. 지금 교실에 있는 학생은 몇 명인지 구하려고 합니다. 물음에 답하세요.

(1) 8명이 나간 후 교실에 있는 학생은 몇 명인지 식으로 나타내어 보세요.

$$23-\boxed{}=\boxed{}$$

(2) 5명이 돌아온 후 교실에 있는 학생은 몇 명인지 식으로 나타내어 보세요.

$$\boxed{}+5=\boxed{}$$

(3) 지금 교실에 있는 학생은 몇 명인지 하나의 식으로 나타내어 구하세요.

$$23-\boxed{}+\boxed{}=\boxed{}\ (명)$$

1 단원

교과서 공통 **2** 보기와 같이 계산 순서를 나타내고 계산해 보세요.

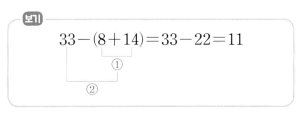

보기

$$33-(8+14)=33-22=11$$

① ②

(1) $61+17-34$　　　　　　　(2) $58-(23+7)$

3 계산해 보세요.

(1) $31+10-29$　　　　　　　(2) $42-(7+18)$

4 두 식을 각각 계산하고, 그 결과를 비교하여 알맞은 말에 ○표 하세요.

$$25-4+12=\boxed{}\qquad 25-(4+12)=\boxed{}$$

두 식의 계산 결과는 (같습니다 , 다릅니다).

012쪽 에서 개념을 한 번 더 다집니다.

2 곱셈과 나눗셈이 섞여 있는 식

(1) 곱셈과 나눗셈이 섞여 있는 경우

예 $\underset{①}{\underline{12 \times 8}} \div 4 = 96 \div 4$
  $\underset{②}{} = 24$

 $\underset{①}{\underline{36 \div 6}} \times 3 = 6 \times 3$
  $\underset{②}{} = 18$

① $12 \times 8 = 96$
② $96 \div 4 = 24$

① $36 \div 6 = 6$
② $6 \times 3 = 18$

> 곱셈과 나눗셈이 섞여 있는 식은 앞에서부터 차례로 계산합니다.

곱셈과 나눗셈이 섞여 있는 식은 앞에서부터 차례로 계산하지 않으면 계산 결과가 달라질 수 있습니다.

$36 \div 6 \times 3$
  6
  18
  $(○)$

$36 \div 6 \times 3$
  18
  2
  $(×)$

(2) 곱셈과 나눗셈이 섞여 있고 ( )가 있는 경우

예 $18 \times \underset{①}{\underline{(9 \div 3)}} = 18 \times 3$
  $\underset{②}{} = 54$

 $64 \div \underset{①}{\underline{(4 \times 2)}} = 64 \div 8$
  $\underset{②}{} = 8$

① $9 \div 3 = 3$
② $18 \times 3 = 54$

① $4 \times 2 = 8$
② $64 \div 8 = 8$

> 곱셈과 나눗셈이 섞여 있고 ( )가 있는 식은 ( ) 안을 먼저 계산합니다.

(3) ( )가 있을 때와 없을 때의 계산 결과 비교

예 · $36 \div 6 \times 3 = 6 \times 3 = 18$
 · $36 \div (6 \times 3) = 36 \div 18 = 2$

→ 두 식의 계산 순서가 다르므로 계산 결과는 서로 다릅니다.

1 사과가 한 상자에 20개씩 5상자 있습니다. 모든 사과를 다시 4상자에 똑같이 나누어 담으려면 한 상자에 사과를 몇 개씩 담아야 하는지 구하려고 합니다. 물음에 답하세요.

(1) 사과는 모두 몇 개인지 식으로 나타내어 보세요.

$$20 \times \boxed{} = \boxed{}$$

(2) 사과를 다시 4상자에 똑같이 나누어 담으려면 한 상자에 몇 개씩 담아야 하는지 식으로 나타내어 보세요.

$$\boxed{} \div 4 = \boxed{}$$

(3) 한 상자에 사과를 몇 개씩 담아야 하는지 하나의 식으로 나타내어 구하세요.

$$20 \times \boxed{} \div \boxed{} = \boxed{} \text{(개)}$$

2 두 식을 하나의 식으로 나타내려고 합니다. ☐ 안에 알맞은 수를 써넣으세요.

$$60 \div 4 = 15$$
$$15 \times 3 = 45$$

→ $60 \div 4 \times \boxed{} = \boxed{}$

교과서 공통 3 보기와 같이 계산 순서를 나타내고 계산해 보세요.

보기
$$32 \div (8 \times 2) = 32 \div 16 = 2$$
　　①
　②

(1) $36 \times 2 \div 9$　　　　　　(2) $60 \div (5 \times 4)$

4 계산해 보세요.

(1) $9 \times 12 \div 6$　　　　　　(2) $72 \div (4 \times 3)$

013쪽 에서 개념을 한 번 더 다집니다.

STEP 2 개념 한번더 잡기

1 덧셈과 뺄셈이 섞여 있는 식

01 현우네 반 남학생은 12명이고, 여학생은 9명입니다. 현우네 반 학생 중 7명이 안경을 쓰고 있다면 안경을 쓰지 않은 학생은 몇 명인지 하나의 식으로 나타내어 구하세요.

$$12+\boxed{}-\boxed{}=\boxed{}\text{(명)}$$

02 먼저 계산해야 하는 부분에 ◯표 하세요.

(1) $53+26-38$

(2) $44-(19+17)$

03 계산 순서에 맞게 계산해 보세요.

(1) $57-29+13=\boxed{}+13=\boxed{}$

(2) $40-(15+7)=40-\boxed{}=\boxed{}$

04 보기와 같이 계산 순서를 나타내고 계산해 보세요.

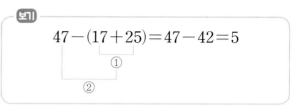

(1) $28+12-10$

(2) $30+(16-9)$

05 계산해 보세요.

(1) $37+10-12$

(2) $56-24+9$

(3) $28-(13+8)$

06 계산 결과를 비교하여 ◯ 안에 >, =, <를 알맞게 써넣으세요.

$$38+23-14 \quad \bigcirc \quad 38+(23-14)$$

2 곱셈과 나눗셈이 섞여 있는 식

07 정원이네 반 학생 24명이 8명씩 한 모둠이 되도록 앉았습니다. 한 모둠에 과자를 3봉지씩 나누어 주려면 필요한 과자는 몇 봉지인지 하나의 식으로 나타내어 구하세요.

$$24 \div \boxed{} \times \boxed{} = \boxed{} \text{(봉지)}$$

08 두 식을 하나의 식으로 나타내어 보세요.

$$54 \div 9 = 6$$
$$6 \times 7 = 42$$

식 _____

09 ☐ 안에 알맞은 수를 써넣으세요.

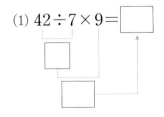
(1) $42 \div 7 \times 9 = \boxed{}$

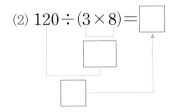
(2) $120 \div (3 \times 8) = \boxed{}$

10 보기와 같이 계산 순서를 나타내고 계산해 보세요.

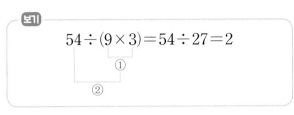
보기
$$54 \div (9 \times 3) = 54 \div 27 = 2$$
① ②

(1) $18 \times 2 \div 9$

(2) $3 \times (72 \div 4)$

11 계산해 보세요.
(1) $12 \div 6 \times 9$
(2) $21 \times 4 \div 14$
(3) $45 \div (3 \times 5)$

12 계산 결과를 찾아 이어 보세요.

(1) $96 \div 3 \times 2$ •

(2) $96 \div (3 \times 2)$ •

• 16

• 48

• 64

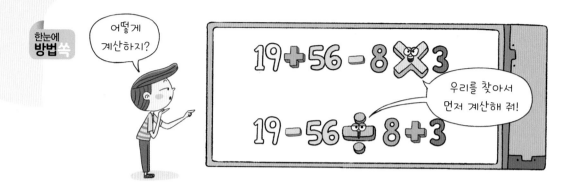

한눈에 방법쏙

어떻게 계산하지?

우리를 찾아서 먼저 계산해 줘!

$19+56-8×3$

$19-56÷8+3$

개념 강의

3 덧셈, 뺄셈, 곱셈이 섞여 있는 식

예) $49-\boxed{5×7}+13=49-\underline{35}+13$
       $=\underline{14}+13$
       $=27$
   ① ② ③

( )가 없는 식에서 곱셈을 계산한 후, 덧셈과 뺄셈은 앞에서부터 차례로 계산합니다.

① $5×7=35$
② $49-35=14$
③ $14+13=27$

예) $\boxed{(9+8)}×4-24=\underline{17}×4-24$
       $=\underline{68}-24$
       $=44$
   ① ② ③

① $9+8=17$
② $17×4=68$
③ $68-24=44$

• 덧셈, 뺄셈, 곱셈이 섞여 있는 식은 **곱셈**을 먼저 계산합니다.
• ( )가 있으면 ( ) 안을 가장 먼저 계산합니다.

4 덧셈, 뺄셈, 나눗셈이 섞여 있는 식

( )가 있는 식에서 ( ) 안을 계산한 후, 나눗셈을 먼저 계산합니다. 이때 앞에서부터 차례로 계산하지 않도록 주의합니다.

예) $20-\boxed{28÷4}+5=20-\underline{7}+5$
       $=\underline{13}+5$
       $=18$
   ① ② ③

① $28÷4=7$
② $20-7=13$
③ $13+5=18$

예) $16-\boxed{(5+7)}÷3=16-\underline{12}÷3$
       $=16-\underline{4}$
       $=12$
   ① ② ③

① $5+7=12$
② $12÷3=4$
③ $16-4=12$

• 덧셈, 뺄셈, 나눗셈이 섞여 있는 식은 **나눗셈**을 먼저 계산합니다.
• ( )가 있으면 ( ) 안을 가장 먼저 계산합니다.

1 초콜릿이 60개 있었습니다. 그중에서 남학생 13명과 여학생 11명에게 2개씩 나누어 주었습니다. 남은 초콜릿은 몇 개인지 구하려고 합니다. 물음에 답하세요.

(1) 초콜릿을 받은 학생은 몇 명인지 식으로 나타내어 보세요.

$$13+11=\boxed{}$$

(2) 학생들에게 나누어 준 초콜릿은 몇 개인지 식으로 나타내어 보세요.

$$\boxed{}\times2=\boxed{}$$

(3) 남은 초콜릿은 몇 개인지 식으로 나타내어 보세요.

$$60-\boxed{}=\boxed{}$$

(4) 먼저 계산해야 하는 부분을 ( )로 묶어 남은 초콜릿은 몇 개인지 하나의 식으로 나타내어 구하세요.

$$60-(\boxed{}+\boxed{})\times\boxed{}=\boxed{}\,(개)$$

교과서 공통 2 가장 먼저 계산해야 하는 부분에 ○표 하세요.

(1) $32-40\div5+6$　　　(2) $21\div(17-10)+9$

3 계산 순서에 맞게 계산해 보세요.

(1) $19+4\times6-12=19+\boxed{}-12$

　①　②　③

$$=\boxed{}-\boxed{}$$
$$=\boxed{}$$

(2) $35+(43-16)\div9=35+\boxed{}\div9$

　①　②　③

$$=\boxed{}+\boxed{}$$
$$=\boxed{}$$

018쪽 에서 개념을 **한 번 더** 다집니다.

한눈에
방법쏙

징검다리를 건너 온 순서대로 계산하면 계산 결과를 얻을 수 있어.

혼합 계산 → ( )안 → ×,÷ → +,− → 계산 결과

개념 강의

⑤ 덧셈, 뺄셈, 곱셈, 나눗셈이 섞여 있는 식

(1) 덧셈, 뺄셈, 곱셈, 나눗셈이 섞여 있는 경우

곱셈과 나눗셈, 덧셈과 뺄셈 순으로 계산할 때 곱셈과 나눗셈, 덧셈과 뺄셈은 각각 앞에서부터 차례로 계산합니다.

(예) $23+\boxed{9\times4}\div6-11=23+36\div6-11$
$=23+6-11$
$=29-11$
$=18$

① $9\times4=36$
② $36\div6=6$
③ $23+6=29$
④ $29-11=18$

> 덧셈, 뺄셈, 곱셈, 나눗셈이 섞여 있는 식은 곱셈과 나눗셈을 먼저 계산합니다.

혼합 계산식의 순서

( ) 안을 계산

↓

곱셈 또는 나눗셈을 앞에서부터 차례로 계산

↓

덧셈 또는 뺄셈을 앞에서부터 차례로 계산

(2) 덧셈, 뺄셈, 곱셈, 나눗셈이 섞여 있고 ( )가 있는 경우

(예) $\boxed{(12+9)}\times2-35\div7=21\times2-35\div7$
$=42-35\div7$
$=42-5$
$=37$

① $12+9=21$
② $21\times2=42$
③ $35\div7=5$
④ $42-5=37$

$35+48\div\boxed{(8-5)}\times2=35+48\div3\times2$
$=35+16\times2$
$=35+32$
$=67$

① $8-5=3$
② $48\div3=16$
③ $16\times2=32$
④ $35+32=67$

> 덧셈, 뺄셈, 곱셈, 나눗셈이 섞여 있고 ( )가 있는 식은 ( ) 안을 가장 먼저 계산합니다.

1 박물관에서 엽서 840장을 7일 동안 관람객에게 매일 똑같은 수만큼 나누어 주려고 합니다. 첫날 오전에 어른 9명과 학생 25명에게 엽서를 2장씩 나누어 주었습니다. 첫날 오후에 나누어 줄 수 있는 엽서는 몇 장인지 구하려고 합니다. 물음에 답하세요.

(1) 하루에 관람객에게 나누어 줄 수 있는 엽서는 몇 장인지 식으로 나타내어 보세요.

$$840 \div \boxed{} = \boxed{}$$

(2) (　　　)를 사용하여 첫날 오전에 관람객에게 나누어 준 엽서는 몇 장인지 식으로 나타내어 보세요.

$$(9 + \boxed{}) \times \boxed{} = \boxed{}$$

(3) 첫날 오후에 나누어 줄 수 있는 엽서는 몇 장인지 하나의 식으로 나타내어 구하세요.

$$840 \div \boxed{} - (9 + \boxed{}) \times \boxed{} = \boxed{} \text{(장)}$$

교과서 공통 2 계산 순서에 맞게 기호를 쓰세요.

$$83 - 6 \times 9 + 63 \div 7$$

ㄱ　ㄴ　ㄷ　ㄹ

$$\boxed{} \rightarrow ㄹ \rightarrow \boxed{} \rightarrow \boxed{}$$

3 계산 순서에 맞게 계산해 보세요.

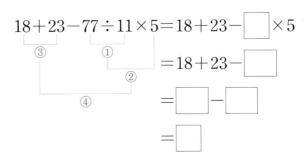

$$18 + 23 - 77 \div 11 \times 5 = 18 + 23 - \boxed{} \times 5$$
$$= 18 + 23 - \boxed{}$$
$$= \boxed{} - \boxed{}$$
$$= \boxed{}$$

019쪽 에서 개념을 **한 번 더** 다집니다.

STEP 2 개념 한번더 잡기

3 덧셈, 뺄셈, 곱셈이 섞여 있는 식

01 공책이 9권 있었는데 선생님께서 공책을 10권씩 3묶음을 더 사 오셨습니다. 학생들에게 공책을 27권 나누어 주면 남는 공책은 몇 권인지 하나의 식으로 나타내어 구하세요.

$$9 + \boxed{} \times \boxed{} - \boxed{} = \boxed{} \text{(권)}$$

02 가장 먼저 계산해야 하는 부분을 찾아 기호를 쓰세요.

$$27 - 4 \times 4 + 10$$
$$\underset{㉠}{\uparrow} \quad \underset{㉡}{\uparrow} \quad \underset{㉢}{\uparrow}$$

(   )

03 보기와 같이 계산 순서를 나타내고 계산해 보세요.

보기
$$25 + (12 - 4) \times 4 = 25 + 8 \times 4$$
$$① \qquad = 25 + 32$$
$$② \qquad = 57$$
$$③$$

$$52 - 3 \times (10 + 3)$$

4 덧셈, 뺄셈, 나눗셈이 섞여 있는 식

04 파 1단은 3500원, 당근 3개는 1800원, 호박 1개는 2000원입니다. 파 1단의 값은 당근 1개와 호박 1개를 같이 산 값보다 얼마나 더 비싼지 하나의 식으로 나타내어 구하세요.

$$3500 - (1800 \div \boxed{} + \boxed{})$$
$$= \boxed{} \text{(원)}$$

05 바르게 계산한 것에 ○표 하세요.

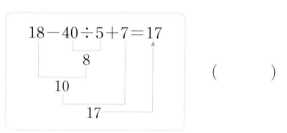

(   )

(   )

06 식의 계산 결과를 구하세요.

$$21 - (12 + 20) \div 4$$

(   )

5 덧셈, 뺄셈, 곱셈, 나눗셈이 섞여 있는 식

07 색종이가 30장 있었습니다. 남학생 15명과 여학생 13명을 한 모둠에 7명씩으로 나누어 각 모둠에 색종이를 4장씩 나누어 주었습니다. 남은 색종이는 몇 장인지 하나의 식으로 나타내어 구하세요.

$$30-(\boxed{}+13)\div\boxed{}\times\boxed{}=\boxed{}\ (장)$$

08 유미와 원호 중 식을 보고 바르게 설명한 친구의 이름을 쓰세요.

$$7\times(8-3)+100\div2$$

곱셈을 가장 먼저 계산해야 해!

( ) 안을 가장 먼저 계산해야지.

유미   원호

(   )

09 계산 순서대로 □ 안에 1, 2, 3, 4를 써넣으세요.

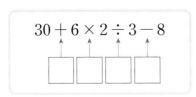

10 □ 안에 알맞은 수를 써넣으세요.

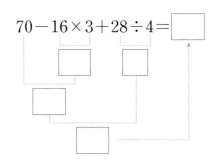

$$70-16\times3+28\div4=\boxed{}$$

11 보기와 같이 계산 순서를 나타내고 계산해 보세요.

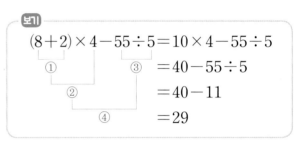

보기
$$(8+2)\times4-55\div5=10\times4-55\div5$$
$$=40-55\div5$$
$$=40-11$$
$$=29$$

$$14+82\div(9-7)\times3$$

12 두 식을 각각 계산하고, 그 결과를 비교하여 알맞은 말에 ○표 하세요.

- $60-42\div3+4\times6=\boxed{}$
- $60-42\div(3+4)\times6=\boxed{}$

두 식의 계산 결과는 (같습니다 , 다릅니다).

008쪽 개념 ❶

01 17+4를 먼저 계산해야 하는 식에 ○표 하세요.

24−17+4	( )
24−(17+4)	( )
(24−17)+4	( )

008쪽 개념 ❶

02 버스에 21명이 타고 있었습니다. 이번 정류장에서 5명이 내린 후 7명이 탔습니다. 지금 버스 안에 있는 사람은 몇 명인지 하나의 식으로 나타내어 구하세요.

식 _____

답 _____

008쪽 개념 ❶

03 식당에 있는 음식의 가격을 나타낸 것입니다. 재호는 돈가스를 먹었고, 민주는 김밥과 라면을 먹었습니다. 재호는 민주보다 얼마를 더 내야 하는지 하나의 식으로 나타내어 구하세요.

김밥	라면	떡볶이	돈가스

3000원	3500원	4000원	7000원

식 _____

답 _____

익힘책 공통 **010쪽 개념 ❷**

04 ( )가 없어도 계산 결과가 같은 것의 기호를 쓰세요.
문제 강의

> ㉠ 11×(8÷2)
> ㉡ 48÷(6×4)

( )

010쪽 개념 ❷

05 인성이는 머핀을 한 판에 12개씩 5판 구워서 남는 것 없이 4상자에 똑같이 나누어 담았습니다. 한 상자에 들어 있는 머핀은 몇 개인지 하나의 식으로 나타내어 구하세요.

식 _____

답 _____

010쪽 개념 ❷

06 하나의 식으로 나타내고 계산해 보세요.

(1) | 64를 8로 나눈 몫에 2를 곱한 수 |

식 _____

(2) | 64를 8과 2의 곱으로 나눈 수 |

식 _____

07 계산 결과가 더 큰 것의 기호를 쓰세요.

014쪽 개념 ❸

$$\bigcirc \ 45-3\times5+8$$
$$\bigcirc \ 45-3\times(5+8)$$

( )

08 지혜는 12살이고, 오빠는 지혜보다 5살 많습니다. 아버지는 오빠 나이의 3배보다 4살 적습니다. 아버지의 나이는 몇 살인지 하나의 식으로 나타내어 구하세요.

014쪽 개념 ❸

식

답

09 대화를 보고 준서와 연우가 일주일 동안 줄넘기를 **모두** 몇 번 했는지 구하세요.

014쪽 개념 ❸

문제 강의

난 일주일 동안 매일 줄넘기를 40번씩 했어.
준서

난 일주일 중 2일은 쉬고 나머지 날은 줄넘기를 60번씩 했어.
연우

( )

10 계산이 잘못된 곳을 찾아 ○표 하고, 바르게 계산해 보세요.

014쪽 개념 ❹

$$62-(17+35)\div2=62-52\div2$$
$$=10\div2$$
$$=5$$

↓

$$62-(17+35)\div2$$

11 윤재네 반은 남학생이 15명, 여학생이 12명입니다. 선생님께서 체육 시간에 남학생은 3명씩 모둠을 만들고, 여학생은 4명씩 모둠을 만들라고 하셨습니다. 만든 모둠은 몇 모둠인지 하나의 식으로 나타내어 구하세요.

014쪽 개념 ❹

식

답

12 1부터 9까지의 자연수 중에서 □ 안에 들어갈 수 있는 수를 **모두** 구하세요.

014쪽 개념 ❹

$$(40-16)\div8+5 \ < \ 24\div6+\square$$

( )

13 앞에서부터 차례로 계산해야 하는 식은 어느 것인가요? (   )

016쪽 개념 ⑤

① $21 + 8 \times 2 - 17$

② $(10 - 4) \div 3 + 6$

③ $37 + 16 - 4 \times 6 \div 8$

④ $9 \times (7 - 2) + 25 \div 5$

⑤ $42 \div (24 - 17) \times 5 + 11$

14 □ 안에 들어갈 수 있는 수를 구하세요.

016쪽 개념 ⑤

문제강의

$$12 \times 7 + \square \div 4 = 102$$

(   )

15 문구점에서 연필, 색연필, 볼펜을 3자루씩 사려고 합니다. 10000원으로 필요한 학용품을 사고 남는 돈은 얼마인지 하나의 식으로 나타내어 구하세요.

016쪽 개념 ⑤

학용품	가격
연필 1자루	500원
색연필 3자루	1200원
볼펜 6자루	9000원

식

답

16 다음 식이 성립하도록 (   )로 묶어 보세요.

016쪽 개념 ⑤

$$13 + 45 \div 5 \times 3 - 8 = 8$$

생각＋문제

17 수 카드를 한 번씩 사용하여 아래와 같은 식을 만들려고 합니다. **계산 결과가 가장 클 때의 값**을 구하세요.

문제강의

| 3 | 5 | 8 |

$$120 \div (\square \times \square) + \square$$

(1) 알맞은 말에 ○표 하세요.

계산 결과가 크려면 120을 나누는 수를 가장 (크게 , 작게) 해야 합니다.

(2) 계산 결과가 가장 크게 되도록 □ 안에 알맞은 수를 써넣으세요.

$$120 \div (\boxed{} \times \boxed{}) + \boxed{}$$

(3) 계산 결과가 가장 클 때의 값을 구하세요.

(   )

서술형 잡기

1 한 사람이 한 시간에 종이학을 8개씩 만들 수 있습니다. **5명이 종이학 200개를 만들려면 몇 시간이 걸리는지** 하나의 식으로 나타내어 구하려고 합니다. 풀이 과정을 쓰고, 답을 구하세요.

해결순서
❶ 5명이 한 시간에 만들 수 있는 종이학의 수 구하기
❷ 종이학 200개를 만드는 데 걸리는 시간 구하기

풀이 ❶ 5명이 한 시간에 만들 수 있는 종이학은 $\boxed{} \times 5 = \boxed{}$ (개)입니다.

❷ 5명이 종이학 200개를 만들려면

$200 \div (\boxed{} \times 5) = 200 \div \boxed{} = \boxed{}$ (시간)이 걸립니다.

답 _____

2 상자 하나에 도넛을 6개씩 3줄 담을 수 있습니다. **도넛 72개를 모두 담으려면 상자는 몇 개가 필요한지** 하나의 식으로 나타내어 구하려고 합니다. 풀이 과정을 쓰고, 답을 구하세요.

해결순서
❶ 상자 하나에 담을 수 있는 도넛의 수 구하기
❷ 도넛 72개를 모두 담는 데 필요한 상자의 수 구하기

풀이 _____

_____

_____

_____

답 _____

3 유진이의 풀이가 <u>잘못된</u> 이유를 쓰고, **바르게 계산**해 보세요.

$$10 - 2 \times 4 + 5$$

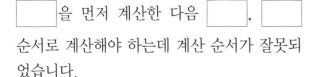

$10-2=8, 4+5=9$ 이므로 $8 \times 9 = 72$야.

유진

이유 덧셈, 뺄셈, 곱셈이 섞여 있는 식이므로 $\boxed{}$ 을 먼저 계산한 다음 $\boxed{}$, $\boxed{}$ 순서로 계산해야 하는데 계산 순서가 잘못되었습니다.

바른 계산 $10 - 2 \times 4 + 5 = 10 - \boxed{} + \boxed{}$

$= \boxed{} + \boxed{} = \boxed{}$

4 규형이의 풀이가 <u>잘못된</u> 이유를 쓰고, **바르게 계산**해 보세요.

$$12 + (25 - 7) \div 6$$

$25-7=18, 12+18=30$ 이므로 $30 \div 6 = 5$야.

규형

이유 _____

_____

바른 계산 _____

_____

[01~02] 계산 순서에 맞게 계산해 보세요.

01 $90 \div 3 \times 10 = \boxed{} \times 10$
①
② $= \boxed{}$

02 $39 + 27 \div (5-2) = 39 + 27 \div \boxed{}$
①
② $= 39 + \boxed{}$
③ $= \boxed{}$

03 계산해 보세요.

$95 - (30 + 17)$

04 가장 먼저 계산해야 하는 부분에 ◯표 하세요.

$$24 - (19 + 11) \div 3$$

05 계산 순서에 맞게 기호를 쓰세요.

$$38 - 24 + 72 \div 4 \times 2$$
ㄱ　ㄴ　ㄷ　ㄹ

$\boxed{} \rightarrow \boxed{} \rightarrow \boxed{} \rightarrow \boxed{}$

[06~07] 보기와 같이 계산 순서를 나타내고 계산해 보세요.

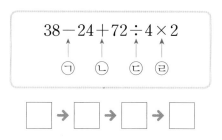

보기
$$36 - (17 + 79) \div 6 \times 2 = 36 - 96 \div 6 \times 2$$
①
② $= 36 - 16 \times 2$
③ $= 36 - 32$
④ $= 4$

06 $23 + 56 \div 7 - 6 \times 4$

07 $86 - 10 \times (5 + 3) \div 4$

08 계산 결과를 비교하여 ○ 안에 >, =, <를 알맞게 써넣으세요.

$$(4+11) \times 3 - 9 \bigcirc 4 + 11 \times 3 - 9$$

09 주성이네 반 학급 문고에는 동화책 39권, 위인전 25권이 있습니다. 그중에서 17권을 친구들이 빌려 갔습니다. 남은 책이 몇 권인지 하나의 식으로 나타내어 구하세요.

$$39 + \boxed{} - \boxed{} = \boxed{} \text{(권)}$$

10 ( )가 없어도 계산 결과가 같은 것의 기호를 쓰세요.

㉠ $24 - (2 + 3)$
㉡ $7 + (24 - 6)$

( )

11 연우와 원호 중 바르게 계산한 친구의 이름을 쓰세요.

$48 \div 3 \times 4 = 4$ $48 \div 3 \times 4 = 64$

연우   원호

( )

12 계산이 <u>잘못된</u> 곳을 찾아 바르게 계산해 보세요.

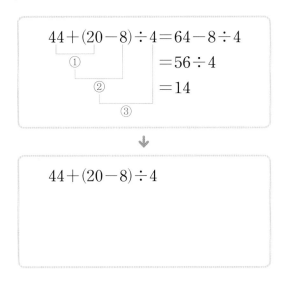

$$44 + (20 - 8) \div 4 = 64 - 8 \div 4$$
$$= 56 \div 4$$
$$= 14$$

①　②　③

↓

$$44 + (20 - 8) \div 4$$

13 □ 안에 알맞은 수를 구하세요.

$$30 \div 3 - \square = 6$$

( )

14 연필 한 타는 12자루입니다. 해진이는 연필 3타를 4자루씩 7명에게 나누어 주려고 합니다. 남는 연필은 몇 자루인지 하나의 식으로 나타내어 구하세요.

식 _____

답 _____

15 ㉠과 ㉡의 차를 구하세요.

$$㉠ \; 37+16-4 \times 6 \div 8$$
$$㉡ \; 37+(16-4) \times 6 \div 8$$

( )

16 혜원이는 과일 가게에서 6000원짜리 멜론 1개와 3개에 4500원 하는 사과 1개를 사려고 합니다. 10000원을 냈다면 거스름돈은 얼마인지 하나의 식으로 나타내어 구하세요.

식

답

17 지구에서 잰 무게는 달에서 잰 무게의 약 6배입니다. 세 사람이 모두 달에서 몸무게를 잰다면 나은이와 진우의 몸무게의 합은 선생님의 몸무게보다 약 몇 kg 더 무거운지 구하세요.

사람	지구에서 잰 몸무게(kg)	달에서 잰 몸무게(kg)
선생님		13
나은	42	
진우	54	

약 ( )

18 다음 식이 성립하도록 ( )로 묶어 보세요.

$$50 - 9 \times 2 + 3 = 5$$

서술형
19 민교네 반 학생은 9명씩 3모둠입니다. 빵 81개를 민교네 반 학생들에게 똑같이 나누어 주려면 한 사람에게 빵을 몇 개씩 나누어 주면 되는지 하나의 식으로 나타내어 구하려고 합니다. 풀이 과정을 쓰고, 답을 구하세요.

풀이

답

서술형
20 유미의 풀이가 잘못된 이유를 쓰고, 바르게 계산해 보세요.

$$8+4 \times (24-9) \div 3$$

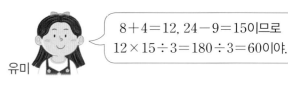

유미 $8+4=12, \; 24-9=15$이므로
$12 \times 15 \div 3 = 180 \div 3 = 60$이야.

이유

바른 계산

아래 그림에서 규칙을 찾아 마지막 식의 물음표에 들어갈 수를 찾으려고 해요.

형규는 답을 찾지 못해 어려움을 겪고 있어요.

문제를 풀 수 있도록 힘을 모아 볼까요?

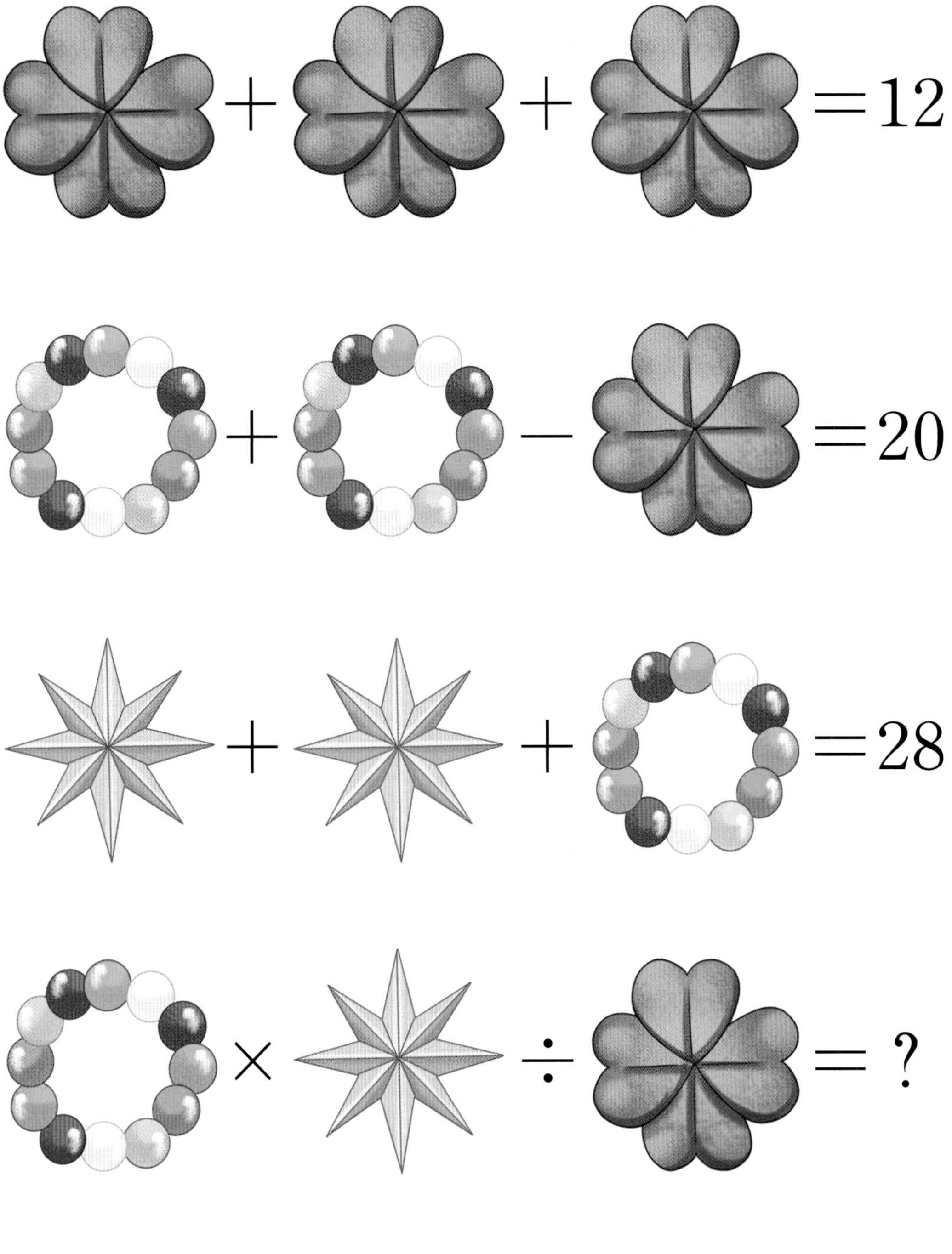

$$🍀 + 🍀 + 🍀 = 12$$

$$⭕ + ⭕ - 🍀 = 20$$

$$✴ + ✴ + ⭕ = 28$$

$$⭕ × ✴ ÷ 🍀 = \,?$$

2 약수와 배수

얼른 키워서 고기랑 먹어야지~

상추

요즘 내가 키우는 식물에 일주일에 한 번씩 물을 주고 있지.
오늘이 7일이니까 이번 달에는 7의 배수인 날짜에 물을 주면 돼.

동영상 강의와 함께 계획을 세워 공부합니다.
동영상 강의를 시청했으면 ◯에 ✓표 하세요.

공부한 날	동영상 확인	쪽수	학습 내용
월 일	▶ ◯	030~033쪽	**교과서 개념 잡기** ❶ 약수와 배수 ❷ 약수와 배수의 관계
월 일		034~035쪽	**개념 한 번 더 잡기**
월 일	▶ ◯	036~039쪽	**교과서 개념 잡기** ❸ 공약수와 최대공약수 ❹ 최대공약수 구하는 방법 ❺ 공배수와 최소공배수 ❻ 최소공배수 구하는 방법
월 일		040~041쪽	**개념 한 번 더 잡기**
월 일	▶ ◯	042~044쪽	**수학 익힘 문제 잡기**
월 일	▶ ◯	045쪽	**서술형 잡기**
월 일		046~048쪽	**단원 마무리**

1 약수와 배수

(1) 약수

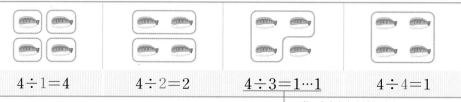

$$4 \div 1 = 4 \qquad 4 \div 2 = 2 \qquad 4 \div 3 = 1 \cdots 1 \qquad 4 \div 4 = 1$$

• 나누어떨어지지 않습니다.

① 4를 1, 2, 4로 나누면 나누어떨어집니다.

② 1, 2, 4는 **4의 약수**입니다.

• 자기 자신의 수

③ 4의 약수 중에서 가장 작은 수는 1이고, 가장 큰 수는 4입니다.

> 어떤 수를 나누어떨어지게 하는 수를 그 수의 **약수**라고 합니다.

1은 모든 수의 약수이므로 어떤 수의 약수 중 가장 작은 수는 항상 1입니다.

(2) 배수

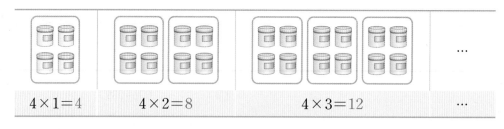

$$4 \times 1 = 4 \qquad 4 \times 2 = 8 \qquad 4 \times 3 = 12 \qquad \cdots$$

① 4를 1배, 2배, 3배, ... 한 수는 4, 8, 12, ...입니다.

② 4, 8, 12, ...는 **4의 배수**입니다.

• 자기 자신의 수

③ 4의 배수 중에서 가장 작은 수는 4입니다.

> 어떤 수를 1배, 2배, 3배, ... 한 수를 그 수의 **배수**라고 합니다.

어떤 수의 배수는 셀 수 없이 많으므로 배수 중 가장 큰 수는 알 수 없습니다.

1 나눗셈식을 이용하여 9의 약수를 알아보세요.

(1) 나눗셈을 하여 □ 안에 알맞은 수를 써넣으세요.

$$9 \div 1 = 9 \qquad 9 \div 2 = 4 \cdots 1 \qquad 9 \div 3 = \boxed{}$$

$$9 \div 4 = \boxed{} \cdots \boxed{} \qquad 9 \div 5 = \boxed{} \cdots \boxed{} \qquad 9 \div 6 = \boxed{} \cdots \boxed{}$$

$$9 \div 7 = \boxed{} \cdots \boxed{} \qquad 9 \div 8 = \boxed{} \cdots \boxed{} \qquad 9 \div 9 = \boxed{}$$

(2) 9의 약수를 **모두** 구하세요.

(   )

교과서 공통 2 8의 배수를 곱셈식으로 알아보려고 합니다. □ 안에 알맞은 수를 써넣으세요.

8을 1배 한 수는 8입니다. ➜ $8 \times 1 = \boxed{}$

8을 2배 한 수는 $\boxed{}$입니다. ➜ $8 \times 2 = \boxed{}$

8을 3배 한 수는 $\boxed{}$입니다. ➜ $8 \times 3 = \boxed{}$

8을 1배, 2배, 3배, ... 한 수 $\boxed{}$, $\boxed{}$, $\boxed{}$, ...은/는 8의 배수입니다.

3 20의 약수에 **모두** ○표 하세요.

1	2	3	4	5	6	7	8	9	10
11	12	13	14	15	16	17	18	19	20

4 배수를 가장 작은 수부터 차례로 구하세요.

(1) 3의 배수 ➜ 3, $\boxed{}$, $\boxed{}$, $\boxed{}$, $\boxed{}$, ...

(2) 7의 배수 ➜ 7, $\boxed{}$, $\boxed{}$, $\boxed{}$, $\boxed{}$, ...

034쪽 에서 개념을 **한 번 더** 다집니다.

 한눈에 **핵심쏙**

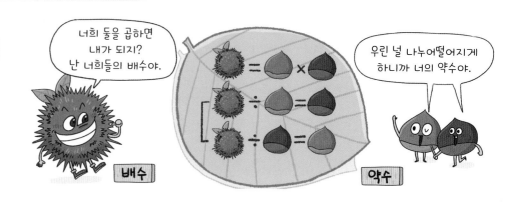

너희 둘을 곱하면 내가 되지? 난 너희들의 배수야.

배수

우린 널 나누어떨어지게 하니까 너의 약수야.

약수

 개념 강의

② 약수와 배수의 관계

(1) 두 수의 곱으로 나타내어 약수와 배수의 관계 알아보기

$■=●×▲$에서

┌ $●$와 $▲$는 $■$의 약수
└ $■$는 $●$와 $▲$의 배수

> 1과 14는 14의 약수
> $$14=1×14$$
> 14는 1과 14의 배수
>
> 2와 7은 14의 약수
> $$14=2×7$$
> 14는 2와 7의 배수

① 14는 1, 2, 7, 14의 배수입니다.

② 1, 2, 7, 14는 14의 약수입니다.

(2) 여러 수의 곱으로 나타내어 약수와 배수의 관계 알아보기

20을 여러 수의 곱으로
나타내기

• $20=2×10=2×2×5$
        $2×5$
• $20=4×5=2×2×5$
      $2×2$

> $20=1×20$ $20=2×10$
> $20=4×5$ $20=2×2×5$

① 20은 1, 2, 4, 5, 10, 20의 배수입니다.

② 1, 2, 4, 5, 10, 20은 20의 약수입니다.

(3) 두 수가 약수와 배수의 관계인지 알아보기

$●>▲$일 때 $●÷▲$가 나누어떨어지면 $●$는 $▲$의 배수이고, $▲$는 $●$의 약수입니다.

두 수 중에서 큰 수를 작은 수로 나누었을 때 나누어떨어지면 두 수는 약수와 배수의 관계입니다.

8	56

$56÷8=7$
➔ 8과 56은 약수와 배수의 관계입니다.

24	7

$24÷7=3…3$
➔ 7과 24는 약수와 배수의 관계가 아닙니다.

1 28을 두 수의 곱으로 나타내어 약수와 배수의 관계를 알아보려고 합니다. 물음에 답하세요.

(1) 28을 두 수의 곱으로 나타내어 보세요.

$28 = 1 \times \boxed{}$ $28 = \boxed{} \times \boxed{}$ $28 = \boxed{} \times \boxed{}$

(2) (1)의 곱셈식을 보고 □ 안에 알맞은 수를 써넣으세요.

┌ 28은 $\boxed{}, \boxed{}, \boxed{}, \boxed{}, \boxed{}, \boxed{}$ 의 배수입니다.

└ $\boxed{}, \boxed{}, \boxed{}, \boxed{}, \boxed{}, \boxed{}$ 은/는 28의 약수입니다.

교과서 공통 2 12를 여러 수의 곱으로 나타내어 약수와 배수의 관계를 알아보려고 합니다. □ 안에 알맞은 수를 써넣으세요.

$12 = 1 \times 12$ $12 = 2 \times \boxed{}$

$12 = \boxed{} \times 4$ $12 = 2 \times \boxed{} \times \boxed{}$

┌ 12는 $\boxed{}, \boxed{}, \boxed{}, \boxed{}, \boxed{}, \boxed{}$ 의 배수입니다.

└ $\boxed{}, \boxed{}, \boxed{}, \boxed{}, \boxed{}, \boxed{}$ 은/는 12의 약수입니다.

3 식을 보고 알맞은 말에 ◯표 하세요.

$3 \times 6 = 18$

┌ 18은 3과 6의 (약수 , 배수)입니다.

└ 3과 6은 18의 (약수 , 배수)입니다.

4 두 수가 약수와 배수의 관계인 것에 ◯표 하세요.

26	4

(   )

9	72

(   )

035쪽 에서 개념을 **한 번 더** 다집니다.

1 약수와 배수

01 나눗셈이 나누어떨어지도록 □ 안에 알맞은 수를 써넣고, 32의 약수를 **모두** 구하세요.

$$32 \div \boxed{} = 32 \qquad 32 \div \boxed{} = 16$$

$$32 \div \boxed{} = \boxed{} \qquad 32 \div \boxed{} = \boxed{}$$

$$32 \div \boxed{} = \boxed{} \qquad 32 \div \boxed{} = \boxed{}$$

32의 약수 → _____

02 5의 배수를 알아보려고 합니다. □ 안에 알맞은 수를 써넣으세요.

5를 1배 한 수 → $5 \times 1 = \boxed{}$

5를 2배 한 수 → $5 \times 2 = \boxed{}$

5를 3배 한 수 → $5 \times 3 = \boxed{}$

5를 4배 한 수 → $5 \times 4 = \boxed{}$

5의 배수를 가장 작은 수부터 차례로 쓰면
$\boxed{}$, $\boxed{}$, $\boxed{}$, $\boxed{}$, …입니다.

03 □ 안에 알맞은 수를 써넣으세요.

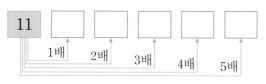

04 24의 약수에 **모두** ○표 하세요.

1	2	3	4	5	6	7	8
9	10	11	12	13	14	15	16
17	18	19	20	21	22	23	24

05 6의 배수를 수직선에 나타내고 □ 안에 알맞은 수를 써넣으세요.

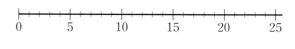

6의 배수 → $\boxed{}$, $\boxed{}$, $\boxed{}$, $\boxed{}$, …

06 다음 수의 약수 중에서 가장 큰 수를 구하세요.

18

(   )

07 다음 수의 배수 중에서 가장 작은 수를 구하세요.

20

(   )

2 약수와 배수의 관계

08 27을 두 수의 곱으로 나타내고 □ 안에 알맞은 수를 써넣으세요.

$$27 = 1 \times \boxed{} \qquad 27 = \boxed{} \times \boxed{}$$

27은 $\boxed{}$, $\boxed{}$, $\boxed{}$, $\boxed{}$ 의 배수입니다.

$\boxed{}$, $\boxed{}$, $\boxed{}$, $\boxed{}$ 은 27의 약수입니다.

09 42를 여러 수의 곱으로 나타내고 약수와 배수의 관계를 쓰세요.

$$42 = 2 \times \boxed{} \times \boxed{}$$

42는 _____ 의 배수,

_____ 는 42의 약수
입니다.

10 식을 보고 □ 안에 '약수'와 '배수'를 알맞게 써넣으세요.

$$5 \times 7 = 35$$

35는 5와 7의 $\boxed{}$ 이고,

5와 7은 35의 $\boxed{}$ 입니다.

11 30을 여러 수의 곱으로 나타낸 것입니다. 약수와 배수의 관계를 잘못 설명한 것은 어느 것인가요? ( )

$$30 = 2 \times 3 \times 5$$

① 2는 30의 약수입니다.
② 30은 3의 배수입니다.
③ 2×5는 30의 약수입니다.
④ 30은 2×3×5의 배수입니다.
⑤ 30의 약수는 2, 3, 5뿐입니다.

12 두 수가 약수와 배수의 관계인 것을 찾아 이어 보세요.

(1) 2 ·   · 25

(2) 5 ·   · 27

(3) 9 ·   · 48

13 두 수가 약수와 배수의 관계인 것에 ○표, 아닌 것에 ×표 하세요.

8	54
(	)

9	63
(	)

7	42
(	)

12	86
(	)

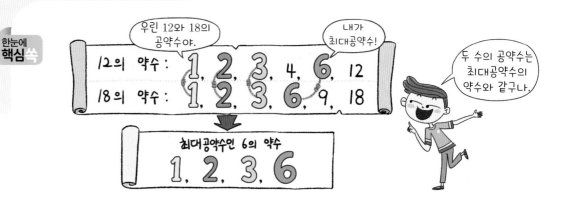

개념 강의

3 공약수와 최대공약수

(1) 공약수와 최대공약수

30의 약수	①	②	③	5	⑥	10	15	30
42의 약수	①	②	③	⑥	7	14	21	42

> 1은 모든 수의 약수이므로 공약수에는 항상 1이 포함됩니다.

① 1, 2, 3, 6은 30의 약수도 되고, 42의 약수도 됩니다.

② 30과 42의 공통된 약수 1, 2, 3, 6을 30과 42의 **공약수**라고 합니다.

③ 공약수 중에서 가장 **큰** 수인 6을 30과 42의 **최대공약수**라고 합니다.

(2) 공약수와 최대공약수의 관계

· 30과 42의 공약수: 1, 2, 3, 6

· 30과 42의 최대공약수인 6의 약수: 1, 2, 3, 6

└ 같습니다.

➜ (두 수의 공약수)＝(두 수의 최대공약수의 약수)

4 최대공약수 구하는 방법

예 30과 42의 최대공약수 구하기

방법1 여러 수의 곱셈식을 이용하여 구하기

$$30＝2×3×5$$
$$42＝2×3\ \ \ \ ×7$$

30과 42의 최대공약수 ➜ 2×3 ＝6 → 공통으로 있는 수들의 곱

> 공약수를 이용하여
> 최대공약수를 구하는 방법
>
> ① 1 이외의 공약수로 두 수를 나눕니다.
> ② 1 이외의 공약수가 없을 때까지 계속 나눕니다.
> ③ 나눈 공약수들을 곱합니다.

방법2 공약수를 이용하여 구하기

30과 42의 공약수 ➜ 2) 30 42
             × ↓÷2 ↓÷2
15와 21의 공약수 ➜ 3) 15 21
               ↓÷3 ↓÷3
                  5   7

30과 42의 최대공약수 ➜ 2×3＝6 → 나눈 공약수들의 곱

1 24와 40의 최대공약수를 구하려고 합니다. 물음에 답하세요.

24의 약수	1	2	3	4	6	8	12	24
40의 약수	1	2	4	5	8	10	20	40

⑴ 24와 40의 공통된 약수를 **모두** 찾아 ○표 하세요.

⑵ 24와 40의 최대공약수를 구하세요.

(   )

2단원

2 36과 48의 공약수와 최대공약수의 관계를 알아보려고 합니다. 표의 빈칸을 채우고, □ 안에 알맞은 말을 써넣으세요.

36과 48의 공약수	
36과 48의 최대공약수	
36과 48의 최대공약수의 약수	

→ 36과 48의 최대공약수의 약수는 36과 48의 □ 와 같습니다.

교과서 공통 3 12와 28을 여러 수의 곱으로 나타낸 곱셈식을 이용하여 12와 28의 최대공약수를 구하세요.

$$12 = 2 \times 2 \times 3 \qquad 28 = 2 \times 2 \times 7$$

최대공약수: □ × □ = □

4 20과 30의 공약수를 이용하여 20과 30의 최대공약수를 구하세요.

```
  2 ) 20    30
 □ )    10   □
         □   □
```

최대공약수: □ × □ = □

040쪽 에서 개념을 **한 번 더** 다집니다.

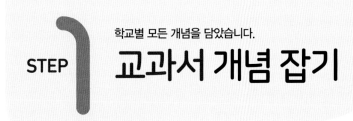

개념 강의

5 공배수와 최소공배수

(1) 공배수와 최소공배수

3의 배수	3	6	9	⑫	15	18	21	㉔	…
4의 배수	4	8	⑫	16	20	㉔	28	32	…

공약수와 공배수의 개수

공약수의 개수는 정해져 있고, 공배수의 개수는 셀 수 없이 많습니다.

① 12, 24, …는 3의 배수도 되고, 4의 배수도 됩니다.

② 3과 4의 공통된 배수 12, 24, …를 3과 4의 **공배수**라고 합니다.

③ 공배수 중에서 가장 작은 수인 12를 3과 4의 **최소공배수**라고 합니다.

(2) 공배수와 최소공배수의 관계

• 3과 4의 공배수: 12, 24, 36, …

• 3과 4의 최소공배수인 12의 배수: 12, 24, 36, …

} 같습니다.

➡ (두 수의 공배수)＝(두 수의 최소공배수의 배수)

6 최소공배수 구하는 방법

예 12와 20의 **최소공배수 구하기**

방법1 여러 수의 곱셈식을 이용하여 구하기

$$12＝2×2×3$$
$$20＝2×2×5$$

12와 20의 최소공배수 ➡ $2×2×3×5＝60$ →공통으로 있는 수들과 남은 수들의 곱

공약수를 이용하여 최소공배수를 구하는 방법

① 1 이외의 공약수로 두 수를 나눕니다.

② 1 이외의 공약수가 없을 때까지 계속 나눕니다.

③ 나눈 공약수들과 밑에 남은 몫들을 곱합니다.

방법2 공약수를 이용하여 구하기

12와 20의 공약수 ➡ 2) 12 20
6과 10의 공약수 ➡ 2) 6 10
 3 × 5

12와 20의 최소공배수 ➡ $2×2×3×5＝60$ →나눈 공약수들과 남은 몫들의 곱

1 6과 9의 최소공배수를 구하려고 합니다. 물음에 답하세요.

6의 배수	6	12	18	24	30	36	42	48	54	…
9의 배수	9	18	27	36	45	54	63	72	81	…

(1) 표에 나타난 6과 9의 공통된 배수를 **모두** 찾아 ○표 하세요.

(2) 6과 9의 최소공배수를 구하세요.

(   )

2 2와 5의 공배수와 최소공배수의 관계를 알아보려고 합니다. 표의 빈칸을 채우고, ☐ 안에 알맞은 말을 써넣으세요. (단, 공배수와 최소공배수의 배수는 가장 작은 수부터 3개만 쓰세요.)

2와 5의 공배수		
2와 5의 최소공배수		
2와 5의 최소공배수의 배수		

➔ 2와 5의 공배수는 2와 5의 최소공배수의 ☐ 와 같습니다.

교과서 공통 3 18과 30을 여러 수의 곱으로 나타낸 곱셈식을 이용하여 18과 30의 최소공배수를 구하세요.

$18 = 2 \times 9$ $30 = 2 \times 15$

$18 = 2 \times 3 \times \boxed{}$ $30 = 2 \times 3 \times \boxed{}$

최소공배수: $2 \times \boxed{} \times \boxed{} \times \boxed{} = \boxed{}$

4 45와 27의 공약수를 이용하여 45와 27의 최소공배수를 구하세요.

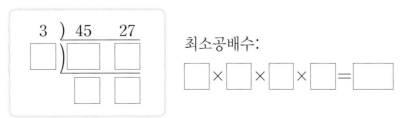

최소공배수:

$\boxed{} \times \boxed{} \times \boxed{} \times \boxed{} = \boxed{}$

041쪽 에서 개념을 **한 번 더** 다집니다.

3 공약수와 최대공약수

01 20과 32의 공약수와 최대공약수를 구하려고 합니다. 물음에 답하세요.

(1) 20과 32의 약수를 구하세요.

20의 약수			
32의 약수			

(2) (1)의 표에서 20과 32의 공약수를 **모두** 찾아 ○표 하고, 최대공약수를 구하세요.

( )

02 27과 63의 공약수와 최대공약수를 구하세요.

- 27의 약수: 1, 3, 9, 27
- 63의 약수: 1, 3, 7, 9, 21, 63

공약수 ( )

최대공약수 ( )

03 16과 40의 약수를 각각 구하고, 두 수의 공약수와 최대공약수를 구하세요.

- 16의 약수 → _____
- 40의 약수 → _____
- 16과 40의 공약수 → _____
- 16과 40의 최대공약수 → _____

04 어떤 두 수의 최대공약수가 15일 때 두 수의 공약수를 **모두** 구하세요.

( )

4 최대공약수 구하는 방법

05 18과 24를 여러 수의 곱으로 나타낸 곱셈식을 이용하여 18과 24의 최대공약수를 구하세요.

$$18 = 2 \times 3 \times \boxed{}$$
$$24 = 2 \times 2 \times \boxed{} \times \boxed{}$$

최대공약수: $\boxed{} \times \boxed{} = \boxed{}$

06 28과 42의 공약수를 이용하여 28과 42의 최대공약수를 구하세요.

```
2) 28   42
7) 14   21
    2    3
```

최대공약수: $\boxed{} \times \boxed{} = \boxed{}$

07 16과 56의 공약수를 이용하여 16과 56의 최대공약수를 구하세요.

```
 ) 16   56
```

최대공약수: $\boxed{}$

08 두 수의 최대공약수를 구하세요.

21   49

( )

5 공배수와 최소공배수

09 2와 3의 공배수를 **모두** 찾아 ○표 하세요.

| 18 | 21 | 15 | 20 | 22 | 24 |
| 27 | 30 | 33 | 36 | 38 | 45 |

10 8과 12의 공배수와 최소공배수를 구하세요.

- 8의 배수: 8, 16, 24, 32, 40, 48, 56,
  64, 72, 80, …
- 12의 배수: 12, 24, 36, 48, 60, 72,
  84, 96, …

공배수 (   )

최소공배수 (   )

11 3과 4의 배수를 각각 구하고, 두 수의 공배수와 최소공배수를 구하세요.

| 3의 배수 |
| 4의 배수 |

공배수 (   )

최소공배수 (   )

12 어떤 두 수의 최소공배수가 다음과 같을 때 두 수의 공배수를 가장 작은 수부터 3개만 쓰세요.

(1) 14 ➜ (   )

(2) 30 ➜ (   )

6 최소공배수 구하는 방법

13 18과 42를 두 수의 곱으로 나타낸 곱셈식을 이용하여 18과 42의 최소공배수를 구하세요.

$$18 = 6 \times \boxed{} \qquad 42 = \boxed{} \times 7$$

최소공배수: $\boxed{} \times \boxed{} \times \boxed{} = \boxed{}$

14 15와 60의 공약수를 이용하여 15와 60의 최소공배수를 구하세요.

$$\overline{)\ 15 \quad 60}$$

최소공배수: $\boxed{}$

15 12와 16의 최소공배수를 두 가지 방법으로 구하세요.

방법 1 곱셈식을 이용하여 구하기

방법 2 공약수를 이용하여 구하기

01 다음 수의 약수를 **모두** 구하세요.

030쪽 개념 **①**

50

( )

02 6의 배수에는 **모두** ○표, 8의 배수에는 **모두** △표 하세요.

030쪽 개념 **①**

1	2	3	4	5	6	7	8
9	10	11	12	13	14	15	16
17	18	19	20	21	22	23	24
25	26	27	28	29	30	31	32
33	34	35	36	37	38	39	40

03 약수가 가장 많은 수를 찾아 기호를 쓰세요.

030쪽 개념 **①**

㉠ 16   ㉡ 25   ㉢ 34

( )

04 어떤 수의 배수를 가장 작은 수부터 차례로 쓴 것입니다. 8번째의 수를 구하세요.

030쪽 개념 **①**

9, 18, 27, 36, 45, …

( )

05 두 수가 약수와 배수의 관계가 되도록 빈칸에 1 이외의 알맞은 수를 써넣으세요.

익힘책 공통   032쪽 개념 **②**

(1) 6 [ ]

(2) [ ] 28

06 보기에서 약수와 배수의 관계인 수를 **모두** 찾아 쓰세요.

032쪽 개념 **②**

보기

3   5   6   10   12

약수   배수

(3 , 6)   (,)

(,)   (,)

07 어떤 수에 대한 설명입니다. 어떤 수는 얼마인지 구하세요.

032쪽 개념 **②**

문제 강의

• 3의 배수입니다.
• 이 수의 약수를 모두 더하면 13입니다.

( )

08 정윤이와 재하 중 두 수의 최대공약수를 **잘못** 구한 친구의 이름을 쓰세요.

036쪽 개념 ❸

9와 15의 최대공약수는 3이야.

4와 20의 최대공약수는 2야.

정윤

재하

( )

09 18과 30을 어떤 수로 나누면 두 수 모두 나누어떨어집니다. 어떤 수 중에서 가장 큰 수를 구하세요.

036쪽 개념 ❸

( )

익힘책 공통

10 초콜릿 12개와 도넛 8개를 최대한 많은 사람에게 남김없이 똑같이 나누어 주려고 합니다. 한 명이 초콜릿과 도넛을 각각 몇 개씩 받을 수 있나요?

036쪽 개념 ❹

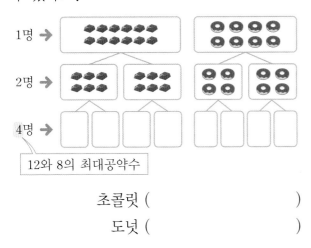

1명 →

2명 →

4명 →

12와 8의 최대공약수

초콜릿 ( )

도넛 ( )

11 3의 배수도 되고 5의 배수도 되는 수를 **모두** 찾아 ○표 하세요.

038쪽 개념 ❺

| 93 | 120 | 145 | 160 | 225 |

12 예진이가 설명하는 수는 무엇인지 구하세요.

038쪽 개념 ❺

문제강의

4와 10의 공배수 중에서 30보다 크고 60보다 작은 수야.

예진

( )

13 성준이는 다음과 같은 규칙의 놀이를 하였습니다. 처음으로 만세를 하면서 동시에 제자리 뛰기를 해야 하는 수를 구하세요.

038쪽 개념 ❺

규칙

• 1부터 50까지의 수를 차례대로 말합니다.
• 10의 배수에서는 말하는 대신 만세를 합니다.
• 4의 배수에서는 말하는 대신 제자리 뛰기를 합니다.

( )

14 100보다 작으면서 100에 더 가까운 수가 공배수인 두 수의 기호를 쓰세요.

038쪽 개념 **⑤**

| ㉠ 6, 9 | ㉡ 14, 21 |

(   )

15 세현이와 창욱이는 공원 둘레를 일정한 빠르기로 걷고 있습니다. 세현이는 6분마다, 창욱이는 8분마다 공원을 한 바퀴 돕니다. 두 사람이 출발점에서 같은 방향으로 동시에 출발할 때, 출발 후 60분 동안 출발점에서 몇 번 다시 만나는지 구하세요.

익힘책 공통   038쪽 개념 **⑥**

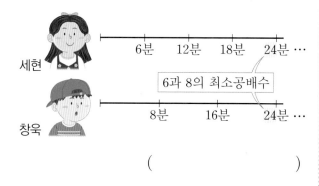

세현   6분   12분   18분   24분 …

6과 8의 최소공배수

창욱   8분   16분   24분 …

(   )

16 도서관에 호정이는 4일마다, 선우는 5일마다 갑니다. 6월 1일에 두 사람이 도서관에서 만났다면 다음번에 도서관에서 만나는 날은 몇 월 며칠인가요?

문제강의   038쪽 개념 **⑥**

(   )

17 우리나라에서는 십간과 십이지를 순서대로 하나씩 짝을 지어 갑자년, 을축년, …, 계유년, 갑술년, …으로 해마다 이름을 붙입니다. 십간은 10년마다, 십이지는 12년마다 반복됩니다. 2021년은 '신축년'입니다. 다음번 신축년이 되는 해는 몇 년인지 구하세요.

038쪽 개념 **⑥**

십간	갑 → 을 → 병 → 정 → 무 → 기 → 경 → 신 → 임 → 계
십이지	자 → 축 → 인 → 묘 → 진 → 사 → 오 → 미 → 신 → 유 → 술 → 해

(   )

생각 + 문제

18 가로 35 m, 세로 42 m인 직사각형 모양의 목장이 있습니다. 목장의 가장자리를 따라 일정한 간격으로 말뚝을 박아 울타리를 설치하려고 합니다. 네 모퉁이에는 반드시 말뚝을 박아야 하고, 말뚝은 가장 적게 사용하려고 합니다. **울타리를 설치하는 데 필요한 말뚝은 모두 몇 개**인지 구하세요.

문제강의

⑴ 말뚝 사이의 간격을 몇 m로 해야 하나요? (단, 말뚝의 두께는 생각하지 않습니다.)

(   )

⑵ 울타리를 설치하는 데 필요한 말뚝은 모두 몇 개인가요?

(   )

서술형 잡기

서술형 강의

1 대화를 보고 공약수에 대해 **잘못 말한 친구**를 찾아 이름을 쓰고, **그 이유**를 설명해 보세요.

재하 : 27과 45의 공약수는 두 수를 모두 나누어떨어지게 할 수 있어.

27과 45의 공약수 중에서 가장 큰 수는 3이야. : 정윤

잘못 말한 친구 _____

이유 27과 45의 공약수 중에서 가장 큰 수는 ☐ 이기 때문입니다.

2 대화를 보고 공배수에 대해 **잘못 말한 친구**를 찾아 이름을 쓰고, **그 이유**를 설명해 보세요.

예진 : 10과 15의 공배수는 10과 15의 최소공배수의 배수와 같아.

10과 15의 공배수 중에서 가장 작은 수는 60이야. : 정후

잘못 말한 친구 _____

이유

3 성우와 미리가 각각 아래의 규칙에 따라 바둑돌을 30개씩 놓을 때, **같은 자리에 흰색 바둑돌을 놓는 경우는 모두 몇 번**인지 풀이 과정을 쓰고, 답을 구하세요.

성우 ●●●●●●☐●●○…
미리 ●●○●○☐●●○●…

해결순서
❶ 같은 자리에 흰색 바둑돌을 놓는 위치 구하기
❷ 같은 자리에 흰색 바둑돌을 놓는 경우 구하기

풀이 ❶ 흰색 바둑돌을 성우는 ☐ 의 배수마다, 미리는 ☐ 의 배수마다 놓으므로 같은 자리에 흰색 바둑돌을 놓는 위치는 ☐ 과 ☐ 의 최소공배수인 ☐ 의 배수의 자리입니다.

❷ 1부터 30까지의 수에는 6의 배수가 ☐ 개 있으므로 같은 자리에 흰색 바둑돌을 놓는 경우는 모두 ☐ 번입니다.

답 _____

4 유미와 경호가 각각 아래의 규칙에 따라 연결큐브를 50개씩 놓을 때, **같은 자리에 빨간색 연결큐브를 놓는 경우는 모두 몇 번**인지 풀이 과정을 쓰고, 답을 구하세요.

유미 ▨▨▨▨▨▨▨▨▨▨…
경호 ▨▨▨▨▨▨▨▨▨▨…

해결순서
❶ 같은 자리에 빨간색 연결큐브를 놓는 위치 구하기
❷ 같은 자리에 빨간색 연결큐브를 놓는 경우 구하기

풀이 _____

_____

_____

_____

_____

답 _____

01 8의 약수에 모두 ○표 하세요.

| 1 | 2 | 3 | 4 | 5 | 6 | 7 | 8 |

02 10의 배수를 가장 작은 수부터 차례로 구하세요.

□, □, □, □, …

03 15를 두 수의 곱으로 나타낸 것입니다. 알맞은 말에 ○표 하세요.

$$15 = 1 \times 15 \qquad 15 = 3 \times 5$$

15는 1, 3, 5, 15의 (약수 , 배수)입니다.
1, 3, 5, 15는 15의 (약수 , 배수)입니다.

04 12와 16의 공약수와 최대공약수를 구하세요.

- 12의 약수: 1, 2, 3, 4, 6, 12
- 16의 약수: 1, 2, 4, 8, 16

공약수 (　　　　　　　)
최대공약수 (　　　　　　　)

[05~07] 24와 42를 여러 수의 곱으로 나타낸 곱셈식을 보고 물음에 답하세요.

$$24 = 1 \times 24 \qquad 24 = 2 \times 12 \qquad 24 = 3 \times 8$$
$$24 = 4 \times 6 \qquad 24 = 2 \times 2 \times 2 \times 3$$

$$42 = 1 \times 42 \qquad 42 = 2 \times 21 \qquad 42 = 3 \times 14$$
$$42 = 6 \times 7 \qquad 42 = 2 \times 3 \times 7$$

05 24와 42의 최대공약수를 구하기 위한 두 수의 곱셈식을 쓰세요.

$$24 = 4 \times \square$$
$$42 = \square \times \square$$

06 24와 42의 최대공약수를 구하기 위한 여러 수의 곱셈식을 쓰세요.

$$24 = 2 \times \square \times \square \times \square$$
$$42 = \square \times \square \times \square$$

07 24와 42의 최대공약수를 구하세요.

(　　　　　　　)

08 40과 50의 공약수를 이용하여 40과 50의 최소공배수를 구하세요.

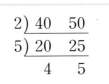

$$2) \quad 40 \quad 50$$
$$5) \quad 20 \quad 25$$
$$\quad \quad 4 \quad \quad 5$$

최소공배수: □ × □ × □ × □ = □

09 32와 56의 공약수를 이용하여 32와 56의 최대공약수를 구하세요.

$$) \quad 32 \quad 56$$

최대공약수: □

10 두 수가 약수와 배수의 관계인 것을 모두 찾아 이어 보세요.

(1) 3 ·   · 21

(2) 7 ·   · 48

(3) 8 ·   · 56

11 어떤 두 수의 최대공약수가 24일 때 두 수의 공약수는 모두 몇 개인가요?

(   )

12 8의 배수도 되고 12의 배수도 되는 수를 모두 찾아 ○표 하세요.

12   48   64   72   90

13 두 수의 최대공약수와 최소공배수를 구하세요.

24   32

최대공약수 (   )
최소공배수 (   )

14 어떤 수의 배수를 가장 작은 수부터 차례로 쓴 것입니다. 15번째의 수를 구하세요.

7, 14, 21, 28, 35, ...

(   )

15 약수가 많은 수부터 차례로 기호를 쓰세요.

> ㉠ 10   ㉡ 36   ㉢ 49

(   )

16 빵 54개와 과자 45개를 최대한 많은 사람에게 남김없이 똑같이 나누어 주려고 합니다. 한 명이 빵과 과자를 각각 몇 개씩 받을 수 있나요?

빵 (   )

과자 (   )

17 어떤 수에 대한 설명입니다. 어떤 수는 얼마인지 구하세요.

> • 16의 약수입니다.
> • 이 수의 약수를 모두 더하면 15입니다.

(   )

18 어느 기차역에서 춘천행은 30분마다, 강릉행은 45분마다 출발합니다. 오전 10시에 두 방향으로 기차가 동시에 출발했다면 다음번에 동시에 출발하는 시각은 오전 몇 시 몇 분일까요?

(   )

서술형

19 대화를 보고 잘못 말한 친구를 찾아 이름을 쓰고, 그 이유를 설명해 보세요.

> 6과 9의 공약수는 6과 9의 최대공약수의 약수와 같아.

> 6과 9의 최대공약수는 최소공배수보다 커.

창욱   예진

잘못 말한 친구 _____

이유 _____

_____

_____

서술형

20 지민이와 아영이가 각각 아래의 규칙에 따라 구슬을 50개씩 놓을 때, 같은 자리에 초록색 구슬을 놓는 경우는 모두 몇 번인지 풀이 과정을 쓰고, 답을 구하세요.

지민 ●●●●●●●●●●●● …

아영 ●●●●●●●●●●●● …

풀이

_____

_____

_____

_____

_____

답 _____

형규는 열쇠를 찾으러 가야 해요.

어느 길로 가야 열쇠를 찾을 수 있는지 선으로 이어 봐요.

3 규칙과 대응

개구리 한 마리를 접으려면 색종이 2장이 필요해.
(색종이의 수)=(개구리의 수)×2로 나타낼 수 있지.

동영상 강의와 함께 계획을 세워 공부합니다.
동영상 강의를 시청했으면 ◯에 V표 하세요.

공부한 날	동영상 확인	쪽수	학습 내용
월 일	▶ ◯	052~055쪽	**교과서 개념 잡기** ❶ 두 양 사이의 관계 ❷ 대응 관계를 식으로 나타내기 ❸ 생활 속에서 대응 관계를 찾아 식으로 나타내기
월 일		056~057쪽	**개념 한 번 더 잡기**
월 일	▶ ◯	058~060쪽	**수학 익힘 문제 잡기**
월 일	▶ ◯	061쪽	**서술형 잡기**
월 일		062~064쪽	**단원 마무리**

 한눈에
핵심쏙

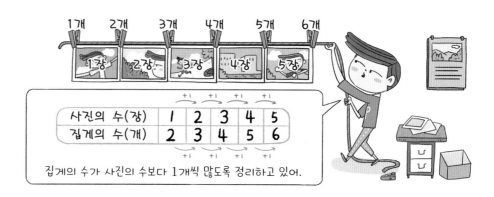

개념 강의

1 두 양 사이의 관계

(1) 잠자리의 수와 잠자리 날개의 수 사이의 대응 관계

 예

대응은 한자로 **對應**(대할 대, 응할 응)이라 쓰고, 한 양이 변할 때 다른 양이 그에 따라 일정하게 변하는 관계를 대응 관계라고 합니다.

① 두 양 사이의 대응 관계 알아보기
- 잠자리가 한 마리씩 늘어날 때마다 잠자리 날개는 4장씩 늘어납니다.
- 잠자리 날개의 수는 잠자리의 수의 4배씩 늘어납니다.

② 두 양 사이의 대응 관계 나타내기
- 잠자리 날개의 수는 잠자리의 수의 4배입니다.
- 잠자리의 수는 잠자리 날개의 수를 4로 나눈 몫과 같습니다.

규칙적인 배열에서 두 양 사이의 대응 관계 찾기

```
┌─────────────┐
│  대응 관계인  │
│   두 양 찾기  │
└─────────────┘
       ↓
┌─────────────┐
│ 변하는 부분과 │
│변하지 않는 부분 찾기│
└─────────────┘
       ↓
┌─────────────┐
│  표로 나타내어 │
│   두 양 사이의 │
│  대응 관계 찾기 │
└─────────────┘
```

(2) 삼각형 조각의 수와 사각형 조각의 수 사이의 대응 관계

예

변하지 않는 부분

① 변하는 부분과 변하지 않는 부분 찾기

왼쪽과 오른쪽에 있는 삼각형 조각 2개는 변하지 않고,

가운데에 있는 삼각형과 사각형 조각의 수가 1개씩 늘어납니다.

② 두 양 사이의 대응 관계를 표로 나타내어 찾기

사각형 조각의 수(개)	1	2	3	4	···
삼각형 조각의 수(개)	3 (1+2)	4 (2+2)	5 (3+2)	6 (4+2)	···

- 삼각형 조각의 수는 사각형 조각의 수보다 2개 더 많습니다.
- 사각형 조각의 수는 삼각형 조각의 수보다 2개 더 적습니다.

1 영화관에 있는 의자의 수와 팔걸이의 수 사이에는 어떤 대응 관계가 있는지 알아보려고 합니다. 물음에 답하세요.

(1) 의자의 수와 팔걸이의 수가 어떻게 변하는지 표를 이용하여 알아보세요.

의자의 수(개)	1	2	3	4	5	…
팔걸이의 수(개)	2	3				…

(2) 의자의 수와 팔걸이의 수 사이의 대응 관계를 쓰세요.

> 팔걸이의 수는 의자의 수보다 ☐ 개 더 많습니다.

2 도형의 배열을 보고 다음에 이어질 알맞은 모양을 그려 보세요.

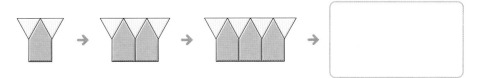

교과서 공통 3 원 조각과 삼각형 조각으로 규칙적인 배열을 만들고 있습니다. 모양에서 변하는 부분과 변하지 않는 부분을 생각하며 표를 완성하고, 원 조각의 수와 삼각형 조각의 수 사이의 대응 관계를 쓰세요.

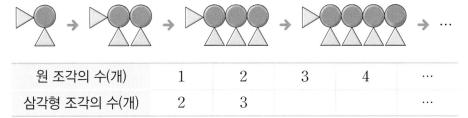

원 조각의 수(개)	1	2	3	4	…
삼각형 조각의 수(개)	2	3			…

> • 원 조각의 수에 ☐ 을/를 더하면 삼각형 조각의 수와 같습니다.
>
> • 삼각형 조각의 수에서 ☐ 을/를 빼면 원 조각의 수와 같습니다.

056쪽 에서 개념을 **한 번 더** 다집니다.

학교별 모든 개념을 담았습니다.

교과서 개념 잡기

(책 묶음 수)×4
= (책의 수)

(필요한 리본의 길이)
= (책 묶음 수)×80

리본 80cm

한 가지 상황에서도 다양한 대응 관계를 찾을 수 있어.

개념 강의

2 대응 관계를 식으로 나타내는 방법

• 탁자 1개마다 의자가 6개씩 놓여 있는 규칙

① 두 양 사이의 대응 관계 찾기

- 탁자의 수를 6배 한 만큼 의자의 수가 있습니다.
- 의자의 수를 6으로 나눈 만큼 탁자의 수가 있습니다.

대응 관계를 기호를 사용한
식으로 나타내기

대응 관계인 두 양을
나타낼 기호 정하기

↓

+, −, ×, ÷ 중에서
알맞은 것을 골라
식으로 나타내기

② 기호를 사용하여 두 양 사이의 대응 관계를 식으로 나타내기

서로 대응하는 두 양		대응 관계를 식으로 나타내기
탁자의 수 ○	의자의 수 ☆	(탁자의 수)×6=(의자의 수) ➡ ○×6=☆
		(의자의 수)÷6=(탁자의 수) ➡ ☆÷6=○

두 양 사이의 대응 관계를 식으로 간단하게 나타낼 때는
각 양을 ○, □, △, ☆ 등과 같은 기호로 표현할 수 있습니다.

3 생활 속에서 대응 관계를 찾아 식으로 나타내기

①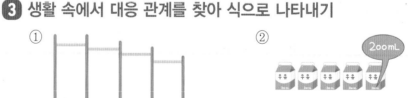

② 200mL

서로 대응하는 두 양			대응 관계를 식으로 나타내기
①	철봉 대의 수 □	철봉 기둥의 수 △	(철봉 대의 수)+1=(철봉 기둥의 수) ➡ □+1=△
②	우유갑의 수 ☆	우유의 양 ○	(우유갑의 수)×200=(우유의 양) ➡ ☆×200=○

1 어느 공연의 시작 시각과 끝난 시각 사이의 대응 관계를 식으로 나타내려고 합니다. 물음에 답하세요.

시작 시각	오전 11시	오후 2시	오후 5시	오후 8시	⋯
끝난 시각	오후 1시	오후 4시	오후 7시	오후 10시	⋯

(1) 시작 시각과 끝난 시각 사이의 대응 관계를 쓰세요.

> 시작 시각과 끝난 시각은 [ ]시간 차이가 납니다.

(2) 알맞은 카드를 골라 시작 시각과 끝난 시각 사이의 대응 관계를 식으로 나타내어 보세요.

시작 시각 끝난 시각 ＋ － ＝ 1 2 3

[ ] [ ] [ ] [ ]

(3) 시작 시각을 ○, 끝난 시각을 △라고 할 때, 두 양 사이의 대응 관계를 식으로 나타내어 보세요.

식 _____

교과서 공통 2 과학실에 있는 책상 한 개에 학생이 4명씩 앉을 수 있습니다. 책상의 수와 학생 수 사이의 대응 관계를 찾아 식으로 나타내려고 합니다. 물음에 답하세요.

(1) 표를 완성하고, 책상의 수와 학생 수 사이의 대응 관계를 쓰세요.

책상의 수(개)	1	2	3		5	⋯
학생 수(명)	4	8		16		⋯

> 책상의 수를 [ ]배 한 만큼이 학생 수입니다.

(2) (1)에서 찾은 대응 관계를 기호를 사용하여 식으로 나타내어 보세요.

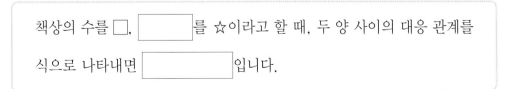

> 책상의 수를 □, [ ]를 ☆이라고 할 때, 두 양 사이의 대응 관계를 식으로 나타내면 [ ]입니다.

057쪽 에서 개념을 **한 번 더** 다집니다.

1 두 양 사이의 관계

[01~02] 다음과 같이 접시 한 개에 딸기를 5개씩 담고 있습니다. 물음에 답하세요.

01 접시의 수와 딸기의 수가 어떻게 변하는지 표를 이용하여 알아보세요.

접시의 수(개)	1	2	3	4	…
딸기의 수(개)	5				…

02 접시의 수와 딸기의 수 사이의 대응 관계를 쓰세요.

⑴ 접시의 수를 ☐ 배 하면 딸기의 수와 같습니다.

⑵ 딸기의 수를 ☐ (으)로 나누면 접시의 수와 같습니다.

03 세발자전거의 수와 바퀴의 수 사이에는 어떤 대응 관계가 있는지 알아보려고 합니다. 표를 완성하고, 세발자전거의 수와 바퀴의 수 사이의 대응 관계를 쓰세요.

세발자전거의 수(대)	1	2	3	4	…
바퀴의 수(개)					…

바퀴의 수는 세발자전거의 수의 ☐ 배입니다.

[04~05] 바둑돌의 배열을 보고 물음에 답하세요.

04 다음에 이어질 알맞은 모양을 그려 보세요.

05 각 배열에서 검은색 바둑돌은 흰색 바둑돌보다 몇 개 더 많은가요?

( )

[06~07] 사각판의 배열을 보고 물음에 답하세요.

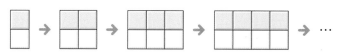

06 초록색 사각판의 수와 노란색 사각판의 수가 어떻게 변하는지 표를 이용하여 알아보세요

초록색 사각판의 수(개)	1	2	3	4	…
노란색 사각판의 수(개)	1				…

07 초록색 사각판의 수와 노란색 사각판의 수 사이의 대응 관계를 쓰세요.

초록색 사각판의 수는 노란색 사각판의 수와 ☐ .

2 대응 관계를 식으로 나타내는 방법

[08～09] 체육 대회에서 한 번에 7명씩 달리기를 하고 있습니다. 물음에 답하세요.

달린 횟수(번)	1	2	3	4	…
달린 학생 수(명)	7				…

08 위의 표를 완성하고, 달린 학생 수는 달린 횟수의 몇 배인지 구하세요.

(   )

09 달린 횟수를 ◇, 달린 학생 수를 ◎라고 할 때, 두 양 사이의 대응 관계를 식으로 나타내어 보세요.

식

10 형과 동생이 저금통에 저금을 하려고 합니다. 형은 가지고 있던 2000원을 먼저 저금했고, 두 사람은 다음 달부터 1000원씩 저금을 하기로 했습니다. 표를 완성하고, 형이 모은 돈을 ○, 동생이 모은 돈을 △라고 할 때, 두 양 사이의 대응 관계를 식으로 나타내어 보세요.

	형이 모은 돈(원)	동생이 모은 돈(원)
저금을 시작했을 때	2000	0
1달 후	3000	1000
2달 후		
3달 후		
⋮	⋮	⋮

식

3 생활 속에서 대응 관계를 찾아 식으로 나타내기

[11～12] 책꽂이에서 볼 수 있는 대응 관계를 찾아 식으로 나타내려고 합니다. 물음에 답하세요.

11 서로 대응하는 두 양을 찾아 쓰고, 두 양 사이의 대응 관계를 식으로 나타내어 보세요.

서로 대응하는 두 양
책꽂이 칸의 수

식

12 책꽂이 칸의 수와 책의 수 사이의 대응 관계를 기호를 사용하여 식으로 나타내어 보세요.

책꽂이 칸의 수를 ☆, 책의 수를 [ ](이)라고 할 때, 두 양 사이의 대응 관계를 식으로 나타내면 [ ]입니다.

13 대화를 보고 지원이가 말한 수를 □, 성민이가 답한 수를 ▽라고 할 때, 두 양 사이의 대응 관계를 식으로 나타내어 보세요.

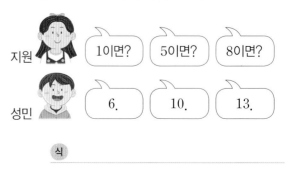

식

[01~03] 도형의 배열을 보고 물음에 답하세요.

052쪽 개념 ❶

01 사각형의 수와 삼각형의 수가 어떻게 변하는지 표를 이용하여 알아보세요.

사각형의 수(개)	1	2	3	4	⋯
삼각형의 수(개)					⋯

052쪽 개념 ❶

02 사각형의 수와 삼각형의 수 사이의 관계를 생각하며 □ 안에 알맞은 수를 써넣으세요.

- 사각형이 10개일 때 필요한 삼각형의 수는 □ 개입니다.
- 사각형이 50개일 때 필요한 삼각형의 수는 □ 개입니다.

익힘책 공통   052쪽 개념 ❶

03 사각형의 수와 삼각형의 수 사이의 대응 관계를 쓰세요.

_____

[04~07] 어떤 만화 영화를 1초 동안 상영하려면 그림이 20장 필요합니다. 물음에 답하세요.

052쪽 개념 ❶

04 만화 영화를 상영하는 시간과 필요한 그림의 수가 어떻게 변하는지 표를 이용하여 알아보세요.

시간(초)	1	2	3	4	⋯
그림의 수(장)					⋯

052쪽 개념 ❶

05 만화 영화를 상영하는 시간과 필요한 그림의 수 사이의 대응 관계를 쓰세요.

- 만화 영화를 상영하는 시간을 □ 배 하면 필요한 그림의 수와 같습니다.
- 필요한 그림의 수를 □ (으)로 나누면 만화 영화를 상영하는 시간과 같습니다.

052쪽 개념 ❶

06 만화 영화를 10초 상영하려면 그림이 몇 장 필요할까요?

(   )

052쪽 개념 ❶

07 그림 300장으로는 만화 영화를 몇 초 동안 상영할 수 있을까요?

(   )

익힘책 공통 054쪽 개념 ❷

08 수영을 1분 하면 15킬로칼로리의 열량이 소모된다고 합니다. 수영을 한 시간이 □(분)일 때, 소모된 열량(킬로칼로리)을 기호로 나타내고, 그 기호를 사용하여 수영을 한 시간과 소모된 열량 사이의 대응 관계를 식으로 나타내어 보세요.

문제 강의

소모된 열량을 나타내는 기호 [ ] 킬로칼로리

식

[09~10] 달걀 한 판에는 달걀이 10개씩 들어 있습니다. 달걀 판의 수를 ◎, 달걀의 수를 ♡라고 할 때, 물음에 답하세요.

054쪽 개념 ❷

09 달걀 판의 수와 달걀의 수 사이의 대응 관계를 기호를 사용하여 식으로 나타내어 보세요.

식

054쪽 개념 ❷

10 대화를 보고 잘못 말한 친구를 찾아 이름을 쓰세요.

> 달걀 판의 수를 ◇, 달걀의 수를 ▽로 바꿔서 나타낼 수도 있어.

> ◎는 ♡와 관계없이 변할 수 있어.

성재   유나

(   )

054쪽 개념 ❷

11 감자 1 kg에 들어 있는 단백질의 양은 25 g입니다. 감자의 무게(kg)와 단백질의 양(g) 사이의 대응 관계를 기호를 사용하여 식으로 나타내어 보세요.

감자의 무게를 [ ], 단백질의 양을 [ ](이)라고 할 때, 두 양 사이의 대응 관계를 식으로 나타내면 [   ]입니다.

[12~13] 그림에서 볼 수 있는 대응 관계를 찾아 식으로 나타내려고 합니다. 물음에 답하세요.

054쪽 개념 ❸

12 탁자의 수와 의자의 수 사이의 대응 관계를 기호를 사용하여 식으로 나타내어 보세요.

[   ]의 수를 ○, [   ]의 수를 ☆(이)라고 할 때, 두 양 사이의 대응 관계를 식으로 나타내면 [   ]입니다.

054쪽 개념 ❸

13 위의 그림에서 탁자마다 의자가 1개씩 더 있을 때, 탁자의 수와 의자의 수 사이의 대응 관계를 12에서 정한 기호를 사용하여 식으로 나타내어 보세요.

식

14 대응 관계를 나타낸 식을 보고, 식에 알맞은 상황을 만들어 보세요.

054쪽 개념 ③

$$◇ × 4 = ◎$$

_____

15 장훈이는 친구들과 칠판에 미술 작품을 자석으로 붙였습니다. 사용한 자석의 수와 미술 작품의 수 사이의 대응 관계를 나타낸 표를 완성하고, 기호를 사용하여 식으로 나타내어 보세요.

054쪽 개념 ③

자석의 수(개)	10	6		14	…
미술 작품의 수(개)	5	3	10		…

기호 자석의 수: ☐ , 미술 작품의 수: ☐

식 _____

16 세희의 나이와 연도 사이의 대응 관계를 나타낸 표를 완성하고, 세희가 20살일 때의 연도를 구하세요.

익힘책 공통 / 054쪽 개념 ③

세희의 나이(살)	12	13	14		…
연도(년)	2021	2022		2024	…

( )

17 수를 넣으면 대응 관계에 따라 답하는 로봇이 있습니다. 이 로봇에 6을 넣으면 2를 답하고, 21을 넣으면 7을 답하고, 15를 넣으면 5를 답합니다. 답한 수가 30이라면 로봇에 어떤 수를 넣었을까요?

문제 강의 / 054쪽 개념 ③

( )

생각 + 문제

18 시원이는 구슬로 규칙적인 배열을 만들고 있습니다. 배열 순서와 구슬의 수 사이의 대응 관계를 알아보고, **쉰째에 필요한 구슬은 몇 개**인지 구하세요.

문제 강의

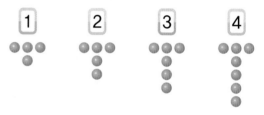

(1) 모양에서 변하는 부분과 변하지 않는 부분을 찾아보세요.

변하는 부분	변하지 않는 부분
아래로 놓이는 구슬이 ☐ 개씩 늘어납니다.	위에 있는 구슬 ☐ 개는 항상 그대로입니다.

(2) 배열 순서를 △, 구슬의 수를 ○라 할 때, 두 양 사이의 대응 관계를 식으로 나타내어 보세요.

식 _____

(3) 쉰째에는 구슬이 몇 개 필요한가요?

( )

서술형 잡기

서술형 강의

1 한 상자에 도넛이 6개씩 들어 있습니다. 대화를 보고 상자의 수와 도넛의 수 사이의 대응 관계를 **잘못 말한 친구**를 찾아 이름을 쓰고, **그 이유**를 설명해 보세요.

지원 〉 상자의 수와 도넛의 수 사이의 관계는 항상 일정해.

대응 관계를 나타낸 식 ◇×6=◎에서 ◇는 도넛의 수를, ◎는 상자의 수를 나타내. 〈 성민

잘못 말한 친구 _____

이유 도넛의 수가 상자의 수의 6배이므로 대응 관계를 나타내는 식 ◇×6=◎에서

◇는 ☐의 수, ◎는 ☐의 수입니다.

2 비행기는 1분에 14 m 비행합니다. 대화를 보고 비행기의 비행시간과 비행 거리 사이의 대응 관계를 **잘못 말한 친구**를 찾아 이름을 쓰고, **그 이유**를 설명해 보세요.

다현 〉 비행시간을 ▽, 비행 거리를 ☆이라고 할 때, 두 양 사이의 대응 관계는 ▽÷14=☆야.

비행시간은 소수나 분수도 될 수 있어. 〈 윤호

잘못 말한 친구 _____

이유 _____

3 △와 ♡ 사이의 대응 관계를 나타낸 표입니다. ㉠의 **값**은 얼마인지 풀이 과정을 쓰고, 답을 구하세요.

△	11	12	13	…	㉠
♡	3	4	5	…	10

해결 순서 ❶ △와 ♡ 사이의 대응 관계를 식으로 나타내기
❷ ㉠의 값 구하기

풀이 ❶ △는 ♡보다 ☐ 만큼 더 큰 수이므로 두 양 사이의 대응 관계를 식으로 나타내면

△=♡+☐ 입니다.

❷ ♡가 10일 때 △=10+☐=☐ 이므로

㉠의 값은 ☐ 입니다.

답 _____

4 ☐와 ○ 사이의 대응 관계를 나타낸 표입니다. ㉡의 **값**은 얼마인지 풀이 과정을 쓰고, 답을 구하세요.

☐	5	6	7	…	21
○	18	19	20	…	㉡

해결 순서 ❶ ☐와 ○ 사이의 대응 관계를 식으로 나타내기
❷ ㉡의 값 구하기

풀이 _____

답 _____

[01~02] 다음과 같이 도화지에 누름 못을 꽂아서 게시판을 꾸미고 있습니다. 물음에 답하세요.

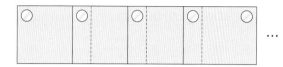

01 도화지의 수와 누름 못의 수가 어떻게 변하는 지 표를 이용하여 알아보세요.

도화지의 수(장)	1	2	3	4	…
누름 못의 수(개)	2				…

02 도화지의 수와 누름 못의 수 사이의 대응 관계를 쓰세요.

도화지의 수에 ☐ 을 더하면 누름 못의 수와 같습니다.

[03~04] 주스 1병에 설탕이 22 g 들어 있습니다. 물음에 답하세요.

03 주스의 수와 설탕의 양이 어떻게 변하는지 표를 이용하여 알아보세요.

주스의 수(병)	1	2	3	4	…
설탕의 양(g)					…

04 주스의 수를 ○, 설탕의 양을 ☆이라고 할 때, 두 양 사이의 대응 관계를 식으로 나타내어 보세요.

05 바람개비의 수와 날개의 수 사이의 대응 관계를 식으로 나타내어 보세요.

(날개의 수)÷ ☐ =(바람개비의 수)

[06~08] 도형의 배열을 보고 물음에 답하세요.

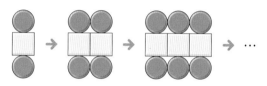

06 다음에 이어질 알맞은 모양을 그려 보세요.

07 사각형이 15개일 때 원은 몇 개 필요할까요?

(　　　　　　　)

08 원의 수와 사각형의 수 사이의 대응 관계를 쓰세요.

• 사각형의 수를 ☐ 배 하면 원의 수와 같습니다.

• 원의 수를 ☐ (으)로 나누면 사각형의 수와 같습니다.

[09~11] 오빠와 언니가 저금통에 저금을 하려고 합니다. 언니는 가지고 있던 돈 1000원을 먼저 저금했고, 두 사람은 다음 주부터 500원씩 저금을 하기로 했습니다. 물음에 답하세요.

09 오빠가 모은 돈과 언니가 모은 돈이 어떻게 변하는지 표를 이용하여 알아보세요.

	오빠가 모은 돈(원)	언니가 모은 돈(원)
저금을 시작했을 때	0	1000
1주일 후	500	1500
2주일 후		
3주일 후		
⋮	⋮	⋮

10 알맞은 카드를 골라 오빠가 모은 돈과 언니가 모은 돈 사이의 대응 관계를 식으로 나타내어 보세요.

오빠가 모은 돈	언니가 모은 돈

+	−	×	÷	=

500	1000	1500

11 오빠가 모은 돈과 언니가 모은 돈 사이의 대응 관계를 기호를 사용하여 식으로 나타내어 보세요.

오빠가 모은 돈을 △, 언니가 모은 돈을 ◇ 라고 할 때, 두 양 사이의 대응 관계를 식으로 나타내면 [   ] 입니다.

[12~13] 상자 한 개에는 구슬이 9개씩 들어 있습니다. 물음에 답하세요.

12 상자의 수와 구슬의 수가 어떻게 변하는지 표를 이용하여 알아보세요.

상자의 수(개)	1	2	3	4	…
구슬의 수(개)	9				…

13 구슬 108개가 들어 있는 상자는 몇 개인가요?

(   )

[14~15] 그림에서 볼 수 있는 대응 관계를 찾아 식으로 나타내려고 합니다. 물음에 답하세요.

14 그림에서 서로 대응하는 두 양을 찾아 쓰고, 대응 관계를 식으로 나타내어 보세요.

서로 대응하는 두 양
의자의 수

(식)

15 위의 그림에서 음료마다 빨대가 2개씩 더 있을 때, 음료의 수(◎)와 빨대의 수(□) 사이의 대응 관계를 기호를 사용하여 식으로 나타내어 보세요.

(식)

16 학생이 한 모둠에 6명씩 있습니다. 모둠의 수를 ☆, 학생 수를 □라고 할 때, 윤호의 생각이 옳은지 틀린지 판단해 보세요.

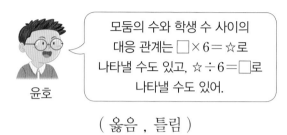

> 모둠의 수와 학생 수 사이의 대응 관계는 □×6=☆로 나타낼 수도 있고, ☆÷6=□로 나타낼 수도 있어.

윤호

(옳음 , 틀림)

[17~18] 연주가 12살일 때 어머니는 37살이었습니다. 물음에 답하세요.

17 연주의 나이와 어머니의 나이가 어떻게 변하는지 표를 이용하여 알아보세요.

연주의 나이(살)	12	13	25	40	…
어머니의 나이(살)	37				…

18 연주의 나이와 어머니의 나이 사이의 대응 관계를 기호를 사용하여 식으로 나타내어 보세요.

기호 연주의 나이: [ ], 어머니의 나이: [ ]

식

서술형

19 한 사람에게 연필을 4자루씩 나누어 주고 있습니다. 사람의 수와 연필의 수 사이의 대응 관계를 잘못 말한 친구를 찾아 이름을 쓰고, 그 이유를 설명해 보세요.

> 사람의 수를 ○, 연필의 수를 △라고 할 때, 두 양 사이의 대응 관계는 △×4=○야.

> 대응 관계를 나타낸 식 ♡÷4=◇에서 ♡는 연필의 수, ◇는 사람의 수를 나타내.

성재   유나

잘못 말한 친구 _____

이유 _____

_____

_____

서술형

20 ▽와 ◎ 사이의 대응 관계를 나타낸 표입니다. ㉠의 값은 얼마인지 풀이 과정을 쓰고, 답을 구하세요.

▽	12	13	14	…	19
◎	18	17	16	…	㉠

풀이

_____

_____

_____

_____

답 _____

그동안 동생의 일기장을 몰래몰래 훔쳐보고 있었는데
동생이 눈치를 챘는지 무슨 말인지 하나도 모르게 써 놓았어요.
하지만 상상왕인 나는 금방 동생이 정한 암호를 알아챘지요~!
동생이 일기장에 뭐라고 썼을까요?

아마느거 스정에 거셨일 때
내거 좋어허닌 구그럴 서 우
스면 좋겠더구 생격했더.
아마느거 즙에 둘어우섰일
때 정버고느 언에 구그거 덜
아 윴닌 갓일 부구 너닌 뭘
딧으 그빴더.

4 약분과 통분

$\dfrac{1}{4}$ $\dfrac{5}{12}$ $\dfrac{1}{3}$

제일 적잖아!

음....

좋았어~!

제비뽑기를 해서 나온 분수만큼 초콜릿을 먹을 수 있어.
$\dfrac{1}{4}$, $\dfrac{5}{12}$, $\dfrac{1}{3}$ 중에서 가장 큰 분수를 뽑아야 할텐데!

동영상 강의와 함께 계획을 세워 공부합니다.
동영상 강의를 시청했으면 ◯에 ∨표 하세요.

공부한 날	동영상 확인	쪽수	학습 내용
월 일	▶ ◯	068~071쪽	**교과서 개념 잡기** ❶ 크기가 같은 분수 ❷ 크기가 같은 분수 만들기 ❸ 분수를 간단하게 나타내기
월 일		072~073쪽	**개념 한 번 더 잡기**
월 일	▶ ◯	074~077쪽	**교과서 개념 잡기** ❹ 분모가 같은 분수로 나타내기 ❺ 분수의 크기 비교 ❻ 분수와 소수의 크기 비교
월 일		078~079쪽	**개념 한 번 더 잡기**
월 일	▶ ◯	080~082쪽	**수학 익힘 문제 잡기**
월 일	▶ ◯	083쪽	**서술형 잡기**
월 일		084~086쪽	**단원 마무리**

한눈에 **방법쏙**

분모와 분자에 0이 아닌 같은 수를 곱하면 크기가 같아.

분모와 분자를 0이 아닌 같은 수로 나눠도 크기가 같아.

개념 강의

1 크기가 같은 분수

예) $\dfrac{1}{2}$, $\dfrac{2}{4}$, $\dfrac{3}{6}$의 크기 비교

크기가 같은 분수는 전체를 나눈 부분의 수가 달라도 색칠한 부분의 크기가 모두 같습니다.

색칠한 부분이 나타내는 양이 같습니다.

$$\dfrac{1}{2} \quad = \quad \dfrac{2}{4} \quad = \quad \dfrac{3}{6}$$

→ $\dfrac{1}{2}$, $\dfrac{2}{4}$, $\dfrac{3}{6}$은 크기가 같은 분수입니다.

2 크기가 같은 분수 만들기

(1) 같은 수를 곱하여 크기가 같은 분수 만들기

예)

$$\dfrac{1}{3} \qquad \dfrac{2}{6} \qquad \dfrac{3}{9}$$

$$\dfrac{1}{3} = \dfrac{1\times2}{3\times2} = \dfrac{1\times3}{3\times3} \rightarrow \dfrac{1}{3} = \dfrac{2}{6} = \dfrac{3}{9}$$

분모와 분자에 각각 0이 아닌 같은 수를 곱하면 크기가 같은 분수가 됩니다.

(2) 같은 수로 나누어 크기가 같은 분수 만들기

예)

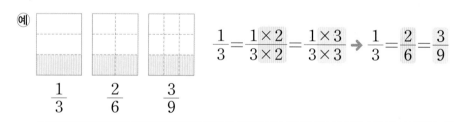

$$\dfrac{4}{20} \qquad \dfrac{2}{10} \qquad \dfrac{1}{5}$$

$$\dfrac{4}{20} = \dfrac{4\div2}{20\div2} = \dfrac{4\div4}{20\div4} \rightarrow \dfrac{4}{20} = \dfrac{2}{10} = \dfrac{1}{5}$$

4와 20의 공약수

분모와 분자를 각각 0이 아닌 같은 수로 나누면 크기가 같은 분수가 됩니다.

1 $\frac{2}{3}$와 크기가 같은 분수를 만들려고 합니다. 물음에 답하세요.

(1) $\frac{2}{3}$와 크기가 같도록 수직선에 그려 보고 분수로 나타내어 보세요.

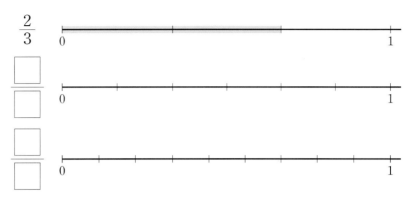

(2) (1)의 수직선을 보고 $\frac{2}{3}$와 크기가 같은 분수를 만들어 보세요.

$$\frac{2}{3} = \frac{2 \times \boxed{}}{3 \times \boxed{}} = \frac{\boxed{}}{\boxed{}} \qquad \frac{2}{3} = \frac{2 \times \boxed{}}{3 \times \boxed{}} = \frac{\boxed{}}{\boxed{}}$$

교과서 공통 2 분수만큼 색칠하고 크기가 같은 분수를 쓰세요.

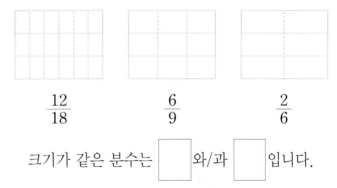

$$\frac{12}{18} \qquad\qquad \frac{6}{9} \qquad\qquad \frac{2}{6}$$

크기가 같은 분수는 $\boxed{}$ 와/과 $\boxed{}$ 입니다.

3 □ 안에 알맞은 수를 써넣어 크기가 같은 분수를 만들어 보세요.

(1) $\dfrac{3}{8} = \dfrac{3 \times \boxed{}}{8 \times 2} = \dfrac{3 \times \boxed{}}{8 \times 3} = \dfrac{3 \times 4}{8 \times \boxed{}}$ $\rightarrow$ $\dfrac{3}{8} = \dfrac{\boxed{}}{16} = \dfrac{\boxed{}}{24} = \dfrac{12}{\boxed{}}$

(2) $\dfrac{6}{30} = \dfrac{6 \div 2}{30 \div \boxed{}} = \dfrac{6 \div \boxed{}}{30 \div 3} = \dfrac{6 \div \boxed{}}{30 \div 6}$ $\rightarrow$ $\dfrac{6}{30} = \dfrac{3}{\boxed{}} = \dfrac{\boxed{}}{10} = \dfrac{\boxed{}}{5}$

072쪽 에서 개념을 **한 번 더** 다집니다.

한눈에
방법쏙

개념 강의

③ 분수를 간단하게 나타내기

(1) 약분

예) $\dfrac{12}{16}$ 를 약분하기

① 분모와 분자의 공약수를 구합니다.

→ 16과 12의 공약수: 1, 2, 4

② 분모와 분자를 16과 12의 공약수 2, 4로 각각 나누어 약분합니다.

분모와 분자를 1로 나누면 처음 분수와 같으므로 약분할 때는 1을 제외한 공약수로 나눕니다.

$$\frac{12}{16}=\frac{12\div2}{16\div2}=\frac{6}{8} \rightarrow \frac{\overset{6}{12}}{\underset{8}{16}}=\frac{6}{8} \qquad \frac{12}{16}=\frac{12\div4}{16\div4}=\frac{3}{4} \rightarrow \frac{\overset{3}{12}}{\underset{4}{16}}=\frac{3}{4}$$

> 분모와 분자를 그들의 공약수로 나누어 간단한 분수로 만드는 것을 **약분**한다고 합니다.

(2) 기약분수

예) $\dfrac{16}{24}$ 을 기약분수로 나타내기

분모와 분자가 더 이상 나누어지지 않을 때까지 약분할 수도 있습니다.

$$\frac{\overset{8}{16}}{\underset{12}{24}}=\frac{\overset{4}{8}}{\underset{6}{12}}=\frac{\overset{2}{4}}{\underset{3}{6}}=\frac{2}{3}$$

① 분모와 분자의 최대공약수를 구합니다.

$24=3\times\underline{2\times2\times2}$, $16=2\times\underline{2\times2\times2}$

→ 24와 16의 최대공약수: $2\times2\times2=8$

② 분모와 분자를 24와 16의 최대공약수 8로 나누어 약분합니다.

$$\frac{16}{24}=\frac{16\div8}{24\div8}=\frac{2}{3} \rightarrow \frac{\overset{2}{16}}{\underset{3}{24}}=\frac{2}{3}$$ ──•3과 2의 공약수는 1뿐입니다.

•더 이상 약분이 안 되는 가장 간단한 분수

> 분모와 분자의 공약수가 1뿐인 분수를 **기약분수**라고 합니다.

1 분모와 분자의 공약수를 이용하여 $\dfrac{30}{42}$ 을 약분하려고 합니다. 물음에 답하세요.

(1) ☐ 안에 알맞은 수를 써넣으세요.

42와 30의 공약수: 1, ☐, ☐, ☐

(2) $\dfrac{30}{42}$ 을 약분해 보세요.

$$\dfrac{30\div 2}{42\div\boxed{}}=\dfrac{\boxed{}}{\boxed{}} \qquad \dfrac{30\div\boxed{}}{42\div\boxed{}}=\dfrac{\boxed{}}{\boxed{}} \qquad \dfrac{30\div\boxed{}}{42\div\boxed{}}=\dfrac{\boxed{}}{\boxed{}}$$

2 $\dfrac{24}{32}$ 를 기약분수로 나타내려고 합니다. ☐ 안에 알맞은 수를 써넣으세요.

32와 24의 최대공약수: ☐ → $\dfrac{24}{32}=\dfrac{24\div\boxed{}}{32\div\boxed{}}=\dfrac{\boxed{}}{\boxed{}}$

교과서 공통 **3** 분수를 약분하여 쓰세요.

(1) $\dfrac{4}{28}$ → $\dfrac{\boxed{}}{\boxed{}} , \dfrac{\boxed{}}{\boxed{}}$

(2) $\dfrac{30}{36}$ → $\dfrac{\boxed{}}{\boxed{}} , \dfrac{\boxed{}}{\boxed{}} , \dfrac{\boxed{}}{\boxed{}}$

4 기약분수로 나타내어 보세요.

(1) $\dfrac{9}{15}=\dfrac{\boxed{}}{\boxed{}}$ 　　(2) $\dfrac{6}{24}=\dfrac{\boxed{}}{\boxed{}}$ 　　(2) $\dfrac{10}{35}=\dfrac{\boxed{}}{\boxed{}}$

073쪽 에서 개념을 한 번 더 다집니다.

STEP 2 개념 한번더 잡기

1 크기가 같은 분수

01 분수만큼 색칠하고 알맞은 말에 ○표 하세요.

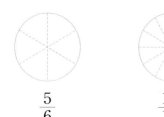

$$\dfrac{5}{6} \qquad \dfrac{10}{12}$$

$\dfrac{5}{6}$와 $\dfrac{10}{12}$은 크기가 (같은 , 다른) 분수 입니다.

02 그림을 보고 $\dfrac{9}{18}$와 크기가 같은 분수를 쓰세요.

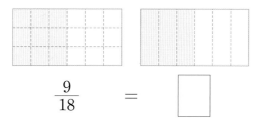

$$\dfrac{9}{18} \quad = \quad \boxed{}$$

03 분수만큼 색칠하고 크기가 같은 분수를 찾아 ○표 하세요.

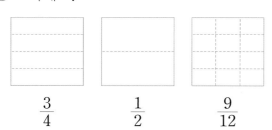

$$\dfrac{3}{4} \qquad\qquad \dfrac{1}{2} \qquad\qquad \dfrac{9}{12}$$

2 크기가 같은 분수 만들기

[04~05] 그림을 보고 크기가 같은 분수가 되도록 □ 안에 알맞은 수를 써넣으세요.

04

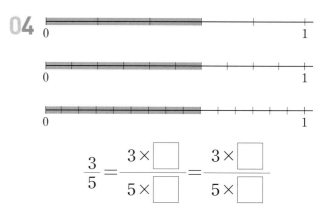

$$\dfrac{3}{5} = \dfrac{3 \times \boxed{}}{5 \times \boxed{}} = \dfrac{3 \times \boxed{}}{5 \times \boxed{}}$$

05

$$\dfrac{12}{16} = \dfrac{12 \div \boxed{}}{16 \div \boxed{}} = \dfrac{12 \div \boxed{}}{16 \div \boxed{}}$$

06 □ 안에 알맞은 수를 써넣어 크기가 같은 분수를 만들어 보세요.

(1) $\dfrac{2}{9} = \dfrac{\boxed{}}{18} = \dfrac{6}{\boxed{}} = \dfrac{\boxed{}}{36}$

(2) $\dfrac{12}{54} = \dfrac{6}{\boxed{}} = \dfrac{\boxed{}}{18} = \dfrac{2}{\boxed{}}$

3 분수를 간단하게 나타내기

07 $\frac{36}{48}$ 을 약분하려고 합니다. 분모와 분자를 나눌 수 <u>없는</u> 수는 어느 것인가요? (   )

① 2   ② 4   ③ 6

④ 8   ⑤ 12

08 분모와 분자의 공약수를 이용하여 $\frac{24}{30}$ 를 약분해 보세요.

30과 24의 공약수: 1, ☐, ☐, ☐

$$\frac{24}{30} = \frac{24 \div \boxed{}}{30 \div \boxed{}} = \frac{\boxed{}}{\boxed{}}$$

$$\frac{24}{30} = \frac{24 \div \boxed{}}{30 \div \boxed{}} = \frac{\boxed{}}{\boxed{}}$$

$$\frac{24}{30} = \frac{24 \div \boxed{}}{30 \div \boxed{}} = \frac{\boxed{}}{\boxed{}}$$

09 $\frac{45}{81}$ 를 기약분수로 나타내려고 합니다. 분모와 분자를 한 번씩만 나누려면 어떤 수로 나누어야 할까요?

(   )

10 분수를 기약분수로 나타내려고 합니다. ☐ 안에 알맞은 수를 써넣으세요.

(1) $\frac{8}{12} = \frac{8 \div \boxed{}}{12 \div \boxed{}} = \frac{\boxed{}}{\boxed{}}$

(2) $\frac{60}{72} = \frac{60 \div \boxed{}}{72 \div \boxed{}} = \frac{\boxed{}}{\boxed{}}$

11 분수를 약분하여 쓰세요.

(1) $\frac{10}{30}$ _____, _____,

(2) $\frac{32}{56}$ _____, _____,

12 기약분수를 **모두** 찾아 쓰세요.

| $\frac{7}{15}$ | $\frac{12}{20}$ | $\frac{14}{35}$ | $\frac{10}{16}$ | $\frac{11}{45}$ |

(   )

13 $\frac{20}{25}$ 을 기약분수로 나타내었을 때 분모와 분자의 합을 구하세요.

(   )

한눈에 **방법**쏙

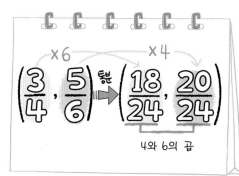

4와 6의 곱

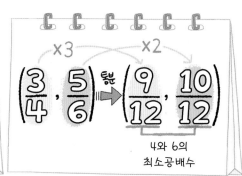

4와 6의 최소공배수

개념 강의

4 분모가 같은 분수로 나타내기

(1) 통분과 공통분모

예) $\frac{1}{6}$과 $\frac{5}{8}$를 통분하기

$$\frac{1}{6} = \frac{2}{12} = \frac{3}{18} = \boxed{\frac{4}{24}} = \frac{5}{30} = \frac{6}{36} = \frac{7}{42} = \boxed{\frac{8}{48}} = \cdots$$

$$\frac{5}{8} = \frac{10}{16} = \boxed{\frac{15}{24}} = \frac{20}{32} = \frac{25}{40} = \boxed{\frac{30}{48}} = \frac{35}{56} = \frac{40}{64} = \cdots$$

① 두 분수를 분모가 같은 분수끼리 짝 지으면

$$\left(\boxed{\frac{4}{24}}, \boxed{\frac{15}{24}}\right), \left(\boxed{\frac{8}{48}}, \boxed{\frac{30}{48}}\right), \cdots 입니다.$$

② 이때 공통분모는 24, 48, … 입니다.
└─● 두 분모 6과 8의 공배수와 같습니다.

> 분수의 분모를 같게 하는 것을 **통분한**다고 하고, 통분한 분모를 **공통분모**라고 합니다.

분수를 통분할 때 공통분모가 될 수 있는 수는 두 분모의 공배수입니다.

(2) 통분하는 방법

예) $\frac{1}{4}$과 $\frac{5}{6}$를 통분하기

방법 1 두 분모의 곱을 공통분모로 하여 통분하기

4와 6의 곱인 24를 공통분모로 하여 통분합니다.

$$\left(\frac{1}{4}, \frac{5}{6}\right) \rightarrow \left(\frac{1 \times 6}{4 \times 6}, \frac{5 \times 4}{6 \times 4}\right) \rightarrow \left(\frac{6}{24}, \frac{20}{24}\right)$$

두 분모의 최소공배수 구하기

$$\begin{array}{r} 2)\underline{4 \quad 6} \\ 2 \quad 3 \end{array}$$
➡ 최소공배수:
 $2 \times 2 \times 3 = 12$

방법 2 두 분모의 최소공배수를 공통분모로 하여 통분하기

4와 6의 최소공배수인 12를 공통분모로 하여 통분합니다.

$$\left(\frac{1}{4}, \frac{5}{6}\right) \rightarrow \left(\frac{1 \times 3}{4 \times 3}, \frac{5 \times 2}{6 \times 2}\right) \rightarrow \left(\frac{3}{12}, \frac{10}{12}\right)$$

1 $\dfrac{1}{2}$과 $\dfrac{2}{3}$의 분모를 같게 만들려고 합니다. 물음에 답하세요.

(1) $\dfrac{1}{2}$, $\dfrac{2}{3}$와 각각 크기가 같은 분수를 분모가 작은 분수부터 차례로 6개씩 쓰세요.

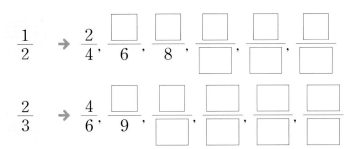

$$\dfrac{1}{2} \;\rightarrow\; \dfrac{2}{4},\ \dfrac{\square}{6},\ \dfrac{\square}{8},\ \dfrac{\square}{\square},\ \dfrac{\square}{\square},\ \dfrac{\square}{\square}$$

$$\dfrac{2}{3} \;\rightarrow\; \dfrac{4}{6},\ \dfrac{\square}{9},\ \dfrac{\square}{\square},\ \dfrac{\square}{\square},\ \dfrac{\square}{\square},\ \dfrac{\square}{\square}$$

(2) (1)에서 분모가 같은 분수끼리 짝 지어 보세요.

$$\left(\dfrac{1}{2},\ \dfrac{2}{3}\right) \rightarrow \left(\dfrac{\square}{6},\ \dfrac{\square}{6}\right) \rightarrow \left(\dfrac{\square}{\square},\ \dfrac{\square}{\square}\right)$$

2 20을 공통분모로 하여 통분하려고 합니다. □ 안에 알맞은 수를 써넣으세요.

$$\left(\dfrac{7}{10},\ \dfrac{3}{4}\right) \rightarrow \left(\dfrac{7\times\square}{10\times\square},\ \dfrac{3\times\square}{4\times\square}\right) \rightarrow \left(\dfrac{\square}{20},\ \dfrac{\square}{20}\right)$$

교과서 공통 3 두 분모의 곱을 공통분모로 하여 통분해 보세요.

$$\left(\dfrac{5}{6},\ \dfrac{3}{8}\right) \rightarrow \left(\dfrac{5\times\square}{6\times\square},\ \dfrac{3\times\square}{8\times\square}\right) \rightarrow \left(\dfrac{\square}{\square},\ \dfrac{\square}{\square}\right)$$

교과서 공통 4 두 분모의 최소공배수를 공통분모로 하여 통분해 보세요.

$$\left(\dfrac{9}{10},\ \dfrac{7}{12}\right) \rightarrow \left(\dfrac{9\times\square}{10\times\square},\ \dfrac{7\times\square}{12\times\square}\right) \rightarrow \left(\dfrac{\square}{\square},\ \dfrac{\square}{\square}\right)$$

078쪽 에서 개념을 **한 번 더** 다집니다.

한눈에
방법쏙

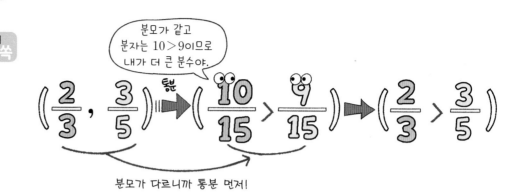

분모가 같고
분자는 10>9이므로
내가 더 큰 분수야.

분모가 다르니까 통분 먼저!

개념 강의

5 분수의 크기 비교

(1) **두 분수의 크기 비교**: 통분하여 분자의 크기를 비교합니다.

예) $\dfrac{1}{3}$과 $\dfrac{2}{5}$의 크기 비교

$$\left(\dfrac{1}{3}, \dfrac{2}{5}\right) \xrightarrow{\text{통분}} \left(\dfrac{5}{15} \lessgtr \dfrac{6}{15}\right) \xrightarrow{\text{크기 비교}} \dfrac{1}{3} < \dfrac{2}{5}$$

(2) **세 분수의 크기 비교**: 두 분수씩 차례로 통분하여 크기를 비교합니다.

예) $\dfrac{1}{4}$, $\dfrac{3}{5}$, $\dfrac{7}{10}$의 크기 비교

$$\left(\dfrac{1}{4}, \dfrac{3}{5}\right) \xrightarrow{\text{통분}} \left(\dfrac{5}{20} \lessgtr \dfrac{12}{20}\right) \xrightarrow{\text{크기 비교}} \dfrac{1}{4} < \dfrac{3}{5}$$

$$\left(\dfrac{3}{5}, \dfrac{7}{10}\right) \xrightarrow{\text{통분}} \left(\dfrac{6}{10} \lessgtr \dfrac{7}{10}\right) \xrightarrow{\text{크기 비교}} \dfrac{3}{5} < \dfrac{7}{10}$$

$$\rightarrow \dfrac{1}{4} < \dfrac{3}{5} < \dfrac{7}{10}$$

세 분수를 한꺼번에 통분하여 크기를 비교할 수도 있습니다.

$$\left(\dfrac{1}{4}, \dfrac{3}{5}, \dfrac{7}{10}\right)$$

$$\rightarrow \left(\dfrac{5}{20}, \dfrac{12}{20}, \dfrac{14}{20}\right)$$

$$\rightarrow \dfrac{1}{4} < \dfrac{3}{5} < \dfrac{7}{10}$$

6 분수와 소수의 크기 비교

(1) **분수를 소수로, 소수를 분수로 나타내기**

① 분모가 10, 100, 1000인 분수로 만든 다음 소수로 나타냅니다.

② 소수 한 자리 수는 분모가 10인 분수, 소수 두 자리 수는 분모가 100인 분수, 소수 세 자리 수는 분모가 1000인 분수로 나타냅니다.

분수와 소수의 관계

· $\dfrac{\blacksquare}{10} = 0.\blacksquare$

· $\dfrac{\blacksquare\blacktriangle}{100} = 0.\blacksquare\blacktriangle$

· $\dfrac{\blacksquare\blacktriangle\bullet}{1000} = 0.\blacksquare\blacktriangle\bullet$

(2) **분수와 소수의 크기 비교**

예) $\dfrac{4}{5}$와 0.6의 크기 비교

방법1 분수를 소수로 나타내어 소수끼리 크기 비교하기

$$\dfrac{4}{5} = \dfrac{8}{10} = 0.8 \rightarrow 0.8 > 0.6 \rightarrow \dfrac{4}{5} > 0.6$$

방법2 소수를 분수로 나타내어 분수끼리 크기 비교하기

$$0.6 = \dfrac{6}{10} = \dfrac{3}{5} \rightarrow \dfrac{4}{5} > \dfrac{3}{5} \rightarrow \dfrac{4}{5} > 0.6$$

1 $\dfrac{3}{4}$ 과 $\dfrac{5}{7}$ 의 크기를 비교하려고 합니다. 물음에 답하세요.

(1) 두 분수를 통분해 보세요.

$$\left(\dfrac{3}{4},\ \dfrac{5}{7}\right) \rightarrow \left(\dfrac{\boxed{}}{28},\ \dfrac{\boxed{}}{28}\right)$$

(2) 두 분수의 크기를 비교하여 ○ 안에 >, =, <를 알맞게 써넣으세요.

$$\dfrac{\boxed{}}{28} \bigcirc \dfrac{\boxed{}}{28} \rightarrow \dfrac{3}{4} \bigcirc \dfrac{5}{7}$$

2 $\dfrac{2}{3},\ \dfrac{1}{2},\ \dfrac{5}{8}$ 의 크기를 비교하려고 합니다. 빈 곳에 알맞게 써넣으세요.

$$\left(\dfrac{2}{3},\ \dfrac{1}{2}\right) \rightarrow \left(\dfrac{\boxed{}}{6},\ \dfrac{\boxed{}}{6}\right) \rightarrow \dfrac{2}{3} \bigcirc \dfrac{1}{2}$$

$$\left(\dfrac{1}{2},\ \dfrac{5}{8}\right) \rightarrow \left(\dfrac{\boxed{}}{8},\ \dfrac{\boxed{}}{\boxed{}}\right) \rightarrow \dfrac{1}{2} \bigcirc \dfrac{5}{8}$$

$$\left(\dfrac{2}{3},\ \dfrac{5}{8}\right) \rightarrow \left(\dfrac{\boxed{}}{\boxed{}},\ \dfrac{\boxed{}}{\boxed{}}\right) \rightarrow \dfrac{2}{3} \bigcirc \dfrac{5}{8}$$

$$\rightarrow \dfrac{\boxed{}}{\boxed{}} < \dfrac{\boxed{}}{\boxed{}} < \dfrac{\boxed{}}{\boxed{}}$$

교과서 공통 3 $\dfrac{4}{5}$ 와 0.9의 크기를 비교하려고 합니다. 물음에 답하세요.

(1) 분수를 소수로 나타내어 크기를 비교해 보세요.

$$\dfrac{4}{5} = \dfrac{\boxed{}}{10} = \boxed{} \rightarrow \boxed{} \bigcirc \boxed{} \rightarrow \dfrac{4}{5} \bigcirc 0.9$$

(2) 소수를 분수로 나타내어 크기를 비교해 보세요.

$$\dfrac{4}{5} = \dfrac{\boxed{}}{10},\ 0.9 = \dfrac{\boxed{}}{10} \rightarrow \dfrac{\boxed{}}{10} \bigcirc \dfrac{\boxed{}}{10} \rightarrow \dfrac{4}{5} \bigcirc 0.9$$

078쪽 에서 개념을 **한 번 더** 다집니다.

4 분모가 같은 분수로 나타내기

01 두 분수를 주어진 수를 공통분모로 하여 각각 통분해 보세요.

$$\left(\frac{2}{9}, \frac{4}{15}\right) \rightarrow \left(\frac{\square}{45}, \frac{\square}{45}\right)$$

$$\rightarrow \left(\frac{\square}{90}, \frac{\square}{90}\right)$$

02 두 분수를 통분할 때 공통분모로 알맞은 수를 찾아 이어 보세요.

(1) $\left(\frac{4}{5}, \frac{1}{6}\right)$ •

(2) $\left(\frac{5}{6}, \frac{3}{8}\right)$ •

(3) $\left(\frac{7}{12}, \frac{11}{18}\right)$ •

• 24

• 30

• 36

03 두 분모의 곱을 공통분모로 하여 통분해 보세요.

(1) $\left(\frac{5}{6}, \frac{7}{9}\right) \rightarrow \left(\qquad , \qquad\right)$

(2) $\left(\frac{1}{10}, \frac{5}{8}\right) \rightarrow \left(\qquad , \qquad\right)$

04 두 분모의 최소공배수를 공통분모로 하여 통분해 보세요.

(1) $\left(\frac{4}{9}, \frac{11}{15}\right) \rightarrow \left(\qquad , \qquad\right)$

(2) $\left(\frac{7}{8}, \frac{5}{12}\right) \rightarrow \left(\qquad , \qquad\right)$

05 두 분수를 다음과 같이 통분했습니다. ㉠, ㉡, ㉢에 알맞은 수를 각각 구하세요.

$$\left(\frac{7}{12}, \frac{2}{3}\right) \rightarrow \left(\frac{21}{㉠}, \frac{㉡}{㉢}\right)$$

㉠ (   )

㉡ (   )

㉢ (   )

5 분수의 크기 비교

06 $\frac{6}{7}$과 $\frac{4}{5}$를 통분하여 크기를 비교해 보세요.

$$\frac{6}{7} = \frac{6 \times \square}{7 \times 5} = \frac{\square}{\square}$$

$$\frac{4}{5} = \frac{4 \times \square}{5 \times 7} = \frac{\square}{\square}$$

$$\rightarrow \frac{6}{7} \bigcirc \frac{4}{5}$$

07 두 분수의 크기를 비교하여 ○ 안에 >, =, <를 알맞게 써넣으세요.

(1) $\frac{5}{8} \bigcirc \frac{7}{9}$

(2) $1\frac{3}{4} \bigcirc 1\frac{7}{12}$

08 세 분수 $\dfrac{5}{8}$, $\dfrac{4}{7}$, $\dfrac{7}{10}$ 의 크기를 비교하려고 합니다. 빈 곳에 알맞게 써넣으세요.

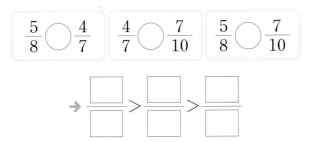

$\dfrac{\boxed{}}{\boxed{}} > \dfrac{\boxed{}}{\boxed{}} > \dfrac{\boxed{}}{\boxed{}}$

09 세 분수의 크기를 비교하여 □ 안에 작은 분수부터 차례로 쓰세요.

(1) $\left(\dfrac{5}{6}, \dfrac{3}{4}, \dfrac{4}{7} \right)$ → $\boxed{}$, $\boxed{}$, $\boxed{}$

(2) $\left(\dfrac{5}{9}, \dfrac{1}{4}, \dfrac{3}{5} \right)$ → $\boxed{}$, $\boxed{}$, $\boxed{}$

6 분수와 소수의 크기 비교

10 분수를 분모가 10인 분수로 고치고, 소수로 나타내어 보세요.

$$\dfrac{2}{5} = \dfrac{2 \times \boxed{}}{5 \times \boxed{}} = \dfrac{\boxed{}}{10} = \boxed{}$$

11 분수를 분모가 100인 분수로 고치고, 소수로 나타내어 보세요.

$$\dfrac{7}{25} = \dfrac{7 \times \boxed{}}{25 \times \boxed{}} = \dfrac{\boxed{}}{100} = \boxed{}$$

12 소수를 분수로 나타내어 0.3과 $\dfrac{9}{20}$ 의 크기를 비교해 보세요.

$$0.3 = \dfrac{\boxed{}}{10} = \dfrac{\boxed{}}{20}$$

→ $\dfrac{\boxed{}}{20}$ $\bigcirc$ $\dfrac{9}{20}$ → 0.3 $\bigcirc$ $\dfrac{9}{20}$

13 $\dfrac{8}{20}$ 과 $\dfrac{15}{30}$ 의 크기를 두 가지 방법으로 비교해 보세요.

방법 1 두 분수를 약분하여 크기 비교하기

$$\left(\dfrac{8}{20}, \dfrac{15}{30} \right) \rightarrow \left(\dfrac{\boxed{}}{10}, \dfrac{\boxed{}}{10} \right)$$

→ $\dfrac{8}{20}$ $\bigcirc$ $\dfrac{15}{30}$

방법 2 두 분수를 소수로 고쳐 크기 비교하기

$$\left(\dfrac{8}{20}, \dfrac{15}{30} \right) \rightarrow \left(\dfrac{\boxed{}}{10}, \dfrac{\boxed{}}{10} \right)$$

→ $\boxed{}$ $\bigcirc$ $\boxed{}$

→ $\dfrac{8}{20}$ $\bigcirc$ $\dfrac{15}{30}$

14 두 수의 크기를 비교하여 ◯ 안에 >, =, <를 알맞게 써넣으세요.

(1) $\dfrac{11}{50}$ $\bigcirc$ 0.2 (2) 1.7 $\bigcirc$ $1\dfrac{5}{7}$

01 분수만큼 수직선에 나타내고 크기가 같은 분수를 쓰세요.

068쪽 개념 ❶

$\dfrac{3}{6}$ |0————————————1|

$\dfrac{3}{4}$ |0————————————1|

$\dfrac{1}{2}$ |0————————————1|

크기가 같은 분수는 ☐ 과 ☐ 입니다.

02 모양과 크기가 같은 컵에 음료가 담겨 있습니다. ☐ 안에 알맞은 수나 말을 써넣으세요.

068쪽 개념 ❶

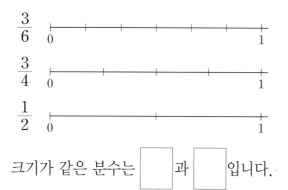

당근주스   딸기우유   물

당근주스는 $\dfrac{2}{3}$, 딸기우유는 $\dfrac{\square}{4}$, 물은 $\dfrac{\square}{8}$ 이 담겨 있습니다. 따라서 같은 양이 담긴 음료는 ☐ 와/과 ☐ 입니다.

03 세 분수의 크기가 같게 색칠하고, ☐ 안에 알맞은 분수를 써넣으세요.

익힘책 공통   068쪽 개념 ❶

$\dfrac{2}{5}$ $\dfrac{4}{10}$ ☐

04 크기가 같은 분수를 3개 쓰세요.

068쪽 개념 ❷

$\dfrac{27}{81}$ → $\dfrac{\square}{\square}$, $\dfrac{\square}{\square}$, $\dfrac{\square}{\square}$

05 $\dfrac{7}{8}$ 과 크기가 같은 분수를 **모두** 찾아 ○표 하세요.

068쪽 개념 ❷

$\dfrac{21}{24}$	$\dfrac{35}{48}$	$\dfrac{56}{64}$	$\dfrac{49}{80}$

06 수 카드를 분모와 분자에 한 장씩 놓아 $\dfrac{4}{9}$ 와 크기가 같은 분수를 만들어 보세요.

068쪽 개념 ❷

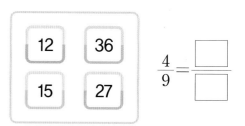

12   36
15   27

$\dfrac{4}{9} = \dfrac{\square}{\square}$

07 $\dfrac{1}{6}$ 과 크기가 같은 분수 중에서 분모와 분자의 합이 20보다 크고 30보다 작은 분수를 **모두** 쓰세요.

068쪽 개념 ❷

문제 강의

(   )

08 $\frac{24}{40}$ 를 약분할 때 1을 제외하고 분모와 분자를 나눌 수 있는 수를 **모두** 쓰세요.

070쪽 개념 ❸

( )

09 $\frac{15}{18}$ 를 바르게 약분한 친구를 찾아 이름을 쓰세요.

070쪽 개념 ❸

분모를 3으로 나누고 분자를 5로 나누어 약분하니 $\frac{3}{6}$ 이 되었어.

분모와 분자를 최대공약수인 3으로 나누었더니 기약분수 $\frac{5}{6}$ 가 되었어.

서준   수아

( )

10 진분수 $\frac{\square}{10}$ 가 기약분수라고 할 때, □ 안에 들어갈 수 있는 수를 **모두** 쓰세요.

070쪽 개념 ❸

( )

11 두 분수를 2가지로 통분해 보세요.

074쪽 개념 ❹

$\left(\frac{1}{2}, \frac{3}{7}\right)$ → $\left(\dfrac{\square}{\square}, \dfrac{\square}{\square}\right)$, $\left(\dfrac{\square}{\square}, \dfrac{\square}{\square}\right)$

12 두 분수를 통분할 때 공통분모가 될 수 <u>없는</u> 수에 ○표 하세요.

074쪽 개념 ❹

$\left(\dfrac{5}{9}, \dfrac{1}{6}\right)$ 18   30   54

13 두 분모의 최소공배수를 공통분모로 하여 통분하려고 합니다. 공통분모가 같은 것끼리 이어 보세요.

익힘책 공통   074쪽 개념 ❹

(1) $\left(\dfrac{3}{4}, \dfrac{1}{6}\right)$ ·   · $\left(\dfrac{3}{5}, \dfrac{2}{9}\right)$

(2) $\left(\dfrac{3}{10}, \dfrac{7}{20}\right)$ ·   · $\left(\dfrac{5}{12}, \dfrac{1}{3}\right)$

(3) $\left(\dfrac{4}{9}, \dfrac{7}{15}\right)$ ·   · $\left(\dfrac{4}{5}, \dfrac{1}{4}\right)$

14 두 분수를 통분하려고 합니다. 공통분모가 될 수 있는 수 중에서 100보다 작은 수를 **모두** 찾아 쓰세요.

074쪽 개념 ❹

문제강의

$\left(\dfrac{3}{8}, \dfrac{5}{6}\right)$

( )

익힘책 공통   076쪽 개념 ❺

15 두 분수의 크기를 비교하여 더 큰 분수를 위의 □ 안에 써넣으세요.

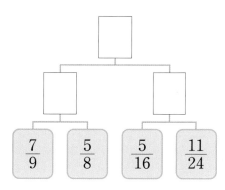

076쪽 개념 ❺

16 민수네 집에서 학교, 우체국, 은행까지의 거리를 나타낸 것입니다. 민수네 집에서 가까운 곳부터 차례로 쓰세요.

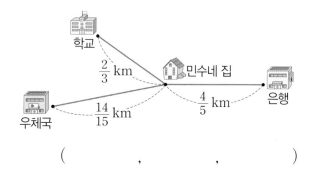

(,   ,   )

076쪽 개념 ❻

17 분수를 분모가 1000인 분수로 고치고, 소수로 나타낸 것입니다. ㉠과 ㉡에 알맞은 수를 각각 구하세요.

$$\frac{41}{125} = \frac{㉠}{1000} = ㉡$$

㉠ (   )

㉡ (   )

076쪽 개념 ❻

18 수 카드 4장 중에서 2장을 뽑아 진분수를 만들려고 합니다. 만들 수 있는 진분수 중에서 가장 큰 수를 소수로 나타내어 보세요.

| 1 | 3 | 4 | 8 |

(   )

076쪽 개념 ❻

19 분수와 소수의 크기를 비교하여 큰 수부터 차례로 쓰세요.

$$1.2 \quad \frac{11}{20} \quad 0.34$$

(,   ,   )

생각 ➕ 문제

20 분자가 같은 분수로 나타내어 크기를 비교하는 방법으로 **작은 분수부터 차례로** 쓰세요.

$$\frac{2}{5} \quad \frac{5}{11} \quad \frac{10}{23}$$

(1) 분자가 10인 분수로 만들어 보세요.

$$\frac{2}{5} = \frac{10}{\square}, \quad \frac{5}{11} = \frac{10}{\square}, \quad \frac{10}{23}$$

(2) 작은 분수부터 차례로 쓰세요.

(,   ,   )

서술형 잡기

서술형 강의

1 대화를 보고 **잘못 말한 친구**를 찾아 이름을 쓰고, **그 이유**를 설명해 보세요.

> 은지: 분모와 분자에 어떤 수든지 같은 수를 곱하면 크기가 같은 분수가 돼.
>
> 성우: $\frac{3}{4}$의 분모와 분자에 2를 곱하면 크기가 같은 분수인 $\frac{6}{8}$을 만들 수 있어.

잘못 말한 친구 _____

이유 분모와 분자에 각각 ☐이 아닌 같은 수를 곱하면 크기가 같은 분수가 됩니다.

2 대화를 보고 **잘못 말한 친구**를 찾아 이름을 쓰고, **그 이유**를 설명해 보세요.

> 주경: $\frac{10}{15}$의 분모와 분자를 5로 나누면 크기가 같은 분수인 $\frac{2}{3}$를 만들 수 있어.
>
> 경민: $\frac{9}{36}$와 $\frac{3}{9}$은 크기가 같은 분수야.

잘못 말한 친구 _____

이유 _____

_____

3 세 접시에 크기가 똑같은 떡이 담겨 있었습니다. 그중에서 세 친구가 먹은 떡의 양입니다. **떡을 가장 많이 먹은 친구**는 누구인지 풀이 과정을 쓰고, 답을 구하세요.

예서	민영	현아
한 접시의 $\frac{4}{9}$	한 접시의 $\frac{1}{2}$	한 접시의 $\frac{3}{7}$

해결순서 ❶ 세 분수의 크기 비교하기
❷ 떡을 가장 많이 먹은 친구 구하기

풀이 ❶ $\frac{4}{9}$ ◯ $\frac{1}{2}$, $\frac{1}{2}$ ◯ $\frac{3}{7}$, $\frac{4}{9}$ ◯ $\frac{3}{7}$

이므로 ☐ > ☐ > ☐ 입니다.

❷ 가장 큰 분수는 ☐이므로 떡을 가장 많이

먹은 친구는 ☐입니다.

답 _____

4 세 컵에 우유가 같은 양만큼 담겨 있었습니다. 그중에서 세 친구가 마신 우유의 양입니다. **우유를 가장 적게 마신 친구**는 누구인지 풀이 과정을 쓰고, 답을 구하세요.

지혜	연우	태성
한 컵의 $\frac{5}{18}$	한 컵의 $\frac{2}{9}$	한 컵의 $\frac{1}{4}$

해결순서 ❶ 세 분수의 크기 비교하기
❷ 우유를 가장 적게 마신 친구 구하기

풀이 _____

_____

_____

_____

답 _____

01 그림을 보고 크기가 같은 분수가 되도록 □ 안에 알맞은 수를 써넣으세요.

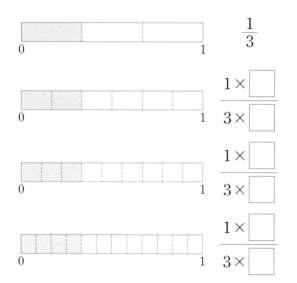

$\dfrac{1}{3}$

$\dfrac{1 \times \boxed{}}{3 \times \boxed{}}$

$\dfrac{1 \times \boxed{}}{3 \times \boxed{}}$

$\dfrac{1 \times \boxed{}}{3 \times \boxed{}}$

02 분수만큼 색칠하고 크기가 같은 분수를 찾아 ○표 하세요.

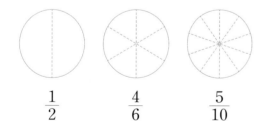

$\dfrac{1}{2}$ $\dfrac{4}{6}$ $\dfrac{5}{10}$

03 $\dfrac{18}{30}$ 을 기약분수로 나타내려고 합니다. □ 안에 알맞은 수를 써넣으세요.

$$\dfrac{18}{30} = \dfrac{18 \div \boxed{}}{30 \div \boxed{}} = \dfrac{\boxed{}}{\boxed{}}$$

04 분수를 약분하여 쓰세요.

$$\dfrac{48}{56} \rightarrow \dfrac{\boxed{}}{\boxed{}}, \dfrac{\boxed{}}{\boxed{}}, \dfrac{\boxed{}}{\boxed{}}$$

05 분수를 분모가 100인 분수로 고치고, 소수로 나타내어 보세요.

$$\dfrac{1}{4} = \dfrac{1 \times \boxed{}}{4 \times \boxed{}} = \dfrac{\boxed{}}{100} = \boxed{}$$

06 $\dfrac{11}{32}$ 과 $\dfrac{7}{24}$ 을 두 분모의 최소공배수를 공통분모로 하여 통분해 보세요.

32와 24의 최소공배수: $\boxed{}$

$$\dfrac{11}{32} = \dfrac{11 \times \boxed{}}{32 \times \boxed{}} = \dfrac{\boxed{}}{\boxed{}}$$

$$\dfrac{7}{24} = \dfrac{7 \times \boxed{}}{24 \times \boxed{}} = \dfrac{\boxed{}}{\boxed{}}$$

07 두 분수를 통분해 보세요.

$$\left(\dfrac{4}{9}, \dfrac{5}{12} \right) \rightarrow \left(\dfrac{\boxed{}}{\boxed{}}, \dfrac{\boxed{}}{\boxed{}} \right)$$

08 두 분수의 크기를 비교하여 더 큰 쪽에 색칠하세요.

$\dfrac{17}{20}$	$\dfrac{7}{8}$

09 세 분수의 크기가 같게 색칠하고, ☐ 안에 알맞은 분수를 써넣으세요.

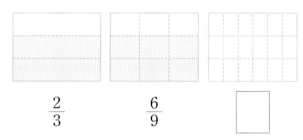

$$\dfrac{2}{3} \qquad \dfrac{6}{9} \qquad \boxed{}$$

10 $\dfrac{4}{16}$ 와 크기가 같은 분수를 모두 찾아 ○표 하세요.

$\dfrac{3}{8}$	$\dfrac{1}{4}$	$\dfrac{5}{28}$	$\dfrac{8}{32}$

11 $\dfrac{36}{60}$ 을 약분했더니 $\dfrac{9}{15}$ 가 되었습니다. 분모와 분자를 각각 어떤 수로 나누었나요?

(   )

12 $\dfrac{3}{8}$ 과 $\dfrac{1}{12}$ 을 통분하려고 합니다. 공통분모가 될 수 있는 수를 모두 고르세요. (   )

① 12   ② 24   ③ 36

④ 40   ⑤ 72

13 기약분수는 모두 몇 개인가요?

$\dfrac{8}{44}$	$\dfrac{13}{35}$	$\dfrac{6}{24}$	$\dfrac{15}{75}$	$\dfrac{15}{52}$

(   )

14 두 분수를 통분한 것을 찾아 이어 보세요.

(1) $\left(\dfrac{1}{4}, \dfrac{5}{12}\right)$ •   • $\left(\dfrac{9}{24}, \dfrac{4}{24}\right)$

(2) $\left(\dfrac{3}{8}, \dfrac{1}{6}\right)$ •   • $\left(\dfrac{6}{12}, \dfrac{8}{12}\right)$

(3) $\left(\dfrac{1}{2}, \dfrac{2}{3}\right)$ •   • $\left(\dfrac{12}{48}, \dfrac{20}{48}\right)$

15 윤재의 몸무게는 $37.4\ \mathrm{kg}$이고, 정규의 몸무게는 $37\dfrac{27}{50}\ \mathrm{kg}$입니다. 윤재와 정규 중에서 몸무게가 더 무거운 친구는 누구인가요?

(   )

16 $\dfrac{24}{30}$와 $\dfrac{28}{40}$의 크기를 두 가지 방법으로 비교해 보세요.

> 방법 1 분수를 약분하여 크기 비교하기

> 방법 2 분수를 소수로 고쳐 크기 비교하기

17 수 카드 4장 중에서 2장을 뽑아 진분수를 만들려고 합니다. 만들 수 있는 진분수 중에서 가장 큰 수를 소수로 나타내어 보세요.

| 1 | 2 | 4 | 5 |

( )

18 분수와 소수의 크기를 비교하여 작은 수부터 차례로 쓰세요.

| 0.7 | $\dfrac{16}{25}$ | $1\dfrac{1}{2}$ |

(, ,)

서술형

19 대화를 보고 잘못 말한 친구를 찾아 이름을 쓰고, 그 이유를 설명해 보세요.

$\dfrac{9}{15}$의 분모와 분자를 어떤 수든지 같은 수로 나누면 크기가 같은 분수가 돼.

$\dfrac{12}{20}$의 분모와 분자를 4로 나누면 크기가 같은 분수인 $\dfrac{3}{5}$을 만들 수 있어.

주경   지우

잘못 말한 친구 _____

이유 _____

서술형

20 다음은 세 친구가 쓴 분수입니다. 가장 큰 분수를 쓴 친구는 누구인지 풀이 과정을 쓰고, 답을 구하세요.

유진	주성	수민
$\dfrac{2}{3}$	$\dfrac{5}{9}$	$\dfrac{7}{10}$

풀이

답 _____

창의력 쑥쑥

오늘은 대청소하는 날!

형규네 가족이 청소하는 풍경을 그림으로 그렸어요.

❶~❻에서 큰 그림과 똑같은 그림 조각을 하나 찾아보세요.

5 분수의 덧셈과 뺄셈

오늘은 오렌지주스를 직접 만들어 볼 거야!
첫 번째 오렌지에서 $\frac{2}{5}$ 컵, 두 번째 오렌지에서 $\frac{1}{3}$ 컵만큼 주스를 짰는데
아직도 1컵이 안 된 건가?

동영상 강의와 함께 계획을 세워 공부합니다.
동영상 강의를 시청했으면 ◯에 ∨표 하세요.

공부한 날	동영상 확인	쪽수	학습 내용
월 일	▶️◯	090~095쪽	**교과서 개념 잡기** ❶ 받아올림이 없는 진분수의 덧셈 ❷ 받아올림이 있는 진분수의 덧셈 ❸ 받아올림이 있는 대분수의 덧셈
월 일		096~097쪽	**개념 한 번 더 잡기**
월 일	▶️◯	098~103쪽	**교과서 개념 잡기** ❹ 받아내림이 없는 진분수의 뺄셈 ❺ 받아내림이 없는 대분수의 뺄셈 ❻ 받아내림이 있는 대분수의 뺄셈
월 일		104~105쪽	**개념 한 번 더 잡기**
월 일	▶️◯	106~108쪽	**수학 익힘 문제 잡기**
월 일	▶️◯	109쪽	**서술형 잡기**
월 일		110~112쪽	**단원 마무리**

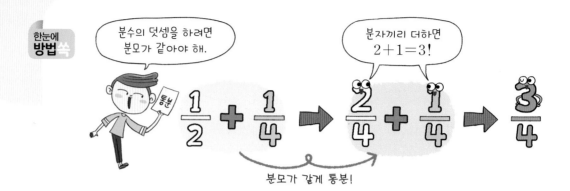

한눈에 **방법쏙**

분수의 덧셈을 하려면 분모가 같아야 해.

분자끼리 더하면 2+1=3!

$\dfrac{1}{2} + \dfrac{1}{4}$ ➡ $\dfrac{2}{4} + \dfrac{1}{4}$ ➡ $\dfrac{3}{4}$

분모가 같게 통분!

개념 강의

① 받아올림이 없는 진분수의 덧셈

(1) 그림을 이용하여 알아보기

예 $\dfrac{2}{5} + \dfrac{1}{2}$ 의 계산

$\dfrac{2}{5}$ $\dfrac{1}{2}$

$\dfrac{4}{10}$ + $\dfrac{5}{10}$

$$\frac{2}{5} + \frac{1}{2} = \frac{4}{10} + \frac{5}{10} = \frac{9}{10}$$

(2) 통분하여 계산하기

예 $\dfrac{1}{6} + \dfrac{3}{8}$ 의 계산

방법1 과 방법2 의 비교

· **방법1** 은 공통분모를 구하기 쉽습니다.

· **방법2** 는 계산 결과를 약분할 필요가 없거나 계산이 간단합니다.

방법1 두 분모의 곱을 공통분모로 하여 통분한 후 계산하기

$$\frac{1}{6} + \frac{3}{8} = \frac{1 \times 8}{6 \times 8} + \frac{3 \times 6}{8 \times 6} = \frac{8}{48} + \frac{18}{48} = \frac{26}{48} = \frac{13}{24}$$

기약분수로 나타냅니다.

방법2 두 분모의 최소공배수를 공통분모로 하여 통분한 후 계산하기

$$\frac{1}{6} + \frac{3}{8} = \frac{1 \times 4}{6 \times 4} + \frac{3 \times 3}{8 \times 3} = \frac{4}{24} + \frac{9}{24} = \frac{13}{24}$$

두 분수를 통분한 후 분모는 그대로 두고, 분자끼리 더합니다.

1 그림을 이용하여 $\frac{1}{6}+\frac{3}{4}$ 을 계산하려고 합니다. □ 안에 알맞은 수를 써넣으세요.

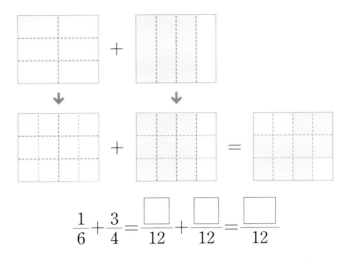

$$\frac{1}{6}+\frac{3}{4}=\frac{\square}{12}+\frac{\square}{12}=\frac{\square}{12}$$

2 □ 안에 알맞은 수를 써넣으세요.

$$\frac{2}{7}+\frac{1}{4}=\frac{2\times\square}{7\times4}+\frac{1\times\square}{4\times\square}=\frac{\square}{28}+\frac{\square}{28}=\frac{\square}{28}$$

교과서 공통 **3** $\frac{5}{6}+\frac{1}{9}$ 을 두 가지 방법으로 계산하려고 합니다. □ 안에 알맞은 수를 써넣으세요.

(1) $\dfrac{5}{6}+\dfrac{1}{9}=\dfrac{5\times\square}{6\times\square}+\dfrac{1\times\square}{9\times\square}=\dfrac{\square}{54}+\dfrac{\square}{54}=\dfrac{\square}{54}=\dfrac{\square}{18}$

(2) $\dfrac{5}{6}+\dfrac{1}{9}=\dfrac{5\times\square}{6\times\square}+\dfrac{1\times\square}{9\times\square}=\dfrac{\square}{18}+\dfrac{\square}{18}=\dfrac{\square}{18}$

4 계산해 보세요.

(1) $\dfrac{1}{3}+\dfrac{1}{7}$　　　　(2) $\dfrac{5}{8}+\dfrac{1}{4}$　　　　(3) $\dfrac{1}{9}+\dfrac{7}{12}$

096쪽 에서 개념을 한 번 더 다집니다.

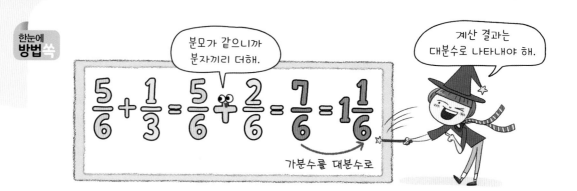

한눈에 **방법쏙**

분모가 같으니까 분자끼리 더해.

계산 결과는 대분수로 나타내야 해.

$$\frac{5}{6}+\frac{1}{3}=\frac{5}{6}+\frac{2}{6}=\frac{7}{6}=1\frac{1}{6}$$

가분수를 대분수로

개념 강의

2 받아올림이 있는 진분수의 덧셈

(1) 그림을 이용하여 알아보기

예 $\frac{3}{4}+\frac{7}{8}$의 계산

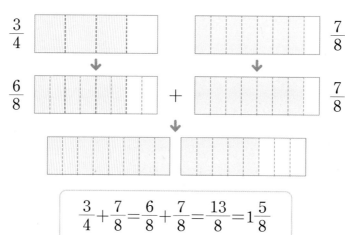

$$\frac{3}{4}+\frac{7}{8}=\frac{6}{8}+\frac{7}{8}=\frac{13}{8}=1\frac{5}{8}$$

분모가 다른 진분수의 덧셈 방법

두 분수를 통분한 후 분자끼리 더하기

↓

계산 결과가 가분수이면 대분수로 나타내기

↓

계산 결과를 약분할 수 있으면 약분하여 기약분수로 나타내기

(2) 통분하여 계산하기

예 $\frac{3}{10}+\frac{7}{8}$의 계산

 방법 1 두 분모의 곱을 공통분모로 하여 통분한 후 계산하기

$$\frac{3}{10}+\frac{7}{8}=\frac{3\times8}{10\times8}+\frac{7\times10}{8\times10}=\frac{24}{80}+\frac{70}{80}$$

$$=\frac{94}{80}=1\frac{14}{80}=1\frac{7}{40}$$

가분수를 대분수로 나타냅니다.

방법 2 두 분모의 최소공배수를 공통분모로 하여 통분한 후 계산하기

$$\frac{3}{10}+\frac{7}{8}=\frac{3\times4}{10\times4}+\frac{7\times5}{8\times5}=\frac{12}{40}+\frac{35}{40}=\frac{47}{40}=1\frac{7}{40}$$

1 분수만큼 각각 그림에 색칠하고, □ 안에 알맞은 수를 써넣어 $\frac{1}{2}+\frac{2}{3}$ 를 계산해 보세요.

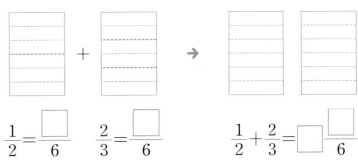

$$\frac{1}{2}=\frac{\square}{6} \qquad \frac{2}{3}=\frac{\square}{6} \qquad \frac{1}{2}+\frac{2}{3}=\square\frac{\square}{6}$$

2 두 분모의 곱을 공통분모로 하여 통분한 후 계산하려고 합니다. □ 안에 알맞은 수를 써넣으세요.

$$\frac{7}{9}+\frac{1}{3}=\frac{7\times\square}{9\times\square}+\frac{1\times\square}{3\times\square}=\frac{\square}{27}+\frac{\square}{27}$$

$$=\frac{\square}{27}=\square\frac{\square}{27}=\square\frac{\square}{9}$$

교과서 공통 3 두 분모의 최소공배수를 공통분모로 하여 통분한 후 계산하려고 합니다. □ 안에 알맞은 수를 써넣으세요.

$$\frac{1}{6}+\frac{11}{12}=\frac{1\times\square}{6\times\square}+\frac{11}{12}=\frac{\square}{12}+\frac{11}{12}=\frac{\square}{12}=\square\frac{\square}{12}$$

4 계산해 보세요.

(1) $\frac{2}{5}+\frac{5}{6}$

(2) $\frac{3}{4}+\frac{7}{10}$

(3) $\frac{1}{8}+\frac{11}{12}$

096쪽 에서 개념을 한 번 더 다집니다.

한눈에
방법쏙

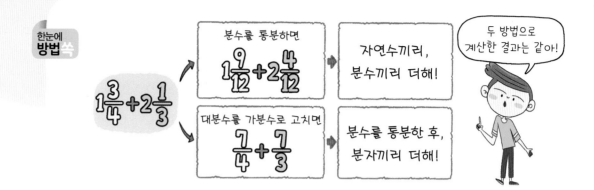

두 방법으로 계산한 결과는 같아!

분수를 통분하면
$$1\frac{9}{12}+2\frac{4}{12}$$
➡ 자연수끼리, 분수끼리 더해!

$$1\frac{3}{4}+2\frac{1}{3}$$

대분수를 가분수로 고치면
$$\frac{7}{4}+\frac{7}{3}$$
➡ 분수를 통분한 후, 분자끼리 더해!

개념 강의

3 받아올림이 있는 대분수의 덧셈

(1) **그림을 이용하여 알아보기**

예 $1\frac{1}{2}+1\frac{2}{3}$의 계산

$$1\frac{1}{2}=1\frac{3}{6} \qquad + \qquad 1\frac{2}{3}=1\frac{4}{6} \qquad \rightarrow \qquad 1\frac{1}{2}+1\frac{2}{3}=3\frac{1}{6}$$

$$1\frac{1}{2}+1\frac{2}{3}=1\frac{3}{6}+1\frac{4}{6}=2+\frac{7}{6}=3\frac{1}{6}$$

(2) **통분하여 계산하기**

예 $2\frac{3}{4}+1\frac{5}{6}$의 계산

방법1과 방법2의 비교
- **방법1**은 분수끼리의 계산이 간편합니다.
- **방법2**는 자연수와 분수 부분을 따로 떼어 계산하지 않아도 됩니다.

방법1 자연수는 자연수끼리, 분수는 분수끼리 계산하기

$$2\frac{3}{4}+1\frac{5}{6}=2\frac{9}{12}+1\frac{10}{12}=(2+1)+\left(\frac{9}{12}+\frac{10}{12}\right)$$
$$=3+\frac{19}{12}=3+1\frac{7}{12}=4\frac{7}{12}$$

• 분수끼리의 합이 가분수이므로 대분수로 나타냅니다.

방법2 대분수를 가분수로 고쳐서 계산하기

대분수 ➡ 가분수   계산 결과를 대분수로 나타냅니다.
$$2\frac{3}{4}+1\frac{5}{6}=\frac{11}{4}+\frac{11}{6}=\frac{33}{12}+\frac{22}{12}=\frac{55}{12}=4\frac{7}{12}$$

1 분수의 합만큼 색칠하고, □ 안에 알맞은 수를 써넣어 $1\frac{1}{2}+1\frac{4}{5}$ 를 계산해 보세요.

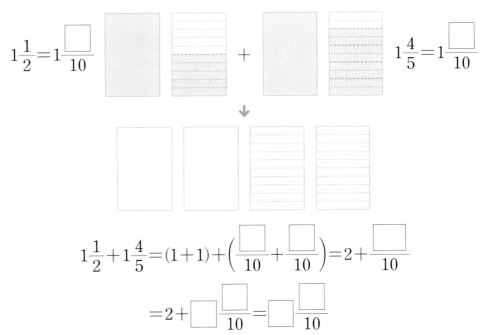

$$1\frac{1}{2}=1\frac{\square}{10} \qquad\qquad + \qquad\qquad 1\frac{4}{5}=1\frac{\square}{10}$$

$$1\frac{1}{2}+1\frac{4}{5}=(1+1)+\left(\frac{\square}{10}+\frac{\square}{10}\right)=2+\frac{\square}{10}$$

$$=2+\square\frac{\square}{10}=\square\frac{\square}{10}$$

교과서 공통 2 $1\frac{5}{8}+1\frac{3}{4}$ 을 두 가지 방법으로 계산해 보세요.

(1) 자연수는 자연수끼리, 분수는 분수끼리 계산해 보세요.

$$1\frac{5}{8}+1\frac{3}{4}=1\frac{\square}{8}+1\frac{\square}{8}=(1+1)+\left(\frac{\square}{8}+\frac{\square}{8}\right)$$

$$=\square+\frac{\square}{8}=\square+\square\frac{\square}{8}=\square\frac{\square}{8}$$

(2) 대분수를 가분수로 고쳐서 계산해 보세요.

$$1\frac{5}{8}+1\frac{3}{4}=\frac{\square}{8}+\frac{\square}{4}=\frac{\square}{8}+\frac{\square}{8}=\frac{\square}{8}=\square\frac{\square}{8}$$

3 계산해 보세요.

(1) $1\frac{3}{5}+2\frac{7}{9}$ (2) $2\frac{4}{9}+2\frac{2}{3}$ (3) $3\frac{5}{6}+1\frac{5}{8}$

097쪽 에서 개념을 한 번 더 다집니다.

1 받아올림이 없는 진분수의 덧셈

01 분수의 합만큼 색칠하고, □ 안에 알맞은 수를 써넣어 $\dfrac{1}{5}+\dfrac{3}{10}$ 을 계산해 보세요.

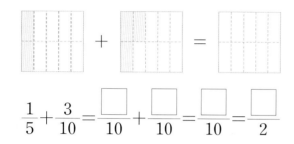

$$\dfrac{1}{5}+\dfrac{3}{10}=\dfrac{\boxed{}}{10}+\dfrac{\boxed{}}{10}=\dfrac{\boxed{}}{10}=\dfrac{\boxed{}}{2}$$

02 □ 안에 알맞은 수를 써넣으세요.

$$\dfrac{9}{16}+\dfrac{1}{4}=\dfrac{9}{16}+\dfrac{\boxed{}}{16}=\dfrac{\boxed{}}{16}$$

03 보기 와 같이 계산해 보세요.

> 보기
>
> $$\dfrac{1}{6}+\dfrac{2}{3}=\dfrac{1\times3}{6\times3}+\dfrac{2\times6}{3\times6}$$
> $$=\dfrac{3}{18}+\dfrac{12}{18}=\dfrac{15}{18}=\dfrac{5}{6}$$

(1) $\dfrac{2}{7}+\dfrac{4}{9}$

(2) $\dfrac{3}{8}+\dfrac{1}{2}$

04 □ 안에 알맞은 수를 써넣으세요.

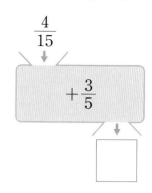

2 받아올림이 있는 진분수의 덧셈

05 분수만큼 각각 그림에 색칠하고, □ 안에 알맞은 수를 써넣어 $\dfrac{1}{3}+\dfrac{3}{4}$ 을 계산해 보세요.

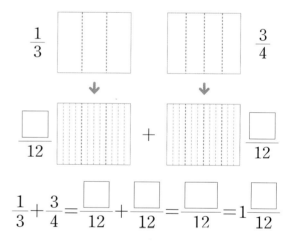

$$\dfrac{1}{3}+\dfrac{3}{4}=\dfrac{\boxed{}}{12}+\dfrac{\boxed{}}{12}=\dfrac{\boxed{}}{12}=1\dfrac{\boxed{}}{12}$$

06 □ 안에 알맞은 수를 써넣으세요.

$$\dfrac{5}{6}+\dfrac{8}{15}=\dfrac{\boxed{}}{30}+\dfrac{\boxed{}}{30}$$
$$=\dfrac{\boxed{}}{30}=\boxed{}\dfrac{\boxed{}}{30}$$

07 $\dfrac{1}{4}+\dfrac{5}{6}$ 를 두 가지 방법으로 계산해 보세요.

방법1 두 분모의 곱을 공통분모로 하여 통분한 후 계산하기

$$\dfrac{1}{4}+\dfrac{5}{6}=\dfrac{1\times\boxed{}}{4\times\boxed{}}+\dfrac{5\times\boxed{}}{6\times\boxed{}}$$

$$=\dfrac{\boxed{}}{24}+\dfrac{\boxed{}}{24}=\dfrac{\boxed{}}{24}$$

$$=\boxed{}\dfrac{\boxed{}}{24}=\boxed{}\dfrac{\boxed{}}{12}$$

방법2 두 분모의 최소공배수를 공통분모로 하여 통분한 후 계산하기

$$\dfrac{1}{4}+\dfrac{5}{6}=\dfrac{1\times\boxed{}}{4\times\boxed{}}+\dfrac{5\times\boxed{}}{6\times\boxed{}}$$

$$=\dfrac{\boxed{}}{12}+\dfrac{\boxed{}}{12}$$

$$=\dfrac{\boxed{}}{12}=\boxed{}\dfrac{\boxed{}}{12}$$

08 빈칸에 알맞은 수를 써넣으세요.

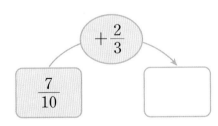

09 왼쪽의 계산 결과를 찾아 ○표 하세요.

$\dfrac{1}{2}+\dfrac{3}{5}$ 　　$\dfrac{2}{5}$　$\dfrac{4}{5}$　$1\dfrac{1}{10}$　$1\dfrac{7}{10}$

---

3 받아올림이 있는 대분수의 덧셈

10 □ 안에 알맞은 수를 써넣으세요.

$$1\dfrac{5}{6}+2\dfrac{4}{9}=1\dfrac{\boxed{}}{18}+2\dfrac{\boxed{}}{18}$$

$$=3\dfrac{\boxed{}}{18}=\boxed{}\dfrac{\boxed{}}{18}$$

11 $2\dfrac{2}{5}+1\dfrac{7}{8}$ 을 두 가지 방법으로 계산해 보세요.

방법1 자연수는 자연수끼리, 분수는 분수끼리 계산하기

$2\dfrac{2}{5}+1\dfrac{7}{8}$

방법2 대분수를 가분수로 고쳐서 계산하기

$2\dfrac{2}{5}+1\dfrac{7}{8}$

12 □ 안에 알맞은 수를 써넣으세요.

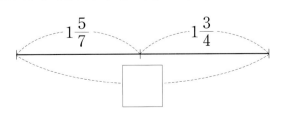

한눈에
방법쏙

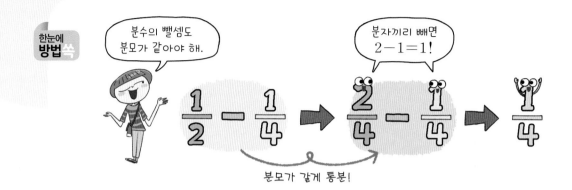

개념 강의

4 받아내림이 없는 진분수의 뺄셈

(1) **그림을 이용하여 알아보기**

예 $\dfrac{3}{4} - \dfrac{1}{3}$의 계산

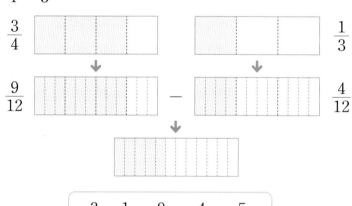

$$\frac{3}{4} - \frac{1}{3} = \frac{9}{12} - \frac{4}{12} = \frac{5}{12}$$

(2) **통분하여 계산하기**

예 $\dfrac{5}{6} - \dfrac{2}{9}$의 계산

방법1과 **방법2**의 비교

• **방법1**은 공통분모를 구하기 쉽습니다.

• **방법2**는 분자끼리의 뺄셈이 쉽고, 계산 결과를 약분할 필요가 없거나 계산이 간단합니다.

방법1 두 분모의 곱을 공통분모로 하여 통분한 후 계산하기

$$\frac{5}{6} - \frac{2}{9} = \frac{5 \times 9}{6 \times 9} - \frac{2 \times 6}{9 \times 6} = \frac{45}{54} - \frac{12}{54} = \frac{33}{54} = \frac{11}{18}$$

기약분수로 나타냅니다.

방법2 두 분모의 최소공배수를 공통분모로 하여 통분한 후 계산하기

$$\frac{5}{6} - \frac{2}{9} = \frac{5 \times 3}{6 \times 3} - \frac{2 \times 2}{9 \times 2} = \frac{15}{18} - \frac{4}{18} = \frac{11}{18}$$

두 분수를 통분한 후 분모는 그대로 두고, 분자끼리 뺍니다.

1 그림을 이용하여 $\dfrac{1}{2}-\dfrac{1}{3}$ 을 계산하려고 합니다. □ 안에 알맞은 수를 써넣으세요.

$$\dfrac{1}{2}-\dfrac{1}{3}=\dfrac{\boxed{}}{6}-\dfrac{\boxed{}}{6}=\dfrac{\boxed{}}{6}$$

2 □ 안에 알맞은 수를 써넣으세요.

$$\dfrac{7}{12}-\dfrac{1}{8}=\dfrac{7\times\boxed{}}{12\times 2}-\dfrac{1\times\boxed{}}{8\times\boxed{}}=\dfrac{\boxed{}}{24}-\dfrac{\boxed{}}{24}=\dfrac{\boxed{}}{24}$$

교과서 공통 3 $\dfrac{7}{8}-\dfrac{5}{6}$ 를 두 가지 방법으로 계산하려고 합니다. □ 안에 알맞은 수를 써넣으세요.

(1) $\dfrac{7}{8}-\dfrac{5}{6}=\dfrac{7\times\boxed{}}{8\times\boxed{}}-\dfrac{5\times\boxed{}}{6\times\boxed{}}=\dfrac{\boxed{}}{48}-\dfrac{\boxed{}}{48}=\dfrac{\boxed{}}{48}=\dfrac{\boxed{}}{24}$

(2) $\dfrac{7}{8}-\dfrac{5}{6}=\dfrac{7\times\boxed{}}{8\times\boxed{}}-\dfrac{5\times\boxed{}}{6\times\boxed{}}=\dfrac{\boxed{}}{24}-\dfrac{\boxed{}}{24}=\dfrac{\boxed{}}{24}$

4 계산해 보세요.

(1) $\dfrac{8}{9}-\dfrac{2}{3}$

(2) $\dfrac{4}{5}-\dfrac{3}{7}$

(3) $\dfrac{11}{12}-\dfrac{3}{8}$

104쪽 에서 개념을 한 번 더 다집니다.

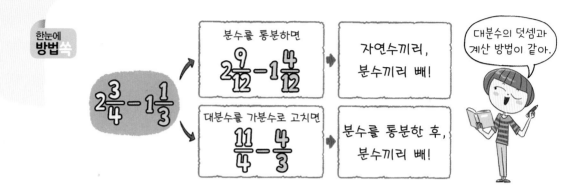

5 받아내림이 없는 대분수의 뺄셈

(1) 그림을 이용하여 알아보기

예 $2\dfrac{1}{2}-1\dfrac{2}{5}$의 계산

$$2\dfrac{1}{2}=2\dfrac{5}{10} \qquad 1\dfrac{2}{5}=1\dfrac{4}{10} \qquad 2\dfrac{1}{2}-1\dfrac{2}{5}=1\dfrac{1}{10}$$

$$2\dfrac{1}{2}-1\dfrac{2}{5}=2\dfrac{5}{10}-1\dfrac{4}{10}=1\dfrac{1}{10}$$

(2) 통분하여 계산하기

예 $2\dfrac{4}{5}-1\dfrac{2}{3}$의 계산

받아내림이 없는 대분수의 뺄셈은 자연수는 자연수끼리, 분수는 분수끼리 계산하는 방법이 더 간편합니다.

방법1 자연수는 자연수끼리, 분수는 분수끼리 계산하기

$$2\dfrac{4}{5}-1\dfrac{2}{3}=2\dfrac{12}{15}-1\dfrac{10}{15}=(2-1)+\left(\dfrac{12}{15}-\dfrac{10}{15}\right)$$

$$=1+\dfrac{2}{15}=1\dfrac{2}{15}$$

방법2 대분수를 가분수로 고쳐서 계산하기

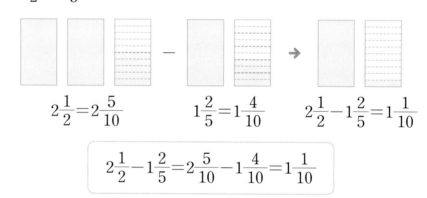

대분수 ➡ 가분수 ／ 계산 결과를 대분수로 나타냅니다.

$$2\dfrac{4}{5}-1\dfrac{2}{3}=\dfrac{14}{5}-\dfrac{5}{3}=\dfrac{42}{15}-\dfrac{25}{15}=\dfrac{17}{15}=1\dfrac{2}{15}$$

1 분수의 차만큼 색칠하고, □ 안에 알맞은 수를 써넣어 $1\dfrac{3}{4}-1\dfrac{1}{3}$ 을 계산해 보세요.

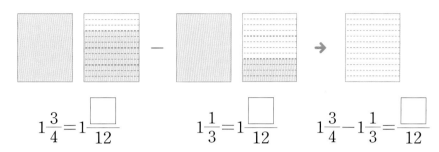

$$1\dfrac{3}{4}=1\dfrac{\square}{12} \qquad 1\dfrac{1}{3}=1\dfrac{\square}{12} \qquad 1\dfrac{3}{4}-1\dfrac{1}{3}=\dfrac{\square}{12}$$

2 □ 안에 알맞은 수를 써넣으세요.

$$3\dfrac{2}{3}-1\dfrac{3}{5}=3\dfrac{\square}{15}-1\dfrac{\square}{15}=(3-1)+\left(\dfrac{\square}{15}-\dfrac{\square}{15}\right)=\square\dfrac{\square}{15}$$

교과서 공통 3 $2\dfrac{4}{7}-1\dfrac{1}{2}$ 을 두 가지 방법으로 계산해 보세요.

(1) 자연수는 자연수끼리, 분수는 분수끼리 계산해 보세요.

$$2\dfrac{4}{7}-1\dfrac{1}{2}=2\dfrac{\square}{14}-1\dfrac{\square}{14}=(\square-\square)+\left(\dfrac{\square}{14}-\dfrac{\square}{14}\right)$$
$$=\square+\dfrac{\square}{14}=\square\dfrac{\square}{14}$$

(2) 대분수를 가분수로 고쳐서 계산해 보세요.

$$2\dfrac{4}{7}-1\dfrac{1}{2}=\dfrac{\square}{7}-\dfrac{\square}{2}=\dfrac{\square}{14}-\dfrac{\square}{14}=\dfrac{\square}{14}=\square\dfrac{\square}{14}$$

4 계산해 보세요.

(1) $4\dfrac{7}{8}-2\dfrac{2}{3}$ 　　　(2) $5\dfrac{1}{2}-1\dfrac{1}{4}$ 　　　(3) $6\dfrac{7}{10}-4\dfrac{5}{12}$

104쪽 에서 개념을 **한 번 더** 다집니다.

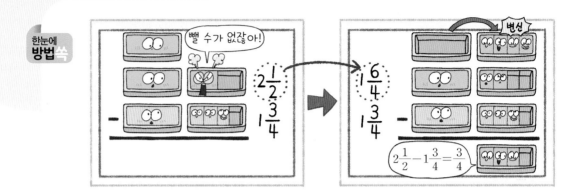

한눈에 방법쏙

개념 강의

6 받아내림이 있는 대분수의 뺄셈

(1) 그림을 이용하여 알아보기

예 $2\frac{1}{8}-1\frac{1}{2}$ 의 계산

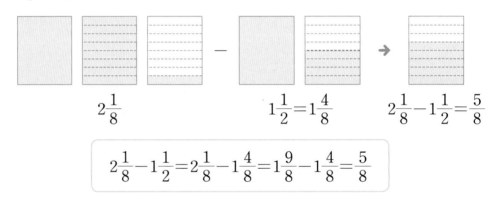

$$2\frac{1}{8} \qquad 1\frac{1}{2}=1\frac{4}{8} \qquad 2\frac{1}{8}-1\frac{1}{2}=\frac{5}{8}$$

$$2\frac{1}{8}-1\frac{1}{2}=2\frac{1}{8}-1\frac{4}{8}=1\frac{9}{8}-1\frac{4}{8}=\frac{5}{8}$$

(2) 통분하여 계산하기

예 $3\frac{2}{3}-1\frac{5}{6}$ 의 계산

분수끼리 뺄 수 없으면 자연수 부분에서 1을 받아내림하여 가분수로 바꾼 후 분수끼리 뺍니다.

방법 **1** 자연수는 자연수끼리, 분수는 분수끼리 계산하기

1만큼을 $\frac{6}{6}$ 으로 바꿉니다.

$$3\frac{2}{3}-1\frac{5}{6}=3\frac{4}{6}-1\frac{5}{6}=2\frac{10}{6}-1\frac{5}{6}$$

$$=(2-1)+\left(\frac{10}{6}-\frac{5}{6}\right)=1+\frac{5}{6}=1\frac{5}{6}$$

방법 **2** 대분수를 가분수로 고쳐서 계산하기

대분수 ➡ 가분수   계산 결과를 대분수로 나타냅니다.

$$3\frac{2}{3}-1\frac{5}{6}=\frac{11}{3}-\frac{11}{6}=\frac{22}{6}-\frac{11}{6}=\frac{11}{6}=1\frac{5}{6}$$

1 분수의 차만큼 색칠하고, □ 안에 알맞은 수를 써넣어 $3\frac{1}{2}-1\frac{3}{4}$ 을 계산해 보세요.

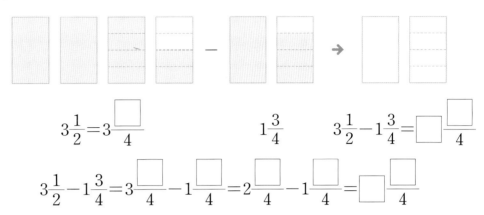

$$3\frac{1}{2}=3\frac{\square}{4} \qquad 1\frac{3}{4} \qquad 3\frac{1}{2}-1\frac{3}{4}=\square\frac{\square}{4}$$

$$3\frac{1}{2}-1\frac{3}{4}=3\frac{\square}{4}-1\frac{\square}{4}=2\frac{\square}{4}-1\frac{\square}{4}=\square\frac{\square}{4}$$

5 단원

교과서 공통 2 자연수는 자연수끼리, 분수는 분수끼리 계산하려고 합니다. □ 안에 알맞은 수를 써넣으세요.

$$3\frac{4}{9}-2\frac{1}{2}=3\frac{\square}{18}-2\frac{\square}{18}=2\frac{\square}{18}-2\frac{\square}{18}$$

$$=(2-2)+\left(\frac{\square}{18}-\frac{\square}{18}\right)=\frac{\square}{18}$$

교과서 공통 3 대분수를 가분수로 고쳐서 계산하려고 합니다. □ 안에 알맞은 수를 써넣으세요.

$$2\frac{1}{4}-1\frac{4}{5}=\frac{\square}{4}-\frac{\square}{5}=\frac{\square}{20}-\frac{\square}{20}=\frac{\square}{20}$$

4 계산해 보세요.

(1) $5\frac{3}{5}-4\frac{7}{10}$ 　　　　(2) $6\frac{4}{15}-3\frac{8}{9}$ 　　　　(3) $4\frac{1}{8}-1\frac{5}{6}$

105쪽 에서 개념을 **한 번** 더 다집니다.

4 받아내림이 없는 진분수의 뺄셈

01 분수만큼 각각 그림에 색칠하고, □ 안에 알맞은 수를 써넣어 $\dfrac{3}{4} - \dfrac{1}{2}$ 을 계산해 보세요.

$\dfrac{3}{4}$ $\dfrac{1}{2}$

$\dfrac{\square}{4}$ ↓   —   ↓ $\dfrac{\square}{4}$

$$\dfrac{3}{4} - \dfrac{1}{2} = \dfrac{\square}{4} - \dfrac{\square}{4} = \dfrac{\square}{4}$$

02 □ 안에 알맞은 수를 써넣으세요.

$$\dfrac{9}{10} - \dfrac{1}{4} = \dfrac{\square}{20} - \dfrac{\square}{20} = \dfrac{\square}{20}$$

03 보기와 같이 계산해 보세요.

> **보기**
>
> $$\dfrac{7}{8} - \dfrac{5}{9} = \dfrac{63}{72} - \dfrac{40}{72} = \dfrac{23}{72}$$

$\dfrac{6}{7} - \dfrac{2}{5}$

04 왼쪽의 계산 결과를 찾아 ○표 하세요.

$\dfrac{4}{5} - \dfrac{7}{10}$ $\dfrac{1}{10}$ $\dfrac{3}{10}$ $\dfrac{7}{10}$ $\dfrac{9}{10}$

5 받아내림이 없는 대분수의 뺄셈

05 분수의 차만큼 색칠하고, □ 안에 알맞은 수를 써넣어 $1\dfrac{2}{3} - 1\dfrac{1}{2}$ 을 계산해 보세요.

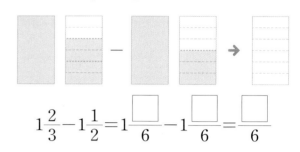

$$1\dfrac{2}{3} - 1\dfrac{1}{2} = 1\dfrac{\square}{6} - 1\dfrac{\square}{6} = \dfrac{\square}{6}$$

06 □ 안에 알맞은 수를 써넣으세요.

$$3\dfrac{9}{10} - 1\dfrac{3}{8} = 3\dfrac{\square}{40} - 1\dfrac{\square}{40} = \square\dfrac{\square}{40}$$

07 $4\dfrac{3}{5} - 2\dfrac{1}{4}$ 을 두 가지 방법으로 계산해 보세요.

> **방법 1** 자연수는 자연수끼리, 분수는 분수끼리 계산하기
>
> $4\dfrac{3}{5} - 2\dfrac{1}{4}$

> **방법 2** 대분수를 가분수로 고쳐서 계산하기
>
> $4\dfrac{3}{5} - 2\dfrac{1}{4}$

08 두 수의 차를 구하세요.

$$3\frac{5}{6} \qquad 1\frac{5}{7}$$

( )

09 □ 안에 알맞은 수를 써넣으세요.

$5\frac{3}{4}$ → $-2\frac{1}{6}$ → □

---

6 **받아내림이 있는 대분수의 뺄셈**

10 그림에 $2\frac{1}{3}$만큼 색칠하고, $1\frac{4}{9}$만큼 ×로 지워 $2\frac{1}{3}-1\frac{4}{9}$를 계산해 보세요.

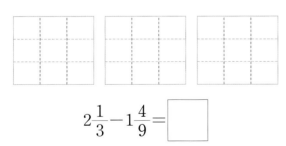

$$2\frac{1}{3}-1\frac{4}{9}=\boxed{}$$

11 □ 안에 알맞은 수를 써넣으세요.

$$3\frac{7}{20}-1\frac{5}{8}=3\frac{\boxed{}}{40}-1\frac{\boxed{}}{40}$$
$$=2\frac{\boxed{}}{40}-1\frac{\boxed{}}{40}$$
$$=\boxed{}\frac{\boxed{}}{40}$$

12 보기와 같이 계산해 보세요.

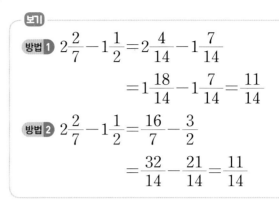

보기

방법 1 $2\frac{2}{7}-1\frac{1}{2}=2\frac{4}{14}-1\frac{7}{14}$
$=1\frac{18}{14}-1\frac{7}{14}=\frac{11}{14}$

방법 2 $2\frac{2}{7}-1\frac{1}{2}=\frac{16}{7}-\frac{3}{2}$
$=\frac{32}{14}-\frac{21}{14}=\frac{11}{14}$

방법 1 $2\frac{1}{3}-1\frac{2}{5}$ _____

방법 2 $2\frac{1}{3}-1\frac{2}{5}$ _____

_____

13 빈 곳에 알맞은 수를 써넣으세요.

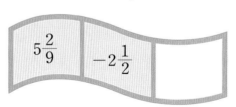

$5\frac{2}{9}$ $-2\frac{1}{2}$

14 다음이 나타내는 수를 구하세요.

$4\frac{3}{8}$보다 $1\frac{5}{6}$만큼 더 작은 수

( )

문제 강의

090쪽 개념 ❶

01 두 수의 합을 빈 곳에 써넣으세요.

$$\frac{1}{4} \qquad \frac{5}{16}$$

090쪽 개념 ❶

02 민채는 다음과 같이 잘못 계산했습니다. 계산이 처음으로 <u>잘못된</u> 곳을 찾아 ○표 하고, 바르게 계산해 보세요.

$$\frac{5}{12} + \frac{1}{6} = \frac{5}{12} + \frac{1 \times 1}{6 \times 2}$$
$$= \frac{5}{12} + \frac{1}{12} = \frac{6}{12} = \frac{1}{2}$$

$$\frac{5}{12} + \frac{1}{6}$$

090쪽 개념 ❶

03 같은 양의 물이 담긴 두 비커에 설탕의 양을 다르게 하여 설탕물을 만들었습니다. ㉮ 비커에는 설탕을 $\frac{3}{10}$컵 넣었고, ㉯ 비커에는 ㉮ 비커보다 $\frac{1}{8}$컵 더 많이 설탕을 넣었습니다. ㉯ 비커에 넣은 설탕의 양은 몇 컵인가요?

( )

092쪽 개념 ❷

04 빈칸에 알맞은 수를 써넣으세요.

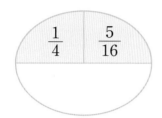

익힘책 공통   **092쪽 개념 ❷**

05 계산 결과가 1보다 큰 것은 어느 것인가요?

( )

① $\frac{1}{2} + \frac{2}{5}$ ② $\frac{3}{8} + \frac{1}{6}$

③ $\frac{1}{4} + \frac{4}{9}$ ④ $\frac{4}{7} + \frac{1}{2}$

⑤ $\frac{1}{3} + \frac{5}{9}$

092쪽 개념 ❷

06 가장 큰 수와 가장 작은 수의 합을 구하세요.

문제 강의

$$\frac{11}{15} \qquad \frac{1}{3} \qquad \frac{3}{5}$$

( )

익힘책 공통 094쪽 개념 ❸

07 계산 결과를 비교하여 ○ 안에 >, =, <를 알맞게 써넣으세요.

$$1\frac{2}{3}+1\frac{1}{2} \bigcirc 1\frac{5}{6}+1\frac{1}{3}$$

094쪽 개념 ❸

08 가로가 $1\frac{5}{8}$ cm이고, 세로가 가로보다 $1\frac{1}{2}$ cm 더 긴 직사각형이 있습니다. 이 직사각형의 세로는 몇 cm인가요?

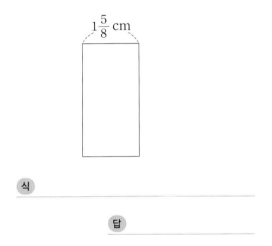

식 _____

답 _____

098쪽 개념 ❹

09 빈칸에 알맞은 수를 써넣으세요.

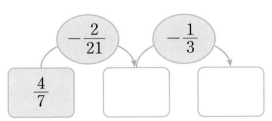

098쪽 개념 ❹

10 파란색 끈이 $\frac{5}{6}$ m, 노란색 끈이 $\frac{7}{12}$ m 있습니다. 파란색 끈은 노란색 끈보다 몇 m 더 긴지 구하세요.

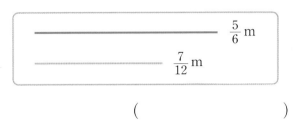

(_____)

100쪽 개념 ❺

11 값이 같은 것끼리 이어 보세요.

(1) $6\frac{6}{7}-3\frac{5}{6}$ •   • $3\frac{1}{42}$

(2) $5\frac{2}{3}-2\frac{3}{7}$ •   • $3\frac{8}{21}$

(3) $7\frac{5}{7}-4\frac{1}{3}$ •   • $3\frac{5}{21}$

100쪽 개념 ❺

12 계산 결과가 큰 것부터 차례로 ○ 안에 1, 2, 3을 써넣으세요.

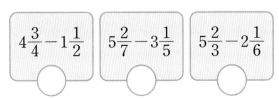

익힘책 공통   100쪽 개념 ❺

13 수 카드를 한 번씩만 사용하여 대분수를 만들려고 합니다. 만들 수 있는 가장 큰 대분수와 가장 작은 대분수의 차를 구하세요.

문제
강의

$$\boxed{3} \quad \boxed{4} \quad \boxed{7}$$

(   )

102쪽 개념 ❻

14 계산 결과가 대분수인 것에 ○표 하세요.

$$3\frac{2}{7} - 2\frac{1}{6} \qquad 2\frac{1}{8} - 1\frac{1}{4}$$

(   )   (   )

102쪽 개념 ❻

15 ㉠에 알맞은 수를 구하세요.

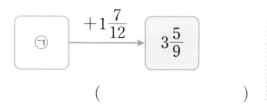

(   )

102쪽 개념 ❻

16 □ 안에 들어갈 수 있는 자연수를 **모두** 구하세요.

$$5\frac{1}{12} - 1\frac{5}{9} > \square$$

(   )

생각 ＋ 문제

17 지현이가 집에서 도서관까지 가는 길을 나타낸 것입니다. 집에서 도서관까지 가는 데 놀이터와 학교 중 **어느 곳을 거쳐 가는 길이 몇 km 더 가까운지** 구하세요.

문제
강의

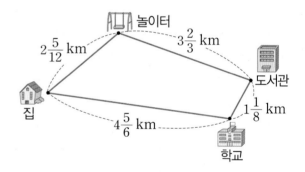

(1) 놀이터를 거쳐 가는 길은 몇 km인가요?

(   )

(2) 학교를 거쳐 가는 길은 몇 km인가요?

(   )

(3) 어느 곳을 거쳐 가는 길이 몇 km 더 가까운가요?

(   ), (   )

서술형 잡기

5단원

1 계산이 **잘못된 이유**를 쓰고, **바르게 계산**해 보세요.

$$\frac{5}{8} - \frac{1}{4} = \frac{5}{8} - \frac{1}{8} = \frac{4}{8} = \frac{1}{2}$$

이유 분모와 분자에 같은 수를 곱하여 통분해야 하는데 $\frac{1}{4}$의 분모에는 ☐를, 분자에는 ☐을 곱하여 계산을 잘못했습니다.

바른 계산

2 계산이 **잘못된 이유**를 쓰고, **바르게 계산**해 보세요.

$$\frac{1}{2} + \frac{3}{7} = \frac{1+3}{2+7} = \frac{4}{9}$$

이유

바른 계산

3 윤지네 반 학급 문고에는 위인전, 역사책, 동화책이 있습니다. 위인전은 전체의 $\frac{1}{6}$, 역사책은 전체의 $\frac{4}{9}$입니다. 나머지가 모두 동화책이라면 **동화책은 전체의 얼마**인지 풀이 과정을 쓰고, 답을 구하세요.

해결 순서 ❶ 위인전과 역사책의 합은 전체의 얼마인지 구하기
❷ 동화책은 전체의 얼마인지 구하기

풀이 ❶ 위인전과 역사책의 합은 학급 문고 전체의 $\frac{1}{6} + \frac{4}{9} = \frac{☐}{18} + \frac{☐}{18} = \frac{☐}{18}$입니다.
❷ 학급 문고 전체를 1이라 하면 동화책은 전체의 $1 - \frac{☐}{18} = \frac{☐}{18} - \frac{☐}{18} = \frac{☐}{18}$입니다.

답

4 피자가 한 판 있습니다. 선미는 전체의 $\frac{5}{12}$만큼, 세호는 전체의 $\frac{3}{8}$만큼을 먹었습니다. 나머지는 모두 용희가 먹었다면 **용희가 먹은 피자는 전체의 얼마**인지 풀이 과정을 쓰고, 답을 구하세요.

해결 순서 ❶ 선미와 세호가 먹은 피자는 전체의 얼마인지 구하기
❷ 용희가 먹은 피자는 전체의 얼마인지 구하기

풀이

답

01 분수만큼 각각의 그림에 색칠하고, □ 안에 알맞은 수를 써넣어 $\dfrac{1}{3}+\dfrac{1}{2}$ 을 계산해 보세요.

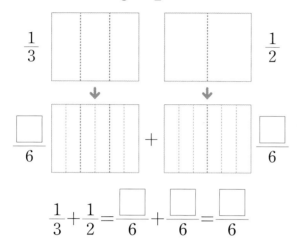

$\dfrac{1}{3}$ $\dfrac{1}{2}$

$\dfrac{\boxed{}}{6}$ + $\dfrac{\boxed{}}{6}$

$\dfrac{1}{3}+\dfrac{1}{2}=\dfrac{\boxed{}}{6}+\dfrac{\boxed{}}{6}=\dfrac{\boxed{}}{6}$

02 □ 안에 알맞은 수를 써넣으세요.

$$\frac{5}{12}+\frac{7}{8}=\frac{5\times\boxed{}}{12\times\boxed{}}+\frac{7\times\boxed{}}{8\times\boxed{}}$$

$$=\frac{\boxed{}}{24}+\frac{\boxed{}}{24}$$

$$=\frac{\boxed{}}{24}=\boxed{}\frac{\boxed{}}{24}$$

03 자연수는 자연수끼리, 분수는 분수끼리 계산해 보세요.

$$2\frac{1}{6}+1\frac{2}{3}=2\frac{1}{6}+1\frac{\boxed{}}{6}$$

$$=(2+1)+\left(\frac{\boxed{}}{6}+\frac{\boxed{}}{6}\right)$$

$$=\boxed{}+\frac{\boxed{}}{6}=\boxed{}\frac{\boxed{}}{6}$$

04 대분수를 가분수로 고쳐서 계산해 보세요.

$$4\frac{2}{3}-1\frac{3}{7}=\frac{\boxed{}}{3}-\frac{\boxed{}}{7}$$

$$=\frac{\boxed{}}{21}-\frac{\boxed{}}{21}$$

$$=\frac{\boxed{}}{21}=\boxed{}\frac{\boxed{}}{21}$$

05 보기와 같이 계산해 보세요.

보기

$$\frac{3}{10}-\frac{1}{4}=\frac{3\times2}{10\times2}-\frac{1\times5}{4\times5}$$

$$=\frac{6}{20}-\frac{5}{20}=\frac{1}{20}$$

$$\frac{5}{8}-\frac{11}{20}$$

[06~07] 계산해 보세요.

06 $1\dfrac{5}{6}+1\dfrac{7}{10}$

07 $2\dfrac{7}{12}-1\dfrac{8}{9}$

08 두 수의 합을 구하세요.

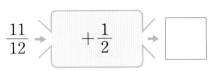

$$\frac{3}{7} \qquad \frac{2}{11}$$

(   )

09 □ 안에 알맞은 수를 써넣으세요.

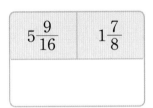

$$\frac{11}{12} \Rightarrow \boxed{+\frac{1}{2}} \Rightarrow \square$$

10 두 수의 차를 빈칸에 써넣으세요.

$5\frac{9}{16}$	$1\frac{7}{8}$

11 값이 같은 것끼리 이어 보세요.

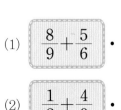

(1) $\frac{8}{9}+\frac{5}{6}$ ·

(2) $\frac{1}{2}+\frac{4}{9}$ ·

· $\frac{17}{18}$

· $1\frac{7}{18}$

· $1\frac{13}{18}$

12 빈칸에 알맞은 수를 써넣으세요.

+	$2\frac{9}{10}$	$3\frac{11}{12}$
$1\frac{3}{16}$		

13 계산 결과를 비교하여 ○ 안에 >, =, <를 알맞게 써넣으세요.

$$3\frac{4}{5}-1\frac{1}{2} \;\bigcirc\; 6\frac{3}{5}-4\frac{7}{10}$$

14 민수와 연희가 계산한 것을 보고 바르게 계산한 친구의 이름을 쓰세요.

$$4\frac{1}{2}-1\frac{3}{7}=3\frac{1}{14}$$

$$3\frac{1}{12}-1\frac{7}{10}=2\frac{23}{60}$$

민수   연희

(   )

15 빈칸에 알맞은 수를 써넣으세요.

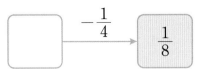

$$\square \xrightarrow{-\frac{1}{4}} \boxed{\frac{1}{8}}$$

16 태희는 어버이날에 부모님께 드릴 카네이션을 만드는 데 빨간색 색종이를 $2\frac{2}{5}$장, 초록색 색종이를 $1\frac{3}{4}$장 사용하였습니다. 카네이션을 만드는 데 사용한 색종이는 모두 몇 장인가요?

(   )

17 가장 큰 수와 가장 작은 수의 차를 구하세요.

$$\frac{1}{2} \qquad \frac{2}{3} \qquad \frac{3}{5}$$

(   )

18 고양이와 강아지 중 어느 것의 무게가 몇 kg 더 무거운지 구하세요.

고양이: $5\frac{8}{15}$ kg   강아지: $7\frac{1}{3}$ kg

(   ), (   )

서술형

19 계산이 잘못된 이유를 쓰고, 바르게 계산해 보세요.

$$\frac{9}{14} + \frac{1}{2} = \frac{9}{14} + \frac{1}{14} = \frac{10}{14} = \frac{5}{7}$$

이유

바른 계산

서술형

20 원호네 텃밭에 토마토, 오이, 상추를 심었습니다. 토마토는 전체의 $\frac{3}{10}$, 오이는 전체의 $\frac{9}{20}$에 심었습니다. 남은 밭에 모두 상추를 심었다면 상추를 심은 부분은 전체의 얼마인지 풀이 과정을 쓰고, 답을 구하세요.

풀이

답

햄버거, 치킨, 피자 모두 형규가 좋아하는 간식이에요.

규칙을 정해 그림을 그렸는데 가운데 부분이 지워졌어요.

어떤 규칙이 있을까요?

빈 곳에 들어가는 간식이 무엇인지 찾아보세요.

6 다각형의 둘레와 넓이

어떤 걸로 골라야 하지?

가로 30 cm, 세로 20 cm인
직사각형 모양

한 변이 25 cm인
정사각형 모양

직사각형 모양과 정사각형 모양의 도마 중에서
넓이가 더 넓은 도마를 쓰고 싶은데
어느 도마의 넓이가 더 넓은지 모르겠네.

동영상 강의와 함께 계획을 세워 공부합니다.
동영상 강의를 시청했으면 ⬜에 ∨표 하세요.

공부한 날	동영상 확인	쪽수	학습 내용
월 일	▶️ ⬜	116~121쪽	**교과서 개념 잡기** ❶ 정다각형의 둘레 ❷ 사각형의 둘레 ❸ 1 cm² ❹ 직사각형의 넓이 ❺ 1 cm²보다 더 큰 넓이의 단위
월 일		122~125쪽	**개념 한 번 더 잡기**
월 일	▶️ ⬜	126~129쪽	**교과서 개념 잡기** ❻ 평행사변형의 넓이 ❼ 삼각형의 넓이
월 일		130~131쪽	**개념 한 번 더 잡기**
월 일	▶️ ⬜	132~135쪽	**교과서 개념 잡기** ❽ 마름모의 넓이 ❾ 사다리꼴의 넓이
월 일		136~137쪽	**개념 한 번 더 잡기**
월 일	▶️ ⬜	138~142쪽	**수학 익힘 문제 잡기**
월 일	▶️ ⬜	143쪽	**서술형 잡기**
월 일		144~146쪽	**단원 마무리**

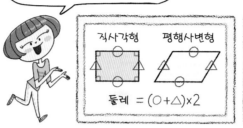

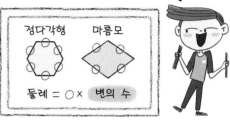

1 정다각형의 둘레

정다각형은 모든 변의 길이가 같습니다.

$2 \times 3 = 6 \, (\text{cm})$

$2 \times 4 = 8 \, (\text{cm})$

$2 \times 5 = 10 \, (\text{cm})$

(정다각형의 둘레) = (한 변의 길이) × (변의 수)

2 사각형의 둘레

(1) 직사각형의 둘레

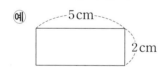

마주 보는 두 변의 길이가 같습니다.

$$(직사각형의 \ 둘레) = 5 + 2 + 5 + 2$$
$$= 5 \times 2 + 2 \times 2$$
$$= (5 + 2) \times 2 = 14 \, (\text{cm})$$

직사각형과 평행사변형은 마주 보는 두 변의 길이가 같으므로 둘레를 구하는 방법이 같습니다.

(2) 평행사변형의 둘레

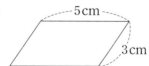

마주 보는 두 변의 길이가 같습니다.

$$(평행사변형의 \ 둘레) = 5 + 3 + 5 + 3$$
$$= 5 \times 2 + 3 \times 2$$
$$= (5 + 3) \times 2 = 16 \, (\text{cm})$$

마름모와 정사각형은 네 변의 길이가 같으므로 둘레를 구하는 방법이 같습니다.

(3) 마름모의 둘레

네 변의 길이가 같습니다.

$$(마름모의 \ 둘레) = 5 + 5 + 5 + 5$$
$$= 5 \times 4 = 20 \, (\text{cm})$$

- (직사각형의 둘레) = (가로 + 세로) × 2
- (평행사변형의 둘레) = (한 변의 길이 + 다른 한 변의 길이) × 2
- (마름모의 둘레) = (한 변의 길이) × 4

1 정오각형의 둘레를 두 가지 방법으로 구하려고 합니다. □ 안에 알맞은 수를 써넣으세요.

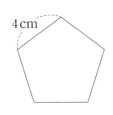

(1) 정오각형의 다섯 변의 길이를 모두 더하면

4 + □ + □ + □ + □ = □ (cm)입니다.

(2) 정오각형의 한 변의 길이에 변의 수를 곱하면

4 × □ = □ (cm)입니다.

교과서 공통 2 정다각형의 둘레를 구하세요.

(1)
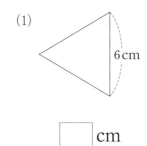

□ cm

(2)
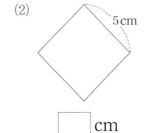

□ cm

3 직사각형의 둘레를 구하려고 합니다. □ 안에 알맞은 수를 써넣으세요.

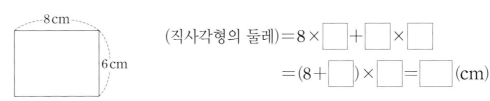

(직사각형의 둘레) = 8 × □ + □ × □

= (8 + □) × □ = □ (cm)

교과서 공통 4 평행사변형과 마름모의 둘레를 구하세요.

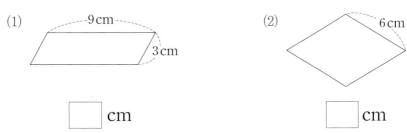

(1) □ cm

(2) □ cm

122쪽에서 개념을 한 번 더 다집니다.

한눈에
공식 쏙

넓이를 구할 때에는
직각을 이루는 두 변,
즉 가로와 세로를 곱해.

난 가로와
세로가 같아.

직사각형의 넓이
= 가로 × 세로

정사각형의 넓이
= 가로 × 세로
= 한 변의 길이 × 한 변의 길이

개념 강의

3 $1\,cm^2$

① 한 변의 길이가 $1\,cm$인 정사각형의 넓이를 단위로 $1\,cm^2$라 쓰고,
1 **제곱센티미터**라고 읽습니다.

② 1cm²를 이용하여 도형의 넓이 구하기

예 → 1cm²가 8개이므로 도형의 넓이는 $8\,cm^2$입니다.

4 **직사각형의 넓이**

(1) **직사각형의 넓이**

예 ┌ 가로에 4개, 세로에 3개
1cm²가 모두 $4 \times 3 = 12$(개) 있습니다.
→ (직사각형의 넓이)$= 4 \times 3 = 12\,(cm^2)$

(2) **정사각형의 넓이**

정사각형은 가로와 세로가 같은 직사각형이므로 정사각형의 넓이는 한 변의 길이를 두 번 곱하여 구합니다.

예 ┌ 가로에 4개, 세로에 4개
1cm²가 모두 $4 \times 4 = 16$(개) 있습니다.
→ (정사각형의 넓이)$= 4 \times 4 = 16\,(cm^2)$

• (직사각형의 넓이)$=$(가로)$\times$(세로)
• (정사각형의 넓이)$=$(한 변의 길이)$\times$(한 변의 길이)

1 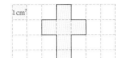를 이용하여 도형의 넓이를 구하려고 합니다. □ 안에 알맞은 수를 써넣으세요.

(1) 1cm²가 모두 □ 개 있습니다.

(2) 도형의 넓이는 □ cm²입니다.

2 주어진 넓이를 쓰고 읽어 보세요.

3 cm²　쓰기　$3\,cm^2$

읽기

3 도형의 넓이를 구하려고 합니다. □ 안에 알맞은 수를 써넣으세요.

1cm²

가　나

(1) 1cm²가 직사각형 가의 가로에 □ 개, 세로에 □ 개 있습니다.

→ (직사각형 가의 넓이) = □ × □ = □ (cm²)

(2) 1cm²가 정사각형 나의 가로에 □ 개, 세로에 □ 개 있습니다.

→ (정사각형 나의 넓이) = □ × □ = □ (cm²)

교과서 공통 **4** 직사각형의 넓이를 구하세요.

(1)

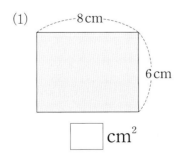

8 cm

6 cm

□ cm²

(2)

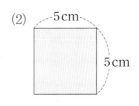

5 cm

5 cm

□ cm²

123쪽 에서 개념을 한 번 더 다집니다.

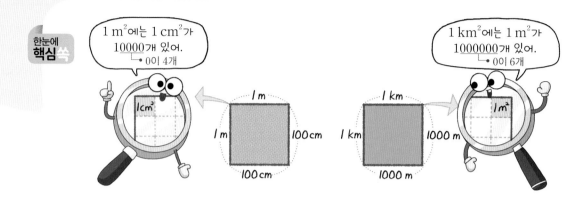

한눈에
핵심쏙

1 m²에는 1 cm²가 10000개 있어.
• 0이 4개

1 km²에는 1 m²가 1000000개 있어.
• 0이 6개

개념 강의

5 1 cm² 보다 더 큰 넓이의 단위

(1) 1 m²

① 한 변의 길이가 1 m인 정사각형의 넓이를 1 m²라 쓰고, 1 **제곱미터**라고 읽습니다.

1 m²
= 1 m × 1 m
= 100 cm × 100 cm
= 10000 cm²

② 1 cm²와 1 m²의 관계

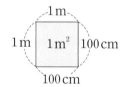

1 m²에는 1 cm²가 한 줄에 100개씩 100줄 들어갑니다. → 100 × 100 = 10000 (cm²)

$$1 \text{ m}^2 = 10000 \text{ cm}^2$$

(2) 1 km²

① 한 변의 길이가 1 km인 정사각형의 넓이를 1 km²라 쓰고, 1 **제곱킬로미터**라고 읽습니다.

1 km²
= 1 km × 1 km
= 1000 m × 1000 m
= 1000000 m²

② 1 km²와 1 m²의 관계

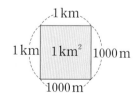

1 km²에는 1 m²가 한 줄에 1000개씩 1000줄 들어갑니다. → 1000 × 1000 = 1000000 (m²)

$$1 \text{ km}^2 = 1000000 \text{ m}^2$$

1 $1 \, cm^2$와 $1 \, m^2$, $1 \, m^2$와 $1 \, km^2$ 사이의 관계를 알아보려고 합니다. ☐ 안에 알맞은 수를 써넣으세요.

(1)

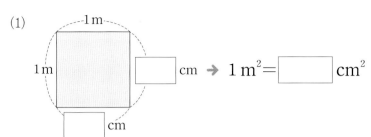

$1 \, m^2 =$ ☐ cm^2

(2)

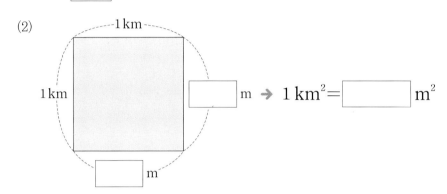

$1 \, km^2 =$ ☐ m^2

2 ☐ 안에 알맞은 수를 써넣으세요.

(1) $3 \, m^2 =$ ☐ cm^2

(2) $8000000 \, m^2 =$ ☐ km^2

교과서 공통 3 $1 \, m^2$가 몇 번 들어가는지 ☐ 안에 알맞은 수를 써넣으세요.

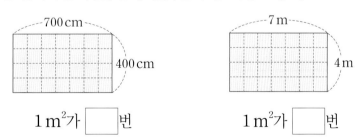

$1 \, m^2$가 ☐ 번

$1 \, m^2$가 ☐ 번

4 알맞은 넓이에 ◯표 하세요.

(1) 음악실의 넓이는 약 ($73 \, cm^2$, $73 \, m^2$, $73 \, km^2$)입니다.

(2) 울릉도의 넓이는 약 ($73 \, cm^2$, $73 \, m^2$, $73 \, km^2$)입니다.

125쪽 에서 개념을 **한 번** 더 다집니다.

1 정다각형의 둘레

01 정육각형의 둘레를 구하려고 합니다. □ 안에 알맞은 수를 써넣으세요.

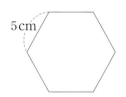

(정육각형의 둘레)

$$= 5 + 5 + \boxed{} + \boxed{} + \boxed{} + \boxed{}$$

$$= 5 \times \boxed{} = \boxed{} \ (\text{cm})$$

02 정다각형의 둘레는 몇 cm인가요?

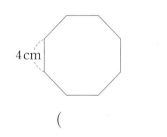

(   )

03 한 변의 길이가 8 cm인 정다각형의 둘레를 구하려고 합니다. 표를 완성해 보세요.

정다각형	정칠각형	정구각형
한 변의 길이(cm)	8	8
변의 수(개)		
둘레(cm)		

2 사각형의 둘레

04 직사각형의 둘레를 두 가지 방법으로 구하려고 합니다. □ 안에 알맞은 수를 써넣으세요.

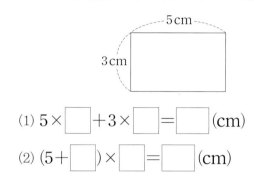

(1) $5 \times \boxed{} + 3 \times \boxed{} = \boxed{} \ (\text{cm})$

(2) $(5 + \boxed{}) \times \boxed{} = \boxed{} \ (\text{cm})$

05 직사각형의 둘레는 몇 cm인가요?

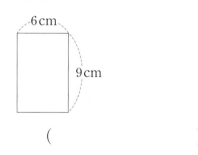

(   )

06 평행사변형의 둘레를 구하려고 합니다. □ 안에 알맞은 수를 써넣으세요.

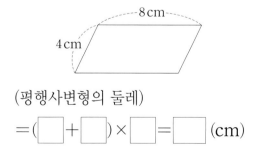

(평행사변형의 둘레)

$$= (\boxed{} + \boxed{}) \times \boxed{} = \boxed{} \ (\text{cm})$$

07 평행사변형의 둘레는 몇 cm인가요?

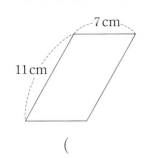

( )

08 마름모의 둘레를 구하려고 합니다. □ 안에 알맞은 수를 써넣으세요.

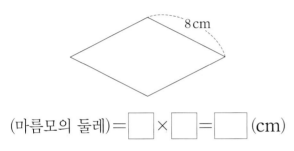

(마름모의 둘레)＝□×□＝□(cm)

09 마름모의 둘레는 몇 cm인가요?

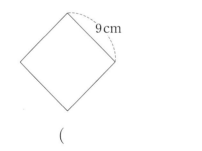

( )

10 둘레가 <u>다른</u> 도형을 찾아 기호를 쓰세요.

> ㉠ 가로가 6 cm, 세로가 4 cm인 직사각형
> ㉡ 한 변의 길이가 3 cm, 다른 한 변의 길이가 8 cm인 평행사변형
> ㉢ 한 변의 길이가 5 cm인 마름모

( )

---

③ 1 cm²

11 도형의 넓이를 구하려고 합니다. □ 안에 알맞은 수를 써넣으세요.

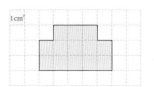

도형에는 1cm² 가 모두 □ 개 있으므로
도형의 넓이는 □ cm²입니다.

12 도형의 넓이는 몇 cm²인가요?

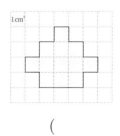

( )

13 넓이가 같은 도형끼리 같은 색으로 색칠해 보세요.

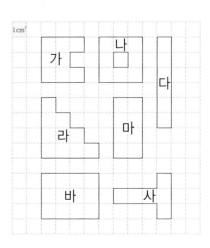

4 직사각형의 넓이

14 직사각형의 넓이를 구하려고 합니다. □ 안에 알맞은 수를 써넣으세요.

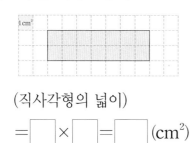

(직사각형의 넓이)

= □ × □ = □ (cm²)

15 직사각형의 넓이를 구하려고 합니다. 표를 완성해 보세요.

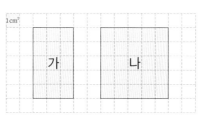

직사각형	가	나
가로 (cm)		
세로 (cm)		
넓이 (cm²)		

16 정사각형의 넓이를 구하려고 합니다. □ 안에 알맞은 수를 써넣으세요.

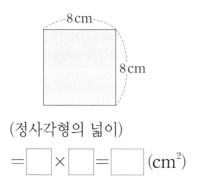

(정사각형의 넓이)

= □ × □ = □ (cm²)

[17~18] 직사각형의 넓이는 몇 cm²인지 구하세요.

17

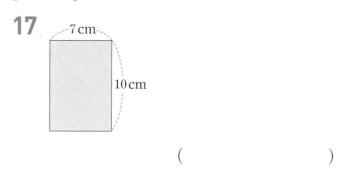

( )

18

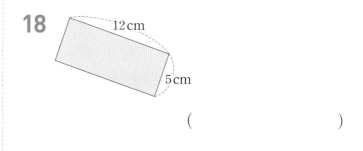

( )

[19~20] 정사각형의 넓이는 몇 cm²인지 구하세요.

19

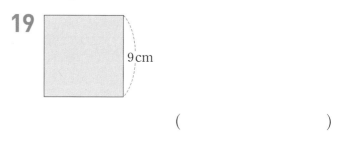

( )

20

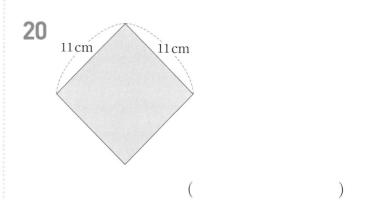

( )

5 1 cm²보다 더 큰 넓이의 단위

21 1 m²는 몇 cm²인지 알아보려고 합니다. ☐ 안에 알맞은 수를 써넣으세요.

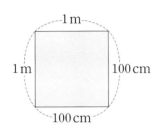

1 m²에는 1 cm²가

한 줄에 100개씩 ☐ 줄 들어가므로

1 m² = ☐ cm²입니다.

22 1 km²는 몇 m²인지 알아보려고 합니다. ☐ 안에 알맞은 수를 써넣으세요.

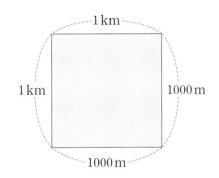

1 km²에는 1 m²가

한 줄에 1000개씩 ☐ 줄 들어가므로

1 km² = ☐ m²입니다.

23 ☐ 안에 알맞은 수를 써넣으세요.

(1) 20000 cm² = ☐ m²

(2) 5 km² = ☐ m²

24 우리나라 광역시의 넓이를 m²와 km²로 각각 나타내려고 합니다. 표를 완성해 보세요.

지역	넓이(m²)	넓이(km²)
대전광역시	69000000	
광주광역시		501
울산광역시	1061000000	

25 1 km²가 몇 번 들어가는지 ☐ 안에 알맞은 수를 써넣으세요.

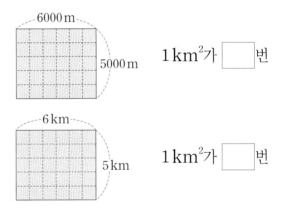

1 km²가 ☐ 번

1 km²가 ☐ 번

26 보기에서 알맞은 단위를 골라 ☐ 안에 써넣으세요.

보기
m²   cm²   km²

(1) 서울특별시의 넓이는 약 605 ☐ 입니다.

(2) 축구 경기장의 넓이는 7140 ☐ 입니다.

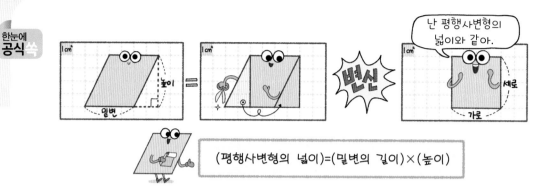

한눈에
공식 쏙

(평행사변형의 넓이)=(밑변의 길이)×(높이)

개념 강의

6 평행사변형의 넓이

(1) 평행사변형의 밑변과 높이

평행사변형에서 평행한 두 변을 **밑변**이라 하고, 두 밑변 사이의 거리를 **높이**라
고 합니다.

└─• 평행사변형에는 밑변이 2쌍 있습니다.

밑변은 밑에 있는 변이 아닌 기준이 되는 변이므로 밑변에 따라 높이가 달라집니다.

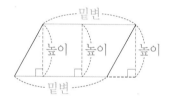
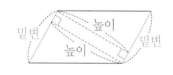

(2) 평행사변형의 넓이

평행사변형의 밑변과 높이는 각각 평행사변형을 잘라 만든 직사각형의 가로와 세로가 됩니다.

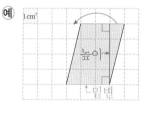
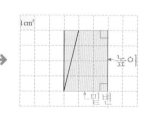

(평행사변형의 넓이)
$=$(직사각형의 넓이)
$=$(가로)×(세로)
$=3×4=12\,(\text{cm}^2)$

(평행사변형의 넓이)=(밑변의 길이)×(높이)

(3) 밑변의 길이와 높이가 같은 평행사변형의 넓이 비교

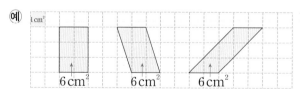

6 cm²   6 cm²   6 cm²

모두 밑변의 길이가 $2\,\text{cm}$이고, 높이가 $3\,\text{cm}$인 평행사변형이므로 넓이가
$6\,\text{cm}^2$로 같습니다.

➡ 평행사변형에서 밑변의 길이와 높이가 각각 같으면 모양이 달라도 넓이가
모두 같습니다.

1 평행사변형의 높이를 표시해 보세요.

(1)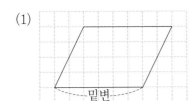

(2)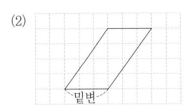

2 1cm²를 이용하여 오른쪽 평행사변형의 넓이를 구하려고 합니다. ☐ 안에 알맞은 수를 써넣으세요.

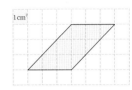

(1) ◿ 모양 ☐ 개의 넓이는 1cm² 1개의 넓이와 같습니다.

(2) 평행사변형의 넓이는 1cm² ☐ 개의 넓이와 같으므로 ☐ cm²입니다.

교과서 공통 **3** 평행사변형의 넓이를 구하려고 합니다. ☐ 안에 알맞은 수를 써넣으세요.

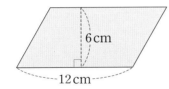

(평행사변형의 넓이)

$= 12 \times$ ☐ $=$ ☐ (cm^2)

교과서 공통 **4** 밑변의 길이와 높이가 각각 같은 평행사변형의 넓이를 비교하려고 합니다. 표를 완성하고, 알맞은 말에 ◯표 하세요.

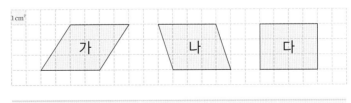

평행사변형	가	나	다
밑변의 길이(cm)	4	4	4
높이(cm)			
넓이(cm²)			

> 평행사변형의 밑변의 길이와 높이가 각각 같으면 모양이 달라도 넓이가 모두 (같습니다 , 다릅니다).

130쪽 에서 개념을 한 번 더 다집니다.

한눈에 **공식쏙**

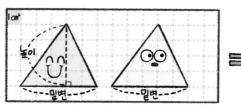 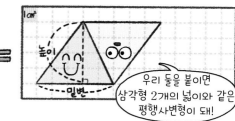

우리 둘을 붙이면 삼각형 2개의 넓이와 같은 평행사변형이 돼!

(삼각형의 넓이)=(밑변의 길이)×(높이)÷2

개념 강의

7 삼각형의 넓이

(1) 삼각형의 밑변과 높이

삼각형에서 어느 한 변을 **밑변**이라고 하면, 그 밑변과 마주 보는 꼭짓점에서 밑변에 수직으로 그은 선분의 길이를 **높이**라고 합니다.

> 삼각형의 세 변은 모두 밑변 이 될 수 있습니다.

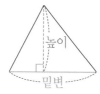  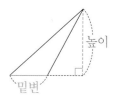

(2) 삼각형의 넓이

> 삼각형 2개를 붙여서 만든 평행사변형의 넓이는 삼각 형의 넓이의 2배입니다.

예
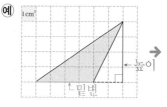 →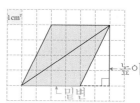

(삼각형의 넓이)
=(평행사변형의 넓이)÷2
=(밑변의 길이)×(높이)÷2
=4×4÷2=8 (cm²)

(삼각형의 넓이)=(밑변의 길이)×(높이)÷2

(3) 밑변의 길이와 높이가 같은 삼각형의 넓이 비교

예
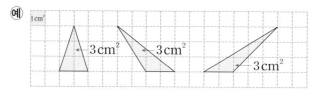

모두 밑변의 길이가 2 cm이고, 높이가 3 cm인 삼각형이므로 넓이가 3 cm²로 같습니다.

➡ 삼각형에서 밑변의 길이와 높이가 각각 같으면 모양이 달라도 넓이가 모두 같습니다.

1 보기와 같이 삼각형의 높이를 표시해 보세요.

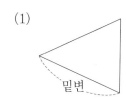

(1)

(2)

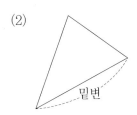

2 삼각형 2개로 평행사변형을 만들어 삼각형의 넓이를 구하려고 합니다. □ 안에 알맞은 수를 써넣으세요.

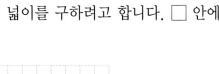

(1) 삼각형 2개로 만든 평행사변형의 밑변의 길이는 5 cm, 높이는 □ cm이므로 평행사변형의 넓이는 □ cm²입니다.

(2) 삼각형의 넓이는 평행사변형의 넓이의 반이므로 □ cm²입니다.

3 삼각형의 넓이를 구하려고 합니다. □ 안에 알맞은 수를 써넣으세요.

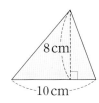

(삼각형의 넓이)
$= 10 \times \boxed{} \div \boxed{} = \boxed{}$ (cm²)

교과서 공통 **4** 삼각형의 넓이를 구하려고 합니다. 표를 완성해 보세요.

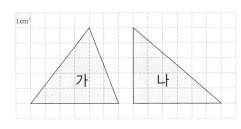

삼각형	가	나
밑변의 길이(cm)	6	6
높이(cm)		
넓이(cm²)		

131쪽 에서 개념을 한 번 더 다집니다.

6 평행사변형의 넓이

01 보기와 같이 평행사변형의 높이를 표시해 보세요.

02 평행사변형의 넓이는 몇 cm²인가요?

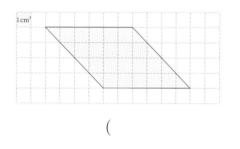

( )

03 평행사변형을 빨간색 선을 따라 잘라 직사각형으로 바꾸어 오른쪽에 그려 보고, 평행사변형의 넓이를 구하세요.

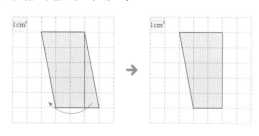

(평행사변형의 넓이)

=(직사각형의 넓이)

=☐×☐=☐ (cm²)

04 평행사변형 중에서 넓이가 다른 것을 찾아 기호를 쓰세요.

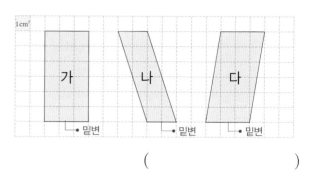

( )

05 평행사변형의 넓이를 구하세요.

(1)

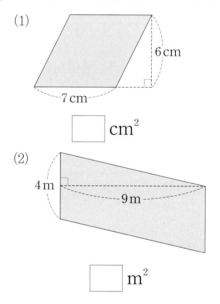

☐ cm²

(2)

☐ m²

06 넓이가 10 cm²인 평행사변형을 그려 보세요.

7 삼각형의 넓이

07 삼각형의 밑변의 길이가 16 cm일 때 높이를 구하세요.

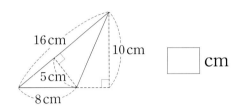

◻ cm

08 제시된 도형과 같은 삼각형을 하나 더 그려서 평행사변형을 만들어 보고, 삼각형의 넓이를 구하세요.

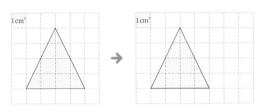

(삼각형의 넓이)
　＝(평행사변형의 넓이)÷2
　＝◻×◻÷◻＝◻ (cm²)

09 삼각형의 넓이를 구하세요.

(1)
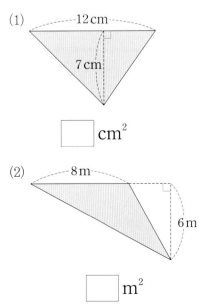

◻ cm²

(2)

◻ m²

10 밑변의 길이와 높이를 자로 재어 삼각형의 넓이는 몇 cm²인지 구하세요.

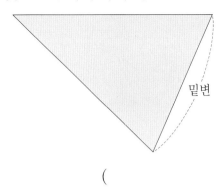

(　　　　　　　)

[11～12] 삼각형을 보고 물음에 답하세요.

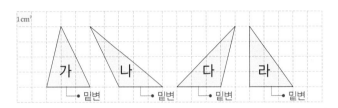

11 표를 완성해 보세요.

삼각형	가	나	다	라
밑변의 길이(cm)				
높이(cm)				
넓이(cm²)				

12 11의 결과를 보고 알 수 있는 사실을 ◻ 안에 알맞은 말을 써넣어 완성해 보세요.

> 삼각형 가, 나, 다, 라는 밑변의 길이와
> ◻이/가 각각 같으므로 ◻이/가
> 모두 같습니다.

같은 번호끼리 넓이가 같아.

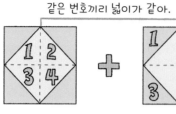

난 마름모의 넓이의 2배인 직사각형이야.

(마름모의 넓이)=(한 대각선의 길이)×(다른 대각선의 길이)÷2

개념 강의

8 마름모의 넓이

(1) 삼각형으로 잘라 평행사변형을 만들어 넓이 구하기

마름모의 대각선의 성질

다른 대각선

한 대각선

① 마름모의 두 대각선은 서로 수직으로 만납니다.
② 한 대각선은 다른 대각선을 이등분합니다.

예

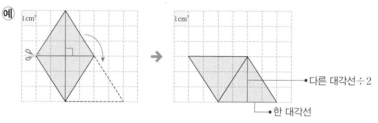

• 다른 대각선÷2
• 한 대각선

- (평행사변형의 밑변의 길이)=(마름모의 한 대각선의 길이)
- (평행사변형의 높이)=(마름모의 다른 대각선의 길이)÷2
→ (마름모의 넓이)=(평행사변형의 넓이)
$$=(밑변의 길이)×(높이)$$
$$=4×6÷2=12 \, (cm^2)$$

(2) 마름모를 둘러싼 직사각형을 이용하여 넓이 구하기

예

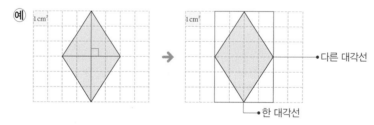

• 다른 대각선
• 한 대각선

- (직사각형의 가로)=(마름모의 한 대각선의 길이)
- (직사각형의 세로)=(마름모의 다른 대각선의 길이)
→ (마름모의 넓이)=(직사각형의 넓이)÷2
$$=(가로)×(세로)÷2$$
$$=4×6÷2=12 \, (cm^2)$$

(마름모의 넓이)=(한 대각선의 길이)×(다른 대각선의 길이)÷2

1 마름모의 대각선을 **모두** 표시해 보세요.

(1) 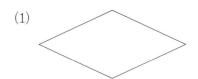　　　　(2)

2 마름모를 잘라서 만든 평행사변형을 이용하여 마름모의 넓이를 구하려고 합니다. 물음에 답하세요.

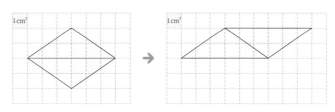

(1) 마름모를 한 대각선을 따라 잘라서 만든 평행사변형의 밑변을 6 cm라 할 때 높이를 알아보세요.

(평행사변형의 높이)=(마름모의 다른 대각선의 길이)÷□

=□÷□=□ (cm)

(2) 마름모의 넓이를 구하세요.

(마름모의 넓이)=(평행사변형의 넓이)

=6×□=□ (cm²)

3 직사각형을 이용하여 마름모의 넓이를 구하려고 합니다. □ 안에 알맞은 수를 써넣으세요.

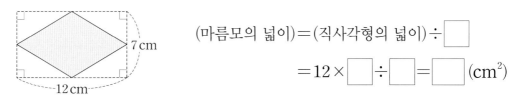

(마름모의 넓이)=(직사각형의 넓이)÷□

=12×□÷□=□ (cm²)

136쪽 에서 개념을 **한 번 더** 다집니다.

한눈에
공식쏙

(사다리꼴의 넓이)=(윗변의 길이+아랫변의 길이)×(높이)÷2

개념 강의

9 사다리꼴의 넓이

(1) 사다리꼴의 밑변과 높이

사다리꼴에서 평행한 두 변을 **밑변**이라 하고, 한 밑변을
윗변, 다른 밑변을 **아랫변**이라고 합니다.
이때 두 밑변 사이의 거리를 **높이**라고 합니다.

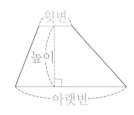

(2) 사다리꼴의 넓이

사다리꼴 2개를 붙여서 만든 평행사변형의 넓이는 사다리꼴의 넓이의 2배입니다.

① 사다리꼴 2개로 평행사변형을 만들어 넓이 구하기

예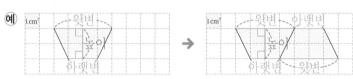

$$(사다리꼴의 넓이) = (평행사변형의 넓이) \div 2$$
$$= (밑변의 길이) \times (높이) \div 2$$
$$= (4+2) \times 2 \div 2 = 6 \, (\text{cm}^2)$$

사다리꼴의 모양에 따라 삼각형 2개, 평행사변형과 삼각형, 직사각형과 삼각형 등으로 나누어 사다리꼴의 넓이를 구할 수 있습니다.

② 사다리꼴을 삼각형 2개로 나누어 넓이 구하기

예  또는

• (삼각형 가의 밑변의 길이)=(사다리꼴의 윗변의 길이)
• (삼각형 나의 밑변의 길이)=(사다리꼴의 아랫변의 길이)
• (삼각형 가의 높이)=(삼각형 나의 높이)=(사다리꼴의 높이)
➡ (사다리꼴의 넓이)=(삼각형 가의 넓이)+(삼각형 나의 넓이)
$$= 4 \times 2 \div 2 + 2 \times 2 \div 2 = 6 \, (\text{cm}^2)$$

(사다리꼴의 넓이)=(윗변의 길이+아랫변의 길이)×(높이)÷2

1 사다리꼴을 잘라서 만든 평행사변형을 이용하여 사다리꼴의 넓이를 구하려고 합니다. 물음에 답하세요.

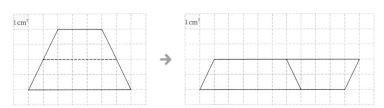

(1) 사다리꼴을 점선을 따라 잘라서 만든 평행사변형의 밑변의 길이와 높이를 알아보세요.

(밑변의 길이)$=7+\boxed{}=\boxed{}$ (cm), (높이)$=4\div\boxed{}=\boxed{}$ (cm)

(2) 사다리꼴의 넓이를 구하세요.

$$(사다리꼴의 넓이)=(평행사변형의 넓이)$$
$$=\boxed{}\times\boxed{}=\boxed{}\ (\text{cm}^2)$$

2 사다리꼴을 평행사변형과 삼각형으로 나누어 넓이를 구하려고 합니다. ☐ 안에 알맞은 수를 써넣으세요.

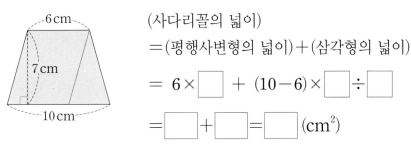

(사다리꼴의 넓이)
$=$(평행사변형의 넓이)$+$(삼각형의 넓이)
$= 6\times\boxed{} + (10-6)\times\boxed{}\div\boxed{}$
$=\boxed{}+\boxed{}=\boxed{}\ (\text{cm}^2)$

교과서 공통 3 사다리꼴의 넓이를 비교하려고 합니다. 표를 완성하고, 알맞은 말에 ○표 하세요.

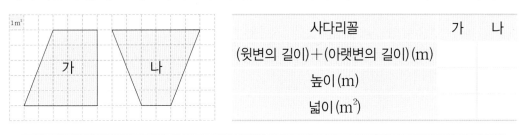

사다리꼴	가	나
(윗변의 길이)+(아랫변의 길이)(m)		
높이(m)		
넓이(m²)		

사다리꼴 가, 나와 같이 윗변의 길이와 아랫변의 길이의 (합 , 곱)과 높이가 각각 같은 사다리꼴의 넓이는 모두 (같습니다 , 다릅니다).

137쪽 에서 개념을 **한 번 더** 다집니다.

8 마름모의 넓이

01 마름모를 한 대각선을 따라 잘라서 평행사변형을 그려 보고, 마름모의 넓이를 구하세요.

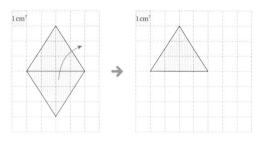

(마름모의 넓이)＝(평행사변형의 넓이)

＝(밑변의 길이)×(높이)

＝$4 \times \boxed{} = \boxed{}$ (cm²)

02 마름모의 넓이를 구하는 과정입니다. 보기에서 알맞은 것을 골라 □ 안에 써넣으세요.

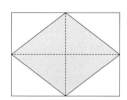

> 보기
>
> | 삼각형 | 밑변 | 직사각형 | |
> |---|---|---|---|
> | 대각선 | 높이 | 2 | 4 |

(마름모의 넓이)

＝($\boxed{}$의 넓이)÷2

＝(가로)×(세로)÷$\boxed{}$

＝(한 대각선의 길이)

　×(다른 $\boxed{}$의 길이)÷$\boxed{}$

03 가로가 8 m, 세로가 10 m인 직사각형 안에 마름모를 그린 것입니다. 마름모의 넓이를 구하세요.

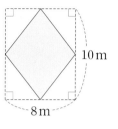

(마름모의 넓이)

＝$8 \times \boxed{} \div \boxed{} = \boxed{}$ (m²)

04 마름모의 넓이를 구하세요.

(1)

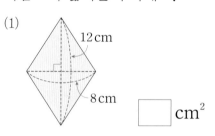

$\boxed{}$ cm²

(2)

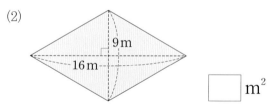

$\boxed{}$ m²

05 대각선의 길이를 자로 재어 마름모의 넓이는 몇 cm²인지 구하세요.

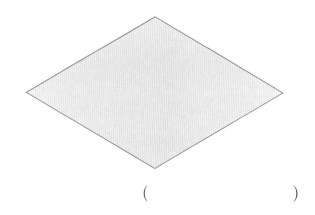

(　　　　　　)

9 사다리꼴의 넓이

06 사다리꼴을 보고 □ 안에 윗변, 높이를 각각 알맞게 써넣으세요.

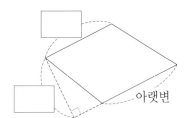

07 사다리꼴을 잘라서 만든 평행사변형을 이용하여 사다리꼴의 넓이를 구하려고 합니다. □ 안에 알맞은 수나 말을 써넣으세요.

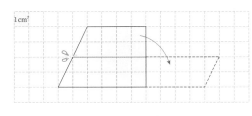

(사다리꼴의 넓이)

= (⬚ 의 넓이)

= ⬚ × 2 = ⬚ (cm²)

08 사다리꼴을 삼각형 2개로 나누어 넓이를 구하려고 합니다. □ 안에 알맞은 수를 써넣으세요.

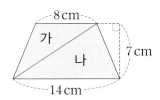

(사다리꼴의 넓이)

= (삼각형 가의 넓이) + (삼각형 나의 넓이)

= ⬚ + ⬚ = ⬚ (cm²)

09 사다리꼴의 넓이를 구하려고 합니다. 표를 완성해 보세요.

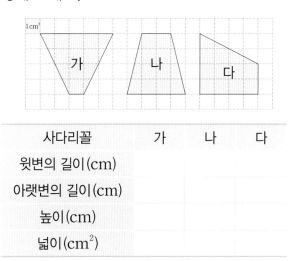

사다리꼴	가	나	다
윗변의 길이(cm)			
아랫변의 길이(cm)			
높이(cm)			
넓이(cm²)			

10 사다리꼴의 넓이를 구하세요.

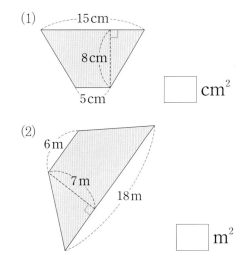

(1) ⬚ cm²

(2) ⬚ m²

11 사다리꼴의 윗변의 길이, 아랫변의 길이, 높이를 자로 재어 □ 안에 써넣고, 사다리꼴의 넓이는 몇 cm²인지 구하세요.

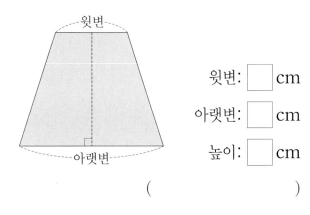

윗변: ⬚ cm

아랫변: ⬚ cm

높이: ⬚ cm

(   )

학교별 모든 수학 익힘 문제를 담았습니다.

수학 익힘 문제잡기

문제 강의

116쪽 개념 ❶

01 한 변의 길이가 13 m인 정사각형 모양의 체조 경기장이 있습니다. 이 체조 경기장의 둘레는 몇 m인가요?

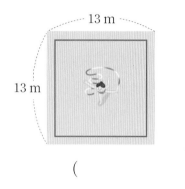

( )

116쪽 개념 ❶

02 정다각형의 둘레가 30 cm일 때 한 변의 길이를 구하세요.

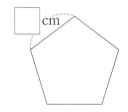

116쪽 개념 ❶

03 둘레가 16 cm인 정사각형을 그려 보세요.

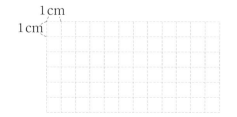

116쪽 개념 ❷

04 가족사진의 둘레를 자로 재어 몇 cm인지 구하세요.

( )

익힘책 공통　　　　　116쪽 개념 ❷

05 직사각형의 둘레가 28 cm일 때, 세로는 몇 cm인지 구하세요.

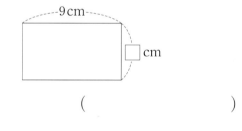

( )

116쪽 개념 ❷

06 주어진 선분을 한 변으로 하고, 둘레가 각각 18 cm인 직사각형 2개를 완성해 보세요.

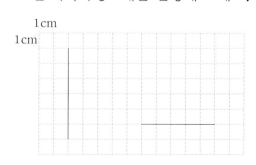

[07~08] 도형의 넓이를 비교하려고 합니다. 물음에 답하세요.

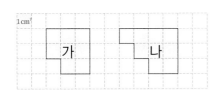

07 도형 가와 나의 넓이는 각각 몇 cm²인가요?

118쪽 개념 ❸

가 (   )

나 (   )

익힘책 공통

118쪽 개념 ❸

08 도형 가와 나 중 어느 것의 넓이가 몇 cm² 더 넓은가요?

(   ), (   )

118쪽 개념 ❸

09 조각 맞추기 놀이를 하고 있습니다. 모양 조각이 차지하는 부분의 넓이는 몇 cm²인가요?

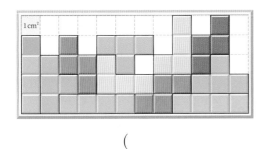

(   )

118쪽 개념 ❸

10 도형의 넓이를 1 cm²씩 늘리며 규칙에 따라 그리려고 합니다. 빈칸에 알맞은 도형을 그려 보세요.

문제강의

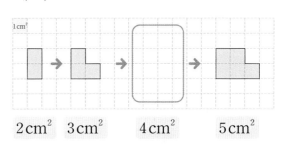

2 cm²   3 cm²   4 cm²   5 cm²

[11~12] 직사각형을 보고 물음에 답하세요.

118쪽 개념 ❹

11 표를 완성해 보세요.

직사각형	첫째	둘째	셋째
가로(cm)	1		
세로(cm)	3		
넓이(cm²)			

118쪽 개념 ❹

12 위와 같은 규칙에 따라 직사각형을 계속 그렸을 때 옳은 문장에 ○표 하세요.

• 세로는 계속 같은 길이인 직사각형을 그리게 됩니다.   (   )

• 가로가 1 cm만큼 커지면 넓이도 1 cm²만큼 커집니다.   (   )

13 직사각형의 넓이를 바르게 구한 친구의 이름을 쓰세요.

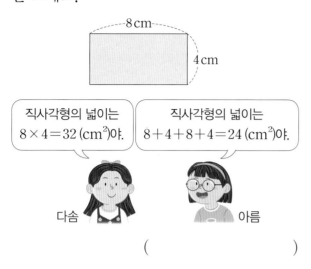

118쪽 개념 ❹

직사각형의 넓이는
$8 \times 4 = 32 \, (cm^2)$야.

다솜

직사각형의 넓이는
$8 + 4 + 8 + 4 = 24 \, (cm^2)$야.

아름

(   )

익힘책 공통

120쪽 개념 ❺

14 직사각형의 넓이는 몇 km^2인가요?

문제강의

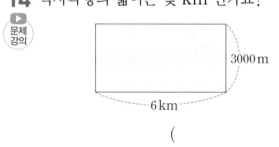

(   )

120쪽 개념 ❺

15 교실에 가로가 600 cm이고, 세로가 200 cm인 직사각형 모양의 칠판이 있습니다. 이 칠판의 넓이는 몇 m^2인가요?

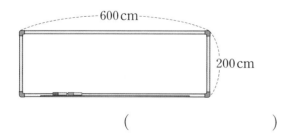

(   )

126쪽 개념 ❻

16 평행사변형의 넓이를 구하는 데 필요한 길이에 **모두** ◯표 하고, 넓이는 몇 m^2인지 구하세요.

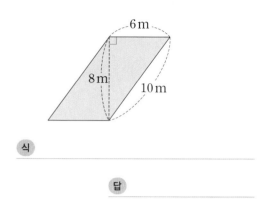

식

답

[17~18] 석인이가 쓴 수학 일기입니다. 물음에 답하세요.

◯월 ◯일   날씨: 맑음   제목: 평행사변형의 넓이

오늘 수학 시간에는 평행사변형의 넓이에 대해서 배웠다. 그중 가장 재미있었던 것은 밑변의 길이가 5 cm인 평행사변형의 넓이가 높이에 따라 달라진다는 내용이었다. 그리고 표를 만들어 규칙을 알아보았다.

밑변의 길이(cm)	5	5	
높이(cm)	1	2	
넓이(cm^2)			

표를 살펴보니 높이가 4 cm, 5 cm일 때에도 넓이를 쉽게 구할 수 있을 것 같았다. 참 즐거운 수업이었다.

126쪽 개념 ❻

17 수학 일기를 보고 위의 표를 완성해 보세요.

126쪽 개념 ❻

18 높이가 5 cm일 때 평행사변형의 넓이는 몇 cm^2인지 구하세요.

(   )

19 평행사변형의 넓이가 112 m²일 때, □ 안에 알맞은 수를 써넣으세요.

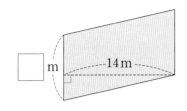

126쪽 개념 ⑥

20 삼각형의 넓이를 구하는 과정입니다. 알맞은 말에 ○표 하세요.

128쪽 개념 ⑦

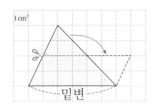

① 삼각형을 잘라 돌려 붙여서 평행사변형을 만듭니다.
② 삼각형과 평행사변형의 밑변의 길이는 (같습니다 , 다릅니다).
③ 평행사변형의 높이는 삼각형의 (밑변의 길이 , 높이)의 반입니다.
④ 삼각형의 넓이는 (밑변의 길이)×(높이)÷2가 됩니다.

익힘책 공통

21 □ 안에 알맞은 수를 써넣으세요.

128쪽 개념 ⑦

문제 강의

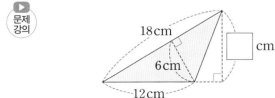

22 넓이가 12 cm²인 삼각형을 서로 다른 모양으로 2개 그려 보세요.

128쪽 개념 ⑦

23 직사각형 안에 마름모를 그린 것입니다. 마름모의 넓이가 60 m²일 때, □ 안에 알맞은 수를 써넣으세요.

132쪽 개념 ⑧

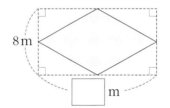

24 상현이는 미술 시간에 가오리연을 만들었습니다. 가오리연의 몸통은 한 대각선의 길이가 40 cm이고, 다른 대각선의 길이는 50 cm인 마름모 모양입니다. 가오리연 몸통의 넓이는 몇 cm²인가요?

132쪽 개념 ⑧

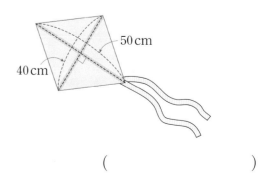

(   )

25 사다리꼴의 넓이가 $56\,cm^2$일 때, $\square$ 안에 알맞은 수를 써넣으세요.

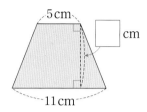

134쪽 개념 ❾

26 주어진 사다리꼴과 넓이가 같은 사다리꼴을 <u>다른</u> 모양으로 1개 그려 보세요.

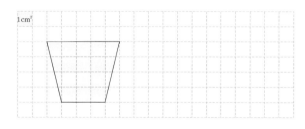

134쪽 개념 ❾

27 색칠한 부분의 넓이를 구하세요.

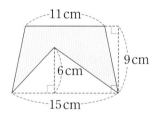

(색칠한 부분의 넓이)

　＝(사다리꼴의 넓이)－(삼각형의 넓이)

　＝ $\boxed{}$ － $\boxed{}$ ＝ $\boxed{}$ (cm^2)

익힘책 공통　　　118쪽 개념 ❹

28 다음 직사각형의 둘레는 30 cm입니다. 이 직사각형의 넓이는 몇 cm^2인지 구하세요.

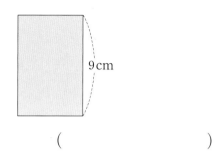

(　　　　　　　　　)

생각 ＋ 문제

29 둘레가 12 cm인 직사각형 중에서 **넓이가 가장 큰 직사각형의 가로와 세로는 각각 몇 cm**인지 구하세요.

(1) 둘레가 12 cm인 직사각형을 서로 다른 모양으로 3개 그려 보세요.

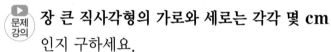

(2) 표를 완성해 보세요.

가로(cm)	1	2	3	4	5
세로(cm)	5	4			
넓이(cm^2)	5				

(3) 넓이가 가장 큰 직사각형의 가로와 세로는 각각 몇 cm인가요?

가로 (　　　　　　　)

세로 (　　　　　　　)

서술형 잡기

1 마름모와 평행사변형 중 **어느 것의 둘레가 몇 cm 더 긴지** 풀이 과정을 쓰고, 답을 구하세요.

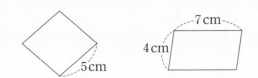

해결 순서
❶ 마름모와 평행사변형의 둘레 구하기
❷ 어느 것의 둘레가 몇 cm 더 긴지 구하기

풀이 ❶ (마름모의 둘레)=$5 \times 4 =$ ☐ (cm),

(평행사변형의 둘레)

$=(7+$ ☐$) \times 2 =$ ☐ (cm)입니다.

❷ (마름모 , 평행사변형)의 둘레가

☐ $-$ ☐ $=$ ☐ (cm) 더 깁니다.

답 ＿＿＿＿＿ , ＿＿＿＿＿

2 직사각형과 정사각형 중 **어느 것의 둘레가 몇 cm 더 짧은지** 풀이 과정을 쓰고, 답을 구하세요.

해결 순서
❶ 직사각형과 정사각형의 둘레 구하기
❷ 어느 것의 둘레가 몇 cm 더 짧은지 구하기

풀이

답 ＿＿＿＿＿ , ＿＿＿＿＿

6단원

3 정사각형과 직사각형의 넓이가 같습니다. **직사각형의 세로는 몇 cm**인지 풀이 과정을 쓰고, 답을 구하세요.

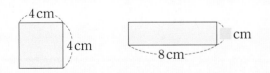 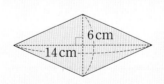

해결 순서
❶ 정사각형의 넓이 구하기
❷ 직사각형의 세로 구하기

풀이 ❶ 정사각형의 넓이는

☐ $\times$ ☐ $=$ ☐ (cm^2)입니다.

❷ 직사각형의 세로를 ■ cm라 하면

☐ $\times$ ■ $=$ ☐ 이므로 ■ $=$ ☐ 입니다.

답 ＿＿＿＿＿

4 두 마름모의 넓이가 같습니다. **오른쪽 마름모의 다른 대각선의 길이는 몇 cm**인지 풀이 과정을 쓰고, 답을 구하세요.

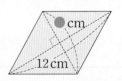

해결 순서
❶ 왼쪽 마름모의 넓이 구하기
❷ 오른쪽 마름모의 다른 대각선의 길이 구하기

풀이

답 ＿＿＿＿＿

01 직사각형의 둘레를 구하려고 합니다. □ 안에 알맞은 수를 써넣으세요.

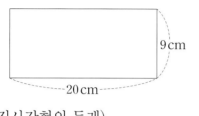

(직사각형의 둘레)

$= (\boxed{} + \boxed{}) \times 2 = \boxed{}$ (cm)

02 마름모의 둘레를 구하려고 합니다. □ 안에 알맞은 수를 써넣으세요.

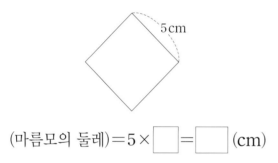

(마름모의 둘레) $= 5 \times \boxed{} = \boxed{}$ (cm)

03 도형의 넓이를 구하세요.

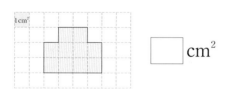

$\boxed{}$ cm^2

04 보현이가 새로 산 수첩의 윗면은 가로가 8 cm, 세로가 15 cm인 직사각형 모양입니다. 이 수첩의 윗면의 넓이는 몇 cm^{2}인가요?

(   )

05 □ 안에 알맞은 단위를 써넣으세요.

$$25 \, km^2 = 25000000 \boxed{}$$

06 한 변의 길이가 10 cm인 정팔각형이 있습니다. 이 정팔각형의 둘레는 몇 cm인가요?

(   )

07 평행사변형의 둘레는 몇 cm인가요?

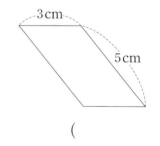

(   )

08 1 m^{2}가 몇 번 들어가는지 □ 안에 알맞은 수를 써넣으세요.

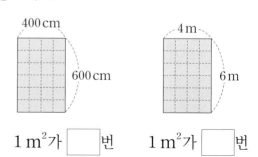

1 m^{2}가 $\boxed{}$ 번   1 m^{2}가 $\boxed{}$ 번

09 한 변의 길이가 20 cm인 정사각형 모양의 나무 판이 있습니다. 이 나무 판의 둘레와 넓이를 각각 구하세요.

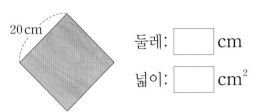

둘레: ☐ cm

넓이: ☐ cm²

12 직사각형의 넓이는 몇 km²인가요?

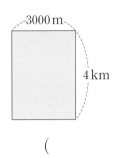

( )

10 삼각형의 넓이를 구하려고 합니다. 표를 완성해 보세요.

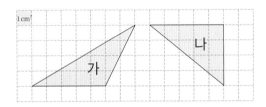

삼각형	가	나
밑변의 길이(cm)	5	
높이(cm)		4
넓이(cm²)		

13 가와 넓이가 같은 도형을 모두 찾아 기호를 쓰세요.

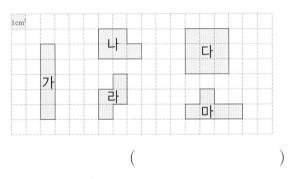

( )

11 평행사변형의 넓이는 몇 cm²인가요?

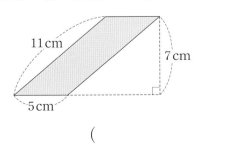

( )

14 윗변의 길이가 15 m, 아랫변의 길이가 25 m, 높이가 9 m인 사다리꼴 모양의 땅에 꽃밭을 만들려고 합니다. 이 땅의 넓이는 몇 m²인가요?

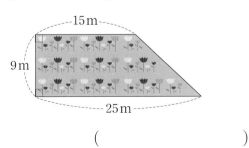

( )

15 주어진 마름모와 넓이가 같은 마름모를 <u>다른</u> 모양으로 1개 그려 보세요.

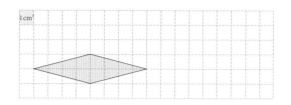

16 넓이가 81 cm²인 정사각형이 있습니다. 이 정사각형의 한 변의 길이는 몇 cm인가요?

( )

17 삼각형의 넓이가 120 cm²일 때, □ 안에 알맞은 수를 써넣으세요.

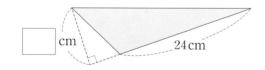

18 넓이가 56 cm²인 사다리꼴이 있습니다. 이 사다리꼴의 윗변의 길이가 10 cm이고, 높이가 7 cm라면 아랫변의 길이는 몇 cm인가요?

( )

19 평행사변형과 마름모 중 어느 것의 둘레가 몇 cm 더 긴지 풀이 과정을 쓰고, 답을 구하세요.

풀이

답

20 직사각형과 정사각형의 넓이가 같습니다. 직사각형의 세로는 몇 cm인지 풀이 과정을 쓰고, 답을 구하세요.

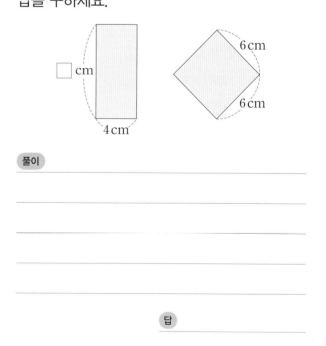

풀이

답

무언가 적힌 종이가 찢어진 채로 뒤죽박죽 섞여 있어요.

형규는 무엇이 적혀 있는 건지 너무 궁금해요.

찢어진 종이를 맞추어 적힌 단어가 무엇인지 알아보세요.

창의력 쑥쑥 정답

027쪽

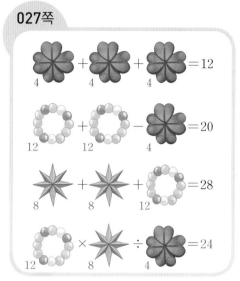

049쪽

065쪽

어머니가 시장에 가셨을 때
내가 좋아하는 고기를 사 오시면
좋겠다고 생각했다.
어머니가 집에 돌아오셨을 때
장바구니 안에 고기가 들어 있는 것을
보고 나는 뛸 듯이 기뻤다.

ㅏ ↔ ㅓ, ㅗ ↔ ㅜ, ㅡ ↔ ㅣ 로 바꿉니다.

087쪽

113쪽

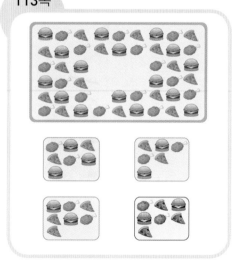

147쪽

무지개

학업 성취도 평가

1. 자연수의 혼합 계산 ~
6. 다각형의 둘레와 넓이

맞힌
개수

1단원 | 개념 ❸

01 가장 먼저 계산해야 하는 부분에 ○표 하세요.

$$48+3\times5-12$$

1단원 | 개념 ❷

02 바르게 계산한 것에 ○표 하세요.

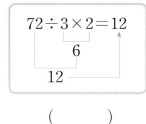

$72\div3\times2=12$
6
12

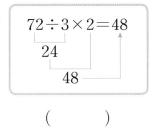

$72\div3\times2=48$
24
48

( )　　　　( )

1단원 | 개념 ❶

03 ( )가 없어도 계산 결과가 같은 것의 기호를 쓰세요.

㉠ $20+(34-11)$
㉡ $56-(17+29)$

( )

1단원 | 개념 ❹

04 같은 것끼리 이어 보세요.

(1) $36-18+24\div6$ •

(2) $36-(18+24)\div6$ •

• 7

• 22

• 29

1단원 | 개념 ❺

05 윤경이는 마트에 가서 650원짜리 음료수 3개와 사과 5개를 사고 5950원을 냈습니다. 사과 한 개의 값은 얼마인지 하나의 식으로 나타내어 구하세요.

식

답

2단원 | 개념 ❶

06 □ 안에 알맞은 수를 써넣으세요.

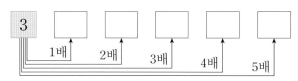

3

1배　2배　3배　4배　5배

2단원 | 개념 ❷

07 두 수가 약수와 배수의 관계가 되도록 빈 곳에 1 이외의 알맞은 수를 써넣으세요.

56

2단원 | 개념 ❹ ❺

08 공약수를 이용하여 20과 30의 최대공약수와 최소공배수를 각각 구하세요.

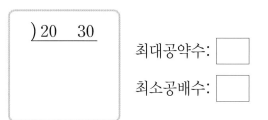

) 20　30

최대공약수:

최소공배수:

2단원 | 개념 ❶

09 약수의 수가 가장 적은 수를 찾아 기호를 쓰세요.

ㄱ 6   ㄴ 28   ㄷ 49

(   )

2단원 | 개념 ❸

10 36과 48을 어떤 수로 나누면 두 수 모두 나누 어떨어집니다. 어떤 수 중에서 가장 큰 수를 구 하세요.

(   )

2단원 | 개념 ❺

11 연우와 정호는 운동장을 일정한 빠르기로 걷고 있습니다. 연우는 5분마다, 정호는 7분마다 운 동장을 한 바퀴 돕니다. 두 사람이 출발점에서 같은 방향으로 동시에 출발할 때, 출발 후 90분 동안 출발점에서 몇 번 다시 만나는지 구하세요.

(   )

3단원 | 개념 ❷

12 효주네 집 샤워기에는 1분에 $15\,L$의 물이 나 옵니다. 샤워기를 사용한 시간과 나온 물의 양 사이의 대응 관계를 기호를 사용하여 식으로 나타내어 보세요.

샤워기를 사용한 시간을 ☐ , 나온 물의 양 을 ☐ (이)라고 할 때, 두 양 사이의 대응 관 계를 식으로 나타내면 ☐☐☐☐ 입니다.

3단원 | 개념 ❸

13 민채의 나이와 연도 사이의 대응 관계를 나타 낸 표를 완성하고, 2050년에 민채의 나이는 몇 살인지 구하세요.

민채의 나이(살)	12	13		15	⋯
연도(년)	2021	2022	2023		⋯

(   )

4단원 | 개념 ❷

14 ☐ 안에 알맞은 수를 써넣어 크기가 같은 분수 를 만들어 보세요.

$$\frac{3}{7} = \frac{6}{\boxed{}} = \frac{\boxed{}}{21} = \frac{12}{\boxed{}}$$

4단원 | 개념 ❸

15 진분수 $\dfrac{\boxed{}}{8}$ 가 기약분수라고 할 때, ☐ 안에 들 어갈 수 있는 수를 모두 쓰세요.

(   )

4단원 | 개념 ❹

16 두 분수를 분모의 최소공배수를 공통분모로 하 여 통분할 때, 공통분모가 같은 것을 모두 고르 세요. (   )

① $\left(\dfrac{1}{4}, \dfrac{8}{9}\right)$ ② $\left(\dfrac{4}{5}, \dfrac{6}{7}\right)$

③ $\left(\dfrac{5}{6}, \dfrac{3}{8}\right)$ ④ $\left(\dfrac{7}{12}, \dfrac{2}{3}\right)$

⑤ $\left(\dfrac{7}{12}, \dfrac{11}{18}\right)$

17 두 분수의 크기를 비교하여 ○ 안에 >, =, < 를 알맞게 써넣으세요.

4단원 | 개념❺

$$\frac{4}{9} \bigcirc \frac{7}{15}$$

18 분수와 소수의 크기를 비교하여 작은 수부터 차례로 쓰세요.

4단원 | 개념❻

$$\frac{21}{50} \qquad 0.81 \qquad \frac{3}{4}$$

(, ,)

19 빈칸에 알맞은 수를 써넣으세요.

5단원 | 개념❶❷

+	$\frac{3}{8}$	$\frac{3}{5}$
$\frac{5}{12}$		

20 가장 큰 수와 가장 작은 수를 차를 구하세요.

5단원 | 개념❹

$$\frac{1}{3} \qquad \frac{2}{9} \qquad \frac{1}{2}$$

( )

21 집 모형을 꾸미는 데 동혁이는 색종이를 $8\frac{2}{3}$장 사용했고, 태희는 $5\frac{2}{15}$장 사용했습니다. 누가 색종이를 몇 장 더 많이 사용했나요?

5단원 | 개념❺

( ), ( )

22 빈칸에 알맞은 수를 써넣으세요.

5단원 | 개념❻

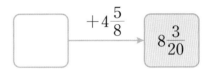

23 수 카드를 한 번씩만 사용하여 대분수를 만들려고 합니다. 만들 수 있는 가장 큰 대분수와 가장 작은 대분수의 합을 구하세요.

5단원 | 개념❸

1   3   4

( )

24 정다각형의 둘레는 몇 cm인가요?

6단원 | 개념❶

( )

●정답 36쪽

25 직사각형의 넓이는 몇 km²인가요?

6단원 | 개념 **5**

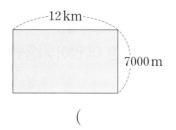

(   )

28 그림과 같이 지름이 10 cm인 원 안에 가장 큰 마름모를 그렸습니다. 마름모의 넓이는 몇 cm²인가요?

6단원 | 개념 **8**

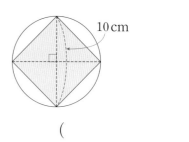

(   )

26 □ 안에 알맞은 수를 써넣으세요.

6단원 | 개념 **6**

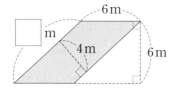

29 사다리꼴의 넓이가 60 cm²일 때, □ 안에 알맞은 수를 써넣으세요.

6단원 | 개념 **9**

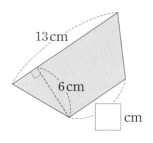

27 가, 나, 다 세 삼각형 중에서 넓이가 <u>다른</u> 것을 찾아 기호를 쓰세요.

6단원 | 개념 **7**

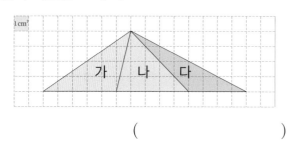

(   )

30 다음 직사각형의 둘레는 50 cm입니다. 이 직사각형의 넓이는 cm²인지 구하세요.

6단원 | 개념 **2 4**

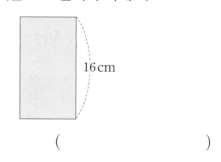

(   )

동아출판 초등 무료 스마트러닝

무료 스마트러닝

동아출판 초등 **무료 스마트러닝**으로 쉽고 재미있게!

과목별·영역별 특화 강의

수학 개념 강의

국어 독해 지문 분석 강의

구구단 송

그림으로 이해하는 비주얼씽킹 강의

과학 실험 동영상 강의

과목별 문제 풀이 강의

서비스 제공 교재 큐브 | 백점 과학 | 빠작 초등 국어 | 초능력 | 초고필 | 하이탑 초등 과학

큐브 수학

개념

매칭북

5·1

◆ 기초력 학습지 │ 미리 보는 수학 익힘

동아출판

매칭북

차례　　　　　　　　　　5·1

기초력 학습지 01 　덧셈과 뺄셈이 섞여 있는 식

진도북 009쪽

●정답 38쪽

[1~4] □ 안에 알맞은 수를 써넣으세요.

1 $25-9+12=$ 　□
　　①
　　②

2 $35+6-24=$ 　□
　　①
　　②

3 $42+(15-7)=$ 　□
　　①
　　②

4 $32-(5+13)=$ 　□
　　①
　　②

[5~12] 계산해 보세요.

5 $27+8-16$

6 $4+39-26$

7 $23-7+18$

8 $51-27+16$

9 $40-(30-21)$

10 $34+(16-9)$

11 $77-(34+8)$

12 $83-(26+15)$

기초력 학습지 02   곱셈과 나눗셈이 섞여 있는 식

진도북 011쪽

● 정답 38쪽

[1~4] □ 안에 알맞은 수를 써넣으세요.

1 $24 \div 6 \times 8 = \boxed{}$
① ②

2 $32 \times 7 \div 4 = \boxed{}$
① ②

3 $13 \times (28 \div 4) = \boxed{}$
① ②

4 $70 \div (7 \times 2) = \boxed{}$
① ②

[5~12] 계산해 보세요.

5 $8 \times 12 \div 16$

6 $16 \times 9 \div 8$

7 $81 \div 9 \times 7$

8 $84 \div 6 \times 13$

9 $12 \times (68 \div 4)$

10 $240 \div (16 \times 5)$

11 $36 \times (45 \div 5)$

12 $72 \div (56 \div 7)$

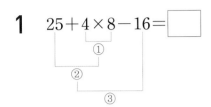

기초력 학습지 03　덧셈, 뺄셈, 곱셈이 섞여 있는 식

진도북 015쪽

● 정답 38쪽

[1~4] □ 안에 알맞은 수를 써넣으세요.

1　$25+4\times8-16=$ □
　　　　　　① ② ③

2　$13\times6-24+39=$ □
　　　① ② ③

3　$27+(8-4)\times14=$ □
　　　　　① ② ③

4　$100-4\times(9+8)=$ □
　　　　　　① ② ③

[5~12] 계산해 보세요.

5　$42-17+8\times4$

6　$56-3\times16+19$

7　$14\times6+24-38$

8　$26+7\times15-86$

9　$88\times(9-7)+112$

10　$75-(8+5)\times4$

11　$63-3\times(12+7)$

12　$(14-9)\times6+26$

학습지

1
단원

기초력 학습지 04   덧셈, 뺄셈, 나눗셈이 섞여 있는 식

진도북 015쪽

● 정답 38쪽

[1~4] □ 안에 알맞은 수를 써넣으세요.

1 $80+27\div3-34=\boxed{}$
　　① ② ③

2 $48\div4-9+18=\boxed{}$
　　① ② ③

3 $29-(22+8)\div5=\boxed{}$
　　① ② ③

4 $(43-18)\div5+21=\boxed{}$
　　① ② ③

[5~12] 계산해 보세요.

5 $69+136\div17-56$

6 $18+9-35\div7$

7 $64\div8-7+19$

8 $34+60\div12-19$

9 $(17+7)\div3-5$

10 $28+(32-17)\div5$

11 $39+45\div(24-9)$

12 $47-(26+9)\div7$

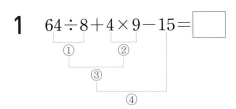

기초력 학습지 05   덧셈, 뺄셈, 곱셈, 나눗셈이 섞여 있는 식

진도북 017쪽

●정답 38쪽

[1~4] □ 안에 알맞은 수를 써넣으세요.

1 $64 \div 8 + 4 \times 9 - 15 = \boxed{}$

     ①   ②

        ③

          ④

2 $15 - 4 \times 3 \div 6 + 8 = \boxed{}$

        ①

          ②

       ③

         ④

3 $4 \times (12 - 8) + 27 \div 3 = \boxed{}$

        ①   ③

     ②

        ④

4 $86 - 48 \div 6 \times (9 - 4) = \boxed{}$

       ②   ①

        ③

        ④

[5~12] 계산해 보세요.

5 $13 - 22 \div 11 + 8 \times 6$

6 $5 \times 8 + 36 \div 4 - 35$

7 $70 - 84 \div 7 \times 5 + 9$

8 $5 \times 12 \div (11 - 8) + 40$

9 $9 \times (6 + 9) - 16 \div 2$

10 $48 - (8 \times 9 + 4) \div 4$

11 $(25 + 5 \times 12) \div 17 - 4$

12 $76 \div (2 \times 7 - 10) + 9$

기초력 학습지 06 약수와 배수

● 정답 38쪽

[1~6] 약수를 모두 구하세요.

1 15의 약수

(   )

2 20의 약수

(   )

3 24의 약수

(   )

4 63의 약수

(   )

5 36의 약수

(   )

6 31의 약수

(   )

[7~12] 배수를 가장 작은 수부터 5개 구하세요.

7 3의 배수

(   )

8 8의 배수

(   )

9 10의 배수

(   )

10 12의 배수

(   )

11 18의 배수

(   )

12 27의 배수

(   )

기초력 학습지 **07**   약수와 배수의 관계

진도북 033쪽

● 정답 38쪽

[1~2] 식을 보고 ☐ 안에 알맞은 수를 써넣으세요.

1

$$1 \times 35 = 35 \qquad 5 \times 7 = 35$$

35는 ☐, ☐, ☐, ☐ 의 배수입니다.

☐, ☐, ☐, ☐ 은(는) 35의 약수입니다.

2

$$1 \times 16 = 16 \qquad 2 \times 8 = 16 \qquad 4 \times 4 = 16$$

16은 ☐, ☐, ☐, ☐, ☐ 의 배수입니다.

☐, ☐, ☐, ☐, ☐ 은(는) 16의 약수입니다.

[3~10] 두 수가 약수와 배수의 관계인 것에 ○표 하세요.

3 | 30 | 8 | | 9 | 27 |

4 | 5 | 25 | | 19 | 9 |

5 | 18 | 4 | | 45 | 45 |

6 | 8 | 32 | | 26 | 3 |

7 | 24 | 22 | | 50 | 25 |

8 | 44 | 12 | | 7 | 28 |

9 | 14 | 1 | | 6 | 20 |

10 | 12 | 21 | | 12 | 48 |

기초력 학습지 08 공약수와 최대공약수 / 최대공약수 구하는 방법

진도북 037쪽

● 정답 38쪽

[1~4] 두 수의 공약수와 최대공약수를 구하려고 합니다. □ 안에 알맞은 수를 써넣으세요.

1
- 6의 약수 → 1, 2, 3, 6
- 9의 약수 → 1, 3, 9
- 6과 9의 공약수 → 1, □
- 6과 9의 최대공약수 → □

2
- 12의 약수 → 1, 2, 3, 4, □, 12
- 18의 약수 → 1, 2, □, □, 9, 18
- 12와 18의 공약수 → □, 2, □, □
- 12와 18의 최대공약수 → □

3
- 26의 약수 → 1, 2, □, 26
- 65의 약수 → 1, □, □, 65
- 26과 65의 공약수 → □, □
- 26과 65의 최대공약수 → □

4
- 63의 약수 → 1, □, 7, □, □, 63
- 45의 약수 → 1, 3, 5, □, □, □
- 63과 45의 공약수 → □, □, □
- 63과 45의 최대공약수 → □

[5~8] 두 수를 여러 수의 곱으로 나타내고, 최대공약수를 구하세요.

5
- 28 = 2 × □ × □
- 36 = 2 × □ × □ × □
- 28과 36의 최대공약수
  → □ × □ = □

6
- 30 = 2 × □ × □
- 40 = 2 × □ × □ × □
- 30과 40의 최대공약수
  → □ × □ = □

7
- 24 = □ × □ × □ × □
- 32 = □ × □ × □ × □ × □
- 24와 32의 최대공약수
  → □ × □ × □ = □

8
- 27 = □ × □ × □
- 45 = □ × □ × □
- 27과 45의 최대공약수
  → □ × □ = □

기초력 학습지 09 최대공약수 구하는 방법

진도북 037쪽

●정답 39쪽

[1~10] 최대공약수를 구하세요.

1 $)\,20\quad24$

(   )

2 $)\,12\quad30$

(   )

3 $)\,16\quad56$

(   )

4 $)\,36\quad42$

(   )

5 $)\,63\quad90$

(   )

6 $)\,50\quad70$

(   )

7 $)\,45\quad60$

(   )

8 $)\,72\quad48$

(   )

9 $)\,60\quad100$

(   )

10 $)\,28\quad84$

(   )

학습지

2
단원

기초력 학습지 ❿   공배수와 최소공배수 / 최소공배수 구하는 방법

진도북 039쪽

● 정답 39쪽

[1~2] 두 수의 공배수와 최소공배수를 구하려고 합니다. ☐ 안에 알맞은 수를 써넣으세요.

1
- 12의 배수 → 12, 24, ☐, 48, 60, 72, 84, 96, ☐, ···
- 18의 배수 → 18, ☐, 54, 72, ☐, 108, ···
- 12와 18의 공배수 → ☐, ☐, ☐, ···
- 12와 18의 최소공배수 → ☐

2
- 16의 배수 → 16, 32, ☐, ☐, ☐, 96, 112, ☐, ☐, ···
- 24의 배수 → 24, ☐, ☐, ☐, ☐, 144, ···
- 16과 24의 공배수 → ☐, ☐, ☐, ···
- 16과 24의 최소공배수 → ☐

[3~6] 두 수를 여러 수의 곱으로 나타내고 최소공배수를 구하세요.

3
- 4 = 2 × ☐
- 14 = 2 × ☐
- 4와 14의 최소공배수
  → ☐ × ☐ × ☐ = ☐

4
- 15 = ☐ × ☐
- 6 = ☐ × ☐
- 15와 6의 최소공배수
  → ☐ × ☐ × ☐ = ☐

5
- 42 = ☐ × ☐ × ☐
- 12 = ☐ × ☐ × ☐
- 42와 12의 최소공배수
  → ☐ × ☐ × ☐ × ☐ = ☐

6
- 20 = ☐ × ☐ × ☐
- 30 = ☐ × ☐ × ☐
- 20과 30의 최소공배수
  → ☐ × ☐ × ☐ × ☐ = ☐

기초력 학습지 ⑪ 　최소공배수 구하는 방법

진도북 039쪽

● 정답 39쪽

[1~10] 최소공배수를 구하세요.

1 　) 12　9

　　　　　　　　(　　　　　　　　)

2 　) 20　8

　　　　　　　　(　　　　　　　　)

3 　) 10　30

　　　　　　　　(　　　　　　　　)

4 　) 16　36

　　　　　　　　(　　　　　　　　)

5 　) 24　56

　　　　　　　　(　　　　　　　　)

6 　) 48　60

　　　　　　　　(　　　　　　　　)

7 　) 15　45

　　　　　　　　(　　　　　　　　)

8 　) 36　40

　　　　　　　　(　　　　　　　　)

9 　) 35　42

　　　　　　　　(　　　　　　　　)

10 　) 27　63

　　　　　　　　(　　　　　　　　)

기초력 학습지 ⑫ 　두 양 사이의 관계

진도북 053쪽

● 정답 39쪽

[1~2] 도형의 배열을 보고 두 도형의 수 사이의 관계를 찾아 ☐ 안에 알맞은 수를 써넣으세요.

1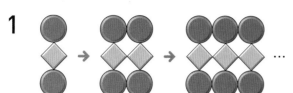

사각형이 10개일 때 필요한 원은 ☐개입니다.

→ 사각형의 수를 ☐배 하면 원의 수와 같습니다.

2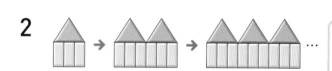

삼각형이 10개일 때 필요한 사각형은 ☐개입니다.

→ 삼각형의 수를 ☐배 하면 사각형의 수와 같습니다.

[3~5] 표를 완성하고 도형의 수 사이에는 어떤 대응 관계가 있는지 쓰세요.

3

삼각형의 수(개)	1	2	3	...
사각형의 수(개)	1			...

→ 삼각형의 수는 (　　　　　　　　　　　)

4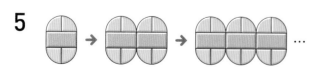

삼각형의 수(개)	2	3	4	...
사각형의 수(개)	1			...

→ 삼각형의 수는 (　　　　　　　　　　　)

5

사각형의 수(개)	1	2	3	...
주황색 도형의 수(개)	4			...

→ 주황색 도형의 수는 (　　　　　　　　　　)

기초력 학습지 ⑬   대응 관계를 식으로 나타내기

진도북 055쪽

●정답 39쪽

[1~4] 표를 완성하고 두 수 사이의 대응 관계를 식으로 나타내어 보세요.

1

의자의 수(개)	1	2	3	4
의자 다리의 수(개)	4			

(의자의 수)× ☐ =(의자 다리의 수)

2

단추의 수(개)	1	2	3	4
단추 구멍의 수(개)	2			

(단추의 수)× ☐ =(단추 구멍의 수)

3

연필꽂이의 수(개)	1	2	3	4
연필의 수(자루)	3			

(연필꽂이의 수)× ☐ =(연필의 수)

4

꽃의 수(송이)	1	2	3	4
꽃잎의 수(장)	5			

(꽃의 수)× ☐ =(꽃잎의 수)

학습지 3 단원

[5~10] 표를 완성하고 ●와 ◎ 사이의 대응 관계를 식으로 나타내어 보세요.

5

●	1	2	3	4	5	6
◎	22		24			27

(   )

6

●	1	2		4	5	6
◎	6	12	18			36

(   )

7

●	1	2	4	6
◎	11	33	55	66

(   )

8

●	1	2	3	5	6
◎	9	10		12	

(   )

9

●	1	2	4	6
◎	5	15	25	30

(   )

10

●	1	3	4	5
◎	7	8	10	12

(   )

기초력 학습지 ⑭ 크기가 같은 분수 만들기 / 분수를 간단하게 나타내기

진도북 069, 071쪽

● 정답 40쪽

[1~9] 크기가 같은 분수를 만들어 보세요.

1. $\dfrac{2}{3}=\dfrac{2\times\square}{3\times3}=\dfrac{\square}{\square}$

2. $\dfrac{7}{12}=\dfrac{7\times3}{12\times\square}=\dfrac{\square}{\square}$

3. $\dfrac{3}{7}=\dfrac{3\times4}{7\times\square}=\dfrac{\square}{\square}$

4. $\dfrac{3}{4}=\dfrac{3\times\square}{4\times\square}=\dfrac{12}{\square}$

5. $\dfrac{2}{9}=\dfrac{2\times\square}{9\times\square}=\dfrac{\square}{45}$

6. $\dfrac{8}{10}=\dfrac{8\div2}{10\div\square}=\dfrac{\square}{\square}$

7. $\dfrac{16}{20}=\dfrac{16\div\square}{20\div4}=\dfrac{\square}{\square}$

8. $\dfrac{18}{24}=\dfrac{18\div3}{24\div\square}=\dfrac{\square}{\square}$

9. $\dfrac{24}{36}=\dfrac{24\div\square}{36\div\square}=\dfrac{6}{\square}$

[10~18] 기약분수로 나타내어 보세요.

10. $\dfrac{8}{14}=\dfrac{8\div\square}{14\div\square}=\dfrac{\square}{\square}$

11. $\dfrac{12}{21}=\dfrac{12\div\square}{21\div\square}=\dfrac{\square}{\square}$

12. $\dfrac{10}{25}=\dfrac{10\div\square}{25\div\square}=\dfrac{\square}{\square}$

13. $\dfrac{8}{24}=\dfrac{8\div\square}{24\div\square}=\dfrac{\square}{\square}$

14. $\dfrac{27}{45}=\dfrac{27\div\square}{45\div\square}=\dfrac{\square}{\square}$

15. $\dfrac{36}{42}=\dfrac{36\div\square}{42\div\square}=\dfrac{\square}{\square}$

16. $\dfrac{35}{56}=\dfrac{35\div\square}{56\div\square}=\dfrac{\square}{\square}$

17. $\dfrac{48}{84}=\dfrac{48\div\square}{84\div\square}=\dfrac{\square}{\square}$

18. $\dfrac{77}{99}=\dfrac{77\div\square}{99\div\square}=\dfrac{\square}{\square}$

기초력 학습지 ⑮ 분모가 같은 분수로 나타내기

진도북 075쪽

● 정답 040쪽

[1~8] 분모의 곱을 공통분모로 하여 통분해 보세요.

1 $\left(\dfrac{1}{4}, \dfrac{1}{10}\right)$ → (,   )

2 $\left(\dfrac{1}{9}, \dfrac{1}{6}\right)$ → (,   )

3 $\left(\dfrac{3}{4}, \dfrac{5}{12}\right)$ → (,   )

4 $\left(\dfrac{1}{14}, \dfrac{5}{6}\right)$ → (,   )

5 $\left(\dfrac{3}{7}, \dfrac{2}{3}\right)$ → (,   )

6 $\left(\dfrac{3}{10}, \dfrac{2}{3}\right)$ → (,   )

7 $\left(\dfrac{5}{6}, \dfrac{1}{8}\right)$ → (,   )

8 $\left(\dfrac{1}{5}, \dfrac{7}{20}\right)$ → (,   )

[9~16] 분모의 최소공배수를 공통분모로 하여 통분해 보세요.

9 $\left(\dfrac{5}{12}, \dfrac{3}{8}\right)$ → (,   )

10 $\left(\dfrac{3}{20}, \dfrac{4}{15}\right)$ → (,   )

11 $\left(\dfrac{8}{21}, \dfrac{2}{9}\right)$ → (,   )

12 $\left(\dfrac{1}{36}, \dfrac{7}{24}\right)$ → (,   )

13 $\left(\dfrac{5}{24}, \dfrac{13}{20}\right)$ → (,   )

14 $\left(\dfrac{5}{36}, \dfrac{2}{27}\right)$ → (,   )

15 $\left(\dfrac{1}{20}, \dfrac{7}{30}\right)$ → (,   )

16 $\left(\dfrac{5}{12}, \dfrac{1}{44}\right)$ → (,   )

학습지 4단원

기초력 학습지 16 분수의 크기 비교 / 분수와 소수의 크기 비교 진도북 077쪽

●정답 40쪽

[1~15] 두 수의 크기를 비교하여 ○ 안에 >, =, <를 알맞게 써넣으세요.

1 $\frac{2}{5}$ ○ $\frac{1}{2}$

2 $\frac{5}{6}$ ○ $\frac{3}{4}$

3 $\frac{2}{9}$ ○ $\frac{1}{6}$

4 $\frac{5}{8}$ ○ $\frac{7}{12}$

5 $\frac{5}{14}$ ○ $\frac{8}{21}$

6 $\frac{5}{8}$ ○ $\frac{3}{4}$

7 $3\frac{2}{3}$ ○ $3\frac{3}{4}$

8 $1\frac{7}{12}$ ○ $1\frac{8}{15}$

9 $2\frac{3}{16}$ ○ $2\frac{5}{24}$

10 $\frac{1}{5}$ ○ 0.16

11 $\frac{12}{20}$ ○ 0.62

12 $\frac{4}{5}$ ○ 0.6

13 $\frac{23}{50}$ ○ 0.45

14 $\frac{3}{4}$ ○ 0.8

15 $\frac{8}{20}$ ○ 0.4

[16~19] 세 분수의 크기를 비교해 보세요.

16 $\left(\frac{2}{3}, \frac{7}{9}, \frac{3}{4}\right)$ → ☐ < ☐ < ☐

17 $\left(\frac{3}{4}, \frac{2}{7}, \frac{4}{9}\right)$ → ☐ < ☐ < ☐

18 $\left(\frac{2}{15}, \frac{5}{18}, \frac{7}{24}\right)$ → ☐ < ☐ < ☐

19 $\left(2\frac{5}{6}, 2\frac{3}{4}, 2\frac{5}{7}\right)$ → ☐ < ☐ < ☐

기초력 학습지 17   받아올림이 없는 진분수의 덧셈

진도북 091쪽

● 정답 40쪽

[1~6] □ 안에 알맞은 수를 써넣으세요.

1 $\dfrac{1}{6}+\dfrac{2}{9}=\dfrac{\square}{18}+\dfrac{\square}{18}=\square$

2 $\dfrac{1}{7}+\dfrac{2}{5}=\dfrac{\square}{35}+\dfrac{\square}{35}=\square$

3 $\dfrac{4}{11}+\dfrac{1}{3}=\dfrac{\square}{33}+\dfrac{\square}{33}=\square$

4 $\dfrac{3}{8}+\dfrac{3}{10}=\dfrac{\square}{40}+\dfrac{\square}{40}=\square$

5 $\dfrac{5}{12}+\dfrac{7}{15}=\dfrac{\square}{60}+\dfrac{\square}{60}=\square$

6 $\dfrac{5}{24}+\dfrac{4}{9}=\dfrac{\square}{72}+\dfrac{\square}{72}=\square$

[7~18] 계산해 보세요.

7 $\dfrac{1}{2}+\dfrac{1}{3}$

8 $\dfrac{3}{7}+\dfrac{1}{6}$

9 $\dfrac{2}{7}+\dfrac{3}{8}$

10 $\dfrac{2}{3}+\dfrac{1}{4}$

11 $\dfrac{5}{12}+\dfrac{2}{5}$

12 $\dfrac{2}{13}+\dfrac{3}{4}$

13 $\dfrac{3}{10}+\dfrac{4}{15}$

14 $\dfrac{4}{15}+\dfrac{9}{25}$

15 $\dfrac{11}{28}+\dfrac{8}{21}$

16 $\dfrac{7}{18}+\dfrac{11}{36}$

17 $\dfrac{3}{20}+\dfrac{11}{30}$

18 $\dfrac{7}{24}+\dfrac{5}{36}$

기초력 학습지 ⑱ 받아올림이 있는 진분수의 덧셈

진도북 093쪽

● 정답 40쪽

[1~3] □ 안에 알맞은 수를 써넣으세요.

1 $\dfrac{2}{3} + \dfrac{3}{5} = \dfrac{\boxed{}}{15} + \dfrac{\boxed{}}{15} = \dfrac{\boxed{}}{15} = \boxed{}$

2 $\dfrac{2}{9} + \dfrac{14}{15} = \dfrac{\boxed{}}{45} + \dfrac{\boxed{}}{45} = \dfrac{\boxed{}}{45} = \boxed{}$

3 $\dfrac{13}{21} + \dfrac{7}{12} = \dfrac{\boxed{}}{84} + \dfrac{\boxed{}}{84} = \dfrac{\boxed{}}{84} = \boxed{}$

[4~15] 계산해 보세요.

4 $\dfrac{3}{4} + \dfrac{2}{3}$

5 $\dfrac{4}{9} + \dfrac{7}{8}$

6 $\dfrac{6}{7} + \dfrac{9}{10}$

7 $\dfrac{1}{4} + \dfrac{7}{8}$

8 $\dfrac{4}{9} + \dfrac{5}{6}$

9 $\dfrac{7}{10} + \dfrac{3}{5}$

10 $\dfrac{1}{4} + \dfrac{5}{6}$

11 $\dfrac{3}{8} + \dfrac{11}{12}$

12 $\dfrac{11}{15} + \dfrac{7}{20}$

13 $\dfrac{21}{40} + \dfrac{9}{16}$

14 $\dfrac{17}{24} + \dfrac{19}{36}$

15 $\dfrac{23}{30} + \dfrac{31}{45}$

기초력 학습지 ⑲   받아올림이 있는 대분수의 덧셈

진도북 095쪽

● 정답 41쪽

[1~4] □ 안에 알맞은 수를 써넣으세요.

1 $2\dfrac{2}{3}+1\dfrac{1}{2}=2\dfrac{\square}{6}+1\dfrac{\square}{6}=(2+1)+\left(\dfrac{\square}{6}+\dfrac{\square}{6}\right)=3\dfrac{\square}{6}=\square$

2 $4\dfrac{3}{4}+2\dfrac{2}{3}=4\dfrac{\square}{12}+2\dfrac{\square}{12}=(\square+\square)+\left(\dfrac{\square}{12}+\dfrac{\square}{12}\right)=\square\dfrac{\square}{12}=\square$

3 $2\dfrac{4}{5}+1\dfrac{1}{4}=\dfrac{\square}{5}+\dfrac{\square}{4}=\dfrac{\square}{20}+\dfrac{\square}{20}=\dfrac{\square}{20}=\square$

4 $1\dfrac{9}{10}+3\dfrac{3}{5}=\dfrac{\square}{10}+\dfrac{\square}{5}=\dfrac{\square}{10}+\dfrac{\square}{10}=\dfrac{\square}{10}=5\dfrac{\square}{10}=\square$

[5~13] 계산해 보세요.

5 $1\dfrac{2}{3}+2\dfrac{3}{4}$

6 $3\dfrac{5}{6}+4\dfrac{2}{5}$

7 $2\dfrac{2}{9}+1\dfrac{5}{6}$

8 $4\dfrac{7}{8}+2\dfrac{4}{7}$

9 $1\dfrac{3}{4}+5\dfrac{5}{7}$

10 $3\dfrac{4}{9}+2\dfrac{7}{12}$

11 $2\dfrac{11}{15}+4\dfrac{3}{10}$

12 $1\dfrac{3}{14}+3\dfrac{6}{7}$

13 $2\dfrac{7}{9}+3\dfrac{4}{15}$

기초력 학습지 ⑳ 받아내림이 없는 진분수의 뺄셈

진도북 099쪽

● 정답 41쪽

[1~6] □ 안에 알맞은 수를 써넣으세요.

1 $\dfrac{3}{4} - \dfrac{2}{5} = \dfrac{\boxed{}}{20} - \dfrac{\boxed{}}{20} = \boxed{}$

2 $\dfrac{5}{8} - \dfrac{4}{9} = \dfrac{\boxed{}}{72} - \dfrac{\boxed{}}{72} = \boxed{}$

3 $\dfrac{6}{7} - \dfrac{1}{3} = \dfrac{\boxed{}}{21} - \dfrac{\boxed{}}{21} = \boxed{}$

4 $\dfrac{3}{4} - \dfrac{3}{14} = \dfrac{\boxed{}}{28} - \dfrac{\boxed{}}{28} = \boxed{}$

5 $\dfrac{7}{8} - \dfrac{5}{12} = \dfrac{\boxed{}}{24} - \dfrac{\boxed{}}{24} = \boxed{}$

6 $\dfrac{11}{18} - \dfrac{4}{27} = \dfrac{\boxed{}}{54} - \dfrac{\boxed{}}{54} = \boxed{}$

[7~18] 계산해 보세요.

7 $\dfrac{3}{5} - \dfrac{1}{2}$

8 $\dfrac{7}{9} - \dfrac{3}{4}$

9 $\dfrac{5}{6} - \dfrac{2}{9}$

10 $\dfrac{3}{4} - \dfrac{1}{6}$

11 $\dfrac{7}{8} - \dfrac{5}{6}$

12 $\dfrac{4}{5} - \dfrac{7}{10}$

13 $\dfrac{10}{13} - \dfrac{1}{4}$

14 $\dfrac{11}{12} - \dfrac{3}{5}$

15 $\dfrac{14}{15} - \dfrac{4}{9}$

16 $\dfrac{9}{10} - \dfrac{7}{15}$

17 $\dfrac{13}{14} - \dfrac{2}{35}$

18 $\dfrac{11}{30} - \dfrac{3}{20}$

기초력 학습지 21   받아내림이 없는 대분수의 뺄셈

진도북 101쪽

● 정답 41쪽

[1~4] □ 안에 알맞은 수를 써넣으세요.

1 $3\dfrac{11}{12}-1\dfrac{1}{6}=3\dfrac{\square}{12}-1\dfrac{\square}{12}=(3-1)+\left(\dfrac{\square}{12}-\dfrac{\square}{12}\right)=\square\dfrac{\square}{12}=\square$

2 $3\dfrac{1}{2}-2\dfrac{2}{7}=3\dfrac{\square}{14}-2\dfrac{\square}{14}=(\square-\square)+\left(\dfrac{\square}{14}-\dfrac{\square}{14}\right)=\square+\dfrac{\square}{14}=\square$

3 $4\dfrac{2}{3}-2\dfrac{1}{4}=\dfrac{\square}{3}-\dfrac{\square}{4}=\dfrac{\square}{12}-\dfrac{\square}{12}=\dfrac{\square}{12}=\square$

4 $3\dfrac{5}{6}-2\dfrac{3}{8}=\dfrac{\square}{6}-\dfrac{\square}{8}=\dfrac{\square}{24}-\dfrac{\square}{24}=\dfrac{\square}{24}=\square$

[5~13] 계산해 보세요.

5 $5\dfrac{1}{2}-3\dfrac{2}{5}$

6 $3\dfrac{4}{5}-1\dfrac{1}{4}$

7 $5\dfrac{5}{7}-2\dfrac{1}{3}$

8 $6\dfrac{4}{9}-2\dfrac{1}{6}$

9 $4\dfrac{11}{12}-1\dfrac{5}{8}$

10 $8\dfrac{7}{11}-2\dfrac{9}{22}$

11 $5\dfrac{13}{18}-3\dfrac{1}{6}$

12 $5\dfrac{13}{16}-1\dfrac{5}{24}$

13 $4\dfrac{9}{14}-1\dfrac{6}{35}$

기초력 학습지 22   받아내림이 있는 대분수의 뺄셈

진도북 103쪽

●정답 41쪽

[1~4] □ 안에 알맞은 수를 써넣으세요.

1 $3\dfrac{2}{5}-1\dfrac{5}{6}=3\dfrac{\square}{30}-1\dfrac{\square}{30}=2\dfrac{\square}{30}-1\dfrac{\square}{30}=\boxed{}$

2 $5\dfrac{1}{3}-2\dfrac{4}{7}=5\dfrac{\square}{21}-2\dfrac{\square}{21}=4\dfrac{\square}{21}-2\dfrac{\square}{21}=\boxed{}$

3 $4\dfrac{1}{6}-1\dfrac{3}{4}=\dfrac{\square}{6}-\dfrac{\square}{4}=\dfrac{\square}{12}-\dfrac{\square}{12}=\dfrac{\square}{12}=\boxed{}$

4 $5\dfrac{2}{9}-2\dfrac{11}{12}=\dfrac{\square}{9}-\dfrac{\square}{12}=\dfrac{\square}{36}-\dfrac{\square}{36}=\dfrac{\square}{36}=\boxed{}$

[5~13] 계산해 보세요.

5 $3\dfrac{3}{4}-1\dfrac{4}{5}$

6 $3\dfrac{2}{9}-1\dfrac{7}{8}$

7 $8\dfrac{1}{12}-4\dfrac{4}{5}$

8 $4\dfrac{3}{8}-1\dfrac{5}{6}$

9 $7\dfrac{5}{14}-2\dfrac{3}{4}$

10 $9\dfrac{9}{20}-2\dfrac{8}{15}$

11 $7\dfrac{5}{18}-2\dfrac{7}{12}$

12 $6\dfrac{9}{20}-3\dfrac{23}{40}$

13 $8\dfrac{5}{21}-3\dfrac{13}{28}$

기초력 학습지 ➓ 정다각형과 사각형의 둘레

● 정답 41쪽

[1~6] 정다각형의 둘레를 구하세요.

1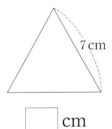
7 cm

☐ cm

2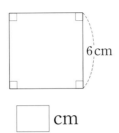
6 cm

☐ cm

3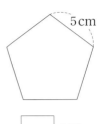
5 cm

☐ cm

4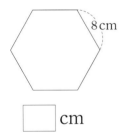
8 cm

☐ cm

5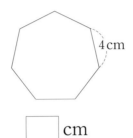
4 cm

☐ cm

6
3 cm

☐ cm

[7~12] 사각형의 둘레는 몇 cm인지 구하세요.

7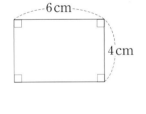
6 cm
4 cm

( )

8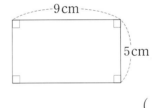
9 cm
5 cm

( )

9 평행사변형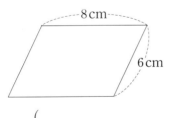
8 cm
6 cm

( )

10 평행사변형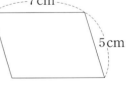
7 cm
5 cm

( )

11 마름모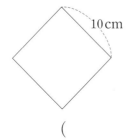
10 cm

( )

12 마름모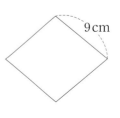
9 cm

( )

기초력 학습지 24 1 cm² / 직사각형의 넓이

진도북 119쪽

●정답 41쪽

[1~2] 1 cm²를 이용하여 도형의 넓이는 몇 cm²인지 구하세요.

1

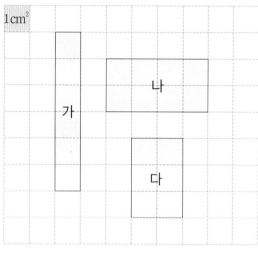

가 (   )
나 (   )
다 (   )

2

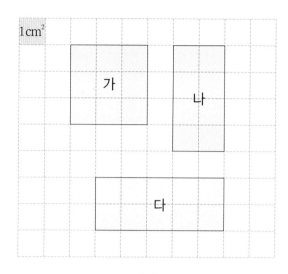

가 (   )
나 (   )
다 (   )

[3~8] 직사각형의 넓이는 몇 cm²인지 구하세요.

3

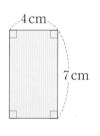

(   )

4

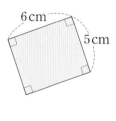

(   )

5

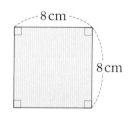

(   )

6

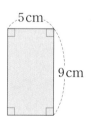

(   )

7

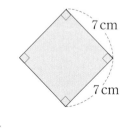

(   )

8

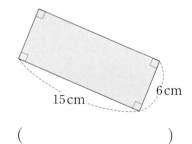

(   )

기초력 학습지 ㉕ 1 cm²보다 더 큰 넓이의 단위

진도북 121쪽

● 정답 41쪽

[1~24] □ 안에 알맞은 수를 써넣으세요.

1 $2 \text{ m}^2 = \boxed{} \text{ cm}^2$

2 $5 \text{ m}^2 = \boxed{} \text{ cm}^2$

3 $9 \text{ m}^2 = \boxed{} \text{ cm}^2$

4 $10 \text{ m}^2 = \boxed{} \text{ cm}^2$

5 $14 \text{ m}^2 = \boxed{} \text{ cm}^2$

6 $17 \text{ m}^2 = \boxed{} \text{ cm}^2$

7 $30000 \text{ cm}^2 = \boxed{} \text{ m}^2$

8 $40000 \text{ cm}^2 = \boxed{} \text{ m}^2$

9 $80000 \text{ cm}^2 = \boxed{} \text{ m}^2$

10 $120000 \text{ cm}^2 = \boxed{} \text{ m}^2$

11 $160000 \text{ cm}^2 = \boxed{} \text{ m}^2$

12 $200000 \text{ cm}^2 = \boxed{} \text{ m}^2$

13 $3 \text{ km}^2 = \boxed{} \text{ m}^2$

14 $6 \text{ km}^2 = \boxed{} \text{ m}^2$

15 $7 \text{ km}^2 = \boxed{} \text{ m}^2$

16 $11 \text{ km}^2 = \boxed{} \text{ m}^2$

17 $13 \text{ km}^2 = \boxed{} \text{ m}^2$

18 $19 \text{ km}^2 = \boxed{} \text{ m}^2$

19 $2000000 \text{ m}^2 = \boxed{} \text{ km}^2$

20 $5000000 \text{ m}^2 = \boxed{} \text{ km}^2$

21 $9000000 \text{ m}^2 = \boxed{} \text{ km}^2$

22 $10000000 \text{ m}^2 = \boxed{} \text{ km}^2$

23 $15000000 \text{ m}^2 = \boxed{} \text{ km}^2$

24 $23000000 \text{ m}^2 = \boxed{} \text{ km}^2$

학습지

6 단원

[1~6] 평행사변형의 넓이는 몇 cm^2인지 구하세요.

1
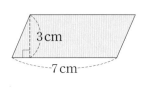
3 cm
7 cm

(   )

2
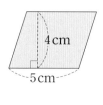
4 cm
5 cm

(   )

3
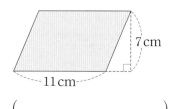
7 cm
11 cm

(   )

4
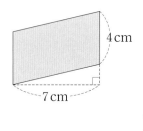
4 cm
7 cm

(   )

5
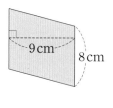
9 cm
8 cm

(   )

6
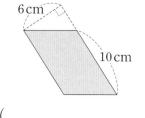
6 cm
10 cm

(   )

[7~10] 평행사변형의 넓이가 다음과 같을 때 ☐ 안에 알맞은 수를 써넣으세요.

7 넓이: $40 \ cm^2$
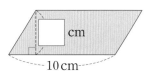
☐ cm
10 cm

8 넓이: $27 \ cm^2$
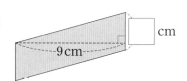
☐ cm
9 cm

9 넓이: $30 \ cm^2$
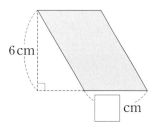
6 cm
☐ cm

10 넓이: $48 \ cm^2$
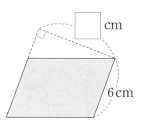
☐ cm
6 cm

기초력 학습지 **27**   삼각형의 넓이

진도북 129쪽

●정답 42쪽

[1~6] 삼각형의 넓이는 몇 cm²인지 구하세요.

1
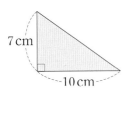
7 cm
10 cm

(   )

2
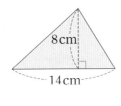
8 cm
14 cm

(   )

3
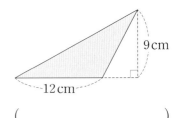
9 cm
12 cm

(   )

4
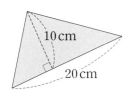
10 cm
20 cm

(   )

5
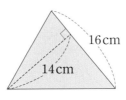
16 cm
14 cm

(   )

6
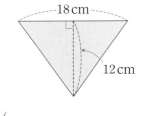
18 cm
12 cm

(   )

학습지

6
단원

[7~10] 삼각형의 넓이가 다음과 같을 때 ☐ 안에 알맞은 수를 써넣으세요.

7 넓이: 24 cm²
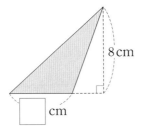
8 cm
☐ cm

8 넓이: 25 cm²
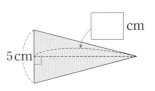
☐ cm
5 cm

9 넓이: 28 cm²
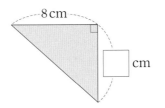
8 cm
☐ cm

10 넓이: 49 cm²
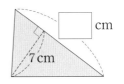
☐ cm
7 cm

기초력 학습지 28 마름모의 넓이

진도북 133쪽

● 정답 42쪽

[1~6] 마름모의 넓이는 몇 cm^2인지 구하세요.

1
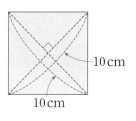
10 cm
10 cm

( )

2
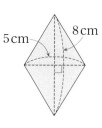
5 cm   8 cm

( )

3
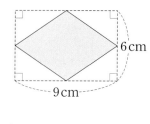
6 cm
9 cm

( )

4
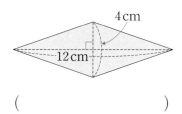
4 cm
12 cm

( )

5
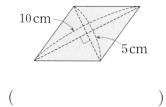
10 cm
5 cm

( )

6

8 cm
7 cm

( )

[7~10] 마름모의 넓이가 다음과 같을 때 □ 안에 알맞은 수를 써넣으세요.

7 넓이: 35 cm^2
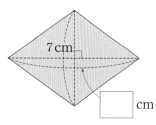
7 cm
□ cm

8 넓이: 32 cm^2
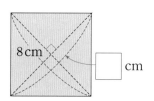
8 cm
□ cm

9 넓이: 33 cm^2
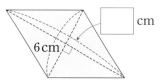
□ cm
6 cm

10 넓이: 28 cm^2
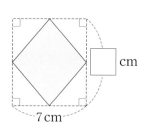
□ cm
7 cm

기초력 학습지 29 사다리꼴의 넓이

진도북 135쪽

● 정답 42쪽

[1~6] 사다리꼴의 넓이는 몇 cm^2인지 구하세요.

1
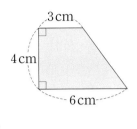

(   )

2
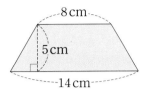

(   )

3
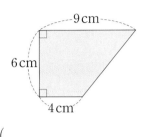

(   )

학습지

6
단원

4
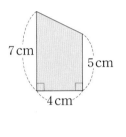

(   )

5
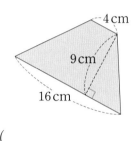

(   )

6
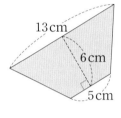

(   )

[7~10] 사다리꼴의 넓이가 다음과 같을 때 ☐ 안에 알맞은 수를 써넣으세요.

7 넓이: 42 cm^2
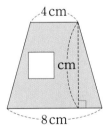

8 넓이: 45 cm^2
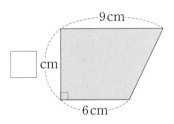

9 넓이: 36 cm^2
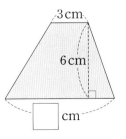

10 넓이: 40 cm^2
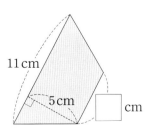

미리 보는 수학 익힘   덧셈과 뺄셈이 섞여 있는 식

진도북 020쪽

● 정답 42쪽

1 가장 먼저 계산해야 하는 부분에 ○표 하세요.

(1) $63-27+15$

(2) $63-(27+15)$

2 보기 와 같이 계산 순서를 나타내고 계산해 보세요.

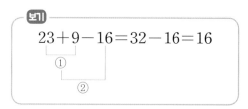

(1) $56-29+7$

(2) $30-(10+8)$

3 계산해 보세요.

(1) $17-11+9$

(2) $41-(8+13)$

4 동훈이네 반은 남학생이 12명, 여학생이 13명입니다. 동훈이네 반 학생 중에서 모자를 쓴 학생이 9명이라면 모자를 쓰지 않은 학생은 몇 명인지 하나의 식으로 나타내어 구하세요.

식

답

5 문구점에 있는 학용품의 가격을 나타낸 것입니다. 희우는 필통 한 개를 샀고, 민기는 연필 한 자루와 공책 한 권을 샀습니다. 희우는 민기보다 얼마를 더 내야 하는지 구하세요.

종류	연필	공책	필통
가격(원)	350	500	1200

(   )

6 2000원으로 간식을 사려고 합니다. 우유와 빵을 한 개씩 샀다면 거스름돈으로 얼마를 받아야 하는지 구하세요.

종류	우유	빵	과자
가격(원)	750	500	800

(   )

미리 보는 수학 익힘

곱셈과 나눗셈이 섞여 있는 식

진도북 020쪽

●정답 43쪽

1 가장 먼저 계산해야 하는 부분에 ○표 하세요.

(1) $96 \div 8 \times 3$

(2) $96 \div (8 \times 3)$

2 보기와 같이 계산 순서를 나타내고 계산해 보세요.

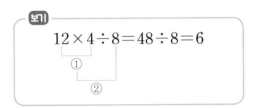

보기
$$12 \times 4 \div 8 = 48 \div 8 = 6$$
① ②

(1) $36 \div 9 \times 14$

(2) $45 \div (3 \times 5)$

3 계산해 보세요.

(1) $25 \div 5 \times 7$

(2) $60 \div (6 \times 2)$

4 한 판에 30개씩 들어 있는 달걀 4판을 남김 없이 15개의 바구니에 똑같이 나누어 담았습니다. 한 바구니에 들어 있는 달걀은 몇 개인지 하나의 식으로 나타내어 구하세요.

식

답

5 한 사람이 한 시간에 종이학을 9개씩 접을 수 있다고 합니다. 4명이 종이학 108개를 접으려면 몇 시간이 걸리는지 하나의 식으로 나타내어 구하세요.

식

답

6 24명씩 6줄로 학생들이 서 있습니다. 8명이 한 모둠이 되어 달리기를 할 때 모두 몇 모둠을 만들 수 있는지 하나의 식으로 나타내어 구하세요.

식

답

미리 보는 수학 익힘   덧셈, 뺄셈, 곱셈이 섞여 있는 식

진도북 021쪽

● 정답 43쪽

1 가장 먼저 계산해야 하는 부분에 ◯표 하세요.

(1) $43+19-5\times3$

(2) $32+(12-7)\times2$

2 보기와 같이 계산 순서를 나타내고 계산해 보세요.

보기
$$29-6\times4+17=29-24+17$$
$$\quad\quad\quad ① \quad\quad\quad =5+17$$
$$\quad ② \quad\quad\quad\quad =22$$
$$\quad\quad ③$$

$80-(4+8)\times5$

3 계산 결과를 비교하여 ◯ 안에 $>$, $=$, $<$를 알맞게 써넣으세요.

(1) $51-5+9\times3$ ◯ $51-(5+9)\times3$

(2) $26-8\times3+7$ ◯ $(26-8)\times3+7$

4 초콜릿이 47개 있습니다. 남학생 4명과 여학생 3명이 각각 5개씩 먹었습니다. 남은 초콜릿은 몇 개인지 하나의 식으로 나타내어 구하세요.

식 _____

답 _____

5 현기네 반 학생 23명은 9명씩 2모둠으로 나누어 발야구를 하고, 나머지는 다른 반 학생 5명과 함께 응원을 했습니다. 응원한 학생은 모두 몇 명인지 하나의 식으로 나타내어 구하세요.

식 _____

답 _____

6 대화를 보고 태민이와 주현이가 일주일 동안 운동을 모두 몇 분 했는지 구하세요.

태민: 난 일주일 동안 매일 운동을 30분씩 했어.

주현: 난 일주일 중 3일은 쉬고 나머지 날은 운동을 50분씩 했어.

식 $7\times\boxed{}+(\boxed{}-3)\times\boxed{}=\boxed{}$

답 _____

미리 보는 수학 익힘

덧셈, 뺄셈, 나눗셈이 섞여 있는 식

진도북 021쪽

● 정답 44쪽

1 가장 먼저 계산해야 하는 부분에 ○표 하세요.

(1) $24-35\div7+11$

(2) $32+45\div(8-3)$

2 보기와 같이 계산 순서를 나타내고 계산해 보세요.

보기
$$13-9+24\div3=13-9+8$$
$$\qquad② \qquad ① \qquad =4+8$$
$$\qquad ③ \qquad =12$$

$32\div(9-5)+7$

3 계산 결과를 비교하여 ○ 안에 >, =, <를 알맞게 써넣으세요.

(1) $7+40\div8-3$ ○ $7+40\div(8-3)$

(2) $12-8\div4+9$ ○ $(12-8)\div4+9$

4 계산이 <u>잘못된</u> 곳을 찾아 ○표 하고 바르게 고쳐 계산해 보세요.

$$(40-25)\div5+9$$
$$=40-5+9$$
$$=35+9$$
$$=44$$

→

$$(40-25)\div5+9$$

5 지우개 한 개는 800원, 연필 한 타는 6000원입니다. 민아는 5000원으로 지우개 한 개와 연필 한 자루를 샀습니다. 민아가 받은 거스름돈은 얼마인지 하나의 식으로 나타내어 구하세요. (연필 한 타는 12자루입니다.)

식

답

6 지구에서 잰 무게는 달에서 잰 무게의 약 6배입니다. 세 사람이 모두 달에서 몸무게를 잰다면 정우와 민하의 몸무게의 합은 삼촌의 몸무게보다 약 몇 kg 더 무거운지 구하세요.

사람	삼촌	정우	민하
지구에서 잰 몸무게(kg)		41	43
달에서 잰 몸무게(kg)	12		

약 (   )

수학 익힘

1
단원

미리 보는 수학 익힘

덧셈, 뺄셈, 곱셈, 나눗셈이 섞여 있는 식

진도북 022쪽

● 정답 44쪽

1 계산 순서에 맞게 기호를 쓰세요.

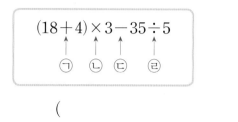

$$(18+4) \times 3 - 35 \div 5$$

      ㄱ   ㄴ   ㄷ   ㄹ

(   )

2 **보기** 와 같이 계산 순서를 나타내고 계산해 보세요.

보기

$$17 \times 4 - 25 + 48 \div 6 = 68 - 25 + 48 \div 6$$
$$= 68 - 25 + 8$$
$$= 43 + 8$$
$$= 51$$

①②③④

$$28 \div (9-5) \times 7 + 9$$

3 계산 결과가 더 큰 식에 ○표 하세요.

$9 + 4 \times (36-12) \div 6$ (   )

$9 + 4 \times 36 - 12 \div 6$ (   )

4 다음 식이 성립하도록 ( )로 묶어 보세요.

$$4 + 42 \div 14 - 8 \times 5 = 39$$

5 카레 3인분을 만들기 위해 필요한 햄, 양파, 당근을 사려고 합니다. 10000원으로 필요한 재료를 사고 남은 돈은 얼마인지 구하세요.

양파(1인분) 700원

햄(3인분) 1800원

당근(6인분) 2400원

(   )

6 온도를 나타내는 단위에는 섭씨(℃)와 화씨(℉)가 있습니다. 화씨온도계를 보니 현재 기온이 68 ℉입니다. 현재 기온을 섭씨로 나타내면 몇 ℃인지 구하세요.

화씨 온도에서 32를 뺀 수에 10을 곱하고 18로 나누면 우리가 알고 있는 섭씨 온도가 돼.

재인

식   (□ − □) × □ ÷ 18 = □

답

미리보는 수학 익힘 약수와 배수

진도북 042쪽

●정답 45쪽

1 □ 안에 알맞은 수를 써넣고 32의 약수를 구하세요.

$32 \div \square = 32$ $32 \div \square = 16$

$32 \div \square = 8$ $32 \div \square = 4$

$32 \div \square = 2$ $32 \div \square = 1$

32의 약수 → _____

2 배수를 4개씩 쓰세요.

(1) 7의 배수 → □ , □ , □ , □

(2) 15의 배수 → □ , □ , □ , □

3 왼쪽 수가 오른쪽 수의 약수인 것에 ○표, 아닌 것에 ×표 하세요.

3	16

( )

7	28

( )

10	75

( )

9	117

( )

4 수 배열표를 보고 6의 배수에는 ○표, 9의 배수에는 ◇표 하세요.

51	52	53	54	55	56	57	58	59	60
61	62	63	64	65	66	67	68	69	70
71	72	73	74	75	76	77	78	79	80
81	82	83	84	85	86	87	88	89	90
91	92	93	94	95	96	97	98	99	100

5 약수의 수가 많은 수부터 차례로 쓰세요.

18	24	27

(, ,)

6 박물관 입구에서 지하철역까지 가는 버스가 오전 10시부터 8분 간격으로 출발합니다. 오전 10시부터 오전 11시까지 버스는 몇 번 출발하나요?

( )

미리보는 수학 익힘 　약수와 배수의 관계

진도북 042쪽

● 정답 45쪽

1 식을 보고 □ 안에 알맞은 수를 써넣으세요.

$$40=1\times40 \qquad 40=2\times20$$
$$40=4\times10 \qquad 40=5\times8$$

• 40은 □, □, □, □, □, □,

　□, □ 의 배수입니다.

• □, □, □, □, □, □, □,

　□ 은/는 40의 약수입니다.

2 식을 보고 □ 안에 '약수'와 '배수'를 알맞게 써넣으세요.

$$3\times7=21$$

⑴ 21은 3과 7의 □ 입니다.

⑵ 3과 7은 21의 □ 입니다.

3 35를 두 수의 곱으로 나타내고 약수와 배수의 관계를 쓰세요.

□ × □ =35, □ × □ =35

35는 ＿＿＿＿＿＿＿＿＿＿＿ 의 배수이고,

＿＿＿＿＿＿＿＿＿＿ 은/는 35의 약수입

니다.

4 두 수가 약수와 배수의 관계가 되도록 빈 곳에 1 이외의 알맞은 수를 써넣으세요.

⑴ | 20 | |

⑵ | | 2 |

5 보기 에서 약수와 배수의 관계인 수를 모두 찾아 쓰세요.

> 보기
>
> 6　　8　　12　　32　　42

약수　　배수
(　6　, 　12　)
(　　, 　　)
(　　, 　　)

6 시아와 민우가 카드의 수를 맞히는 놀이를 하고 있습니다. 대화를 읽고 시아 카드의 수는 어떤 수인지 찾고 그 이유를 설명해 보세요.

> 시아: 내 카드의 수를 맞혀 봐.
> 　　　이 수는 7보다 크고 20보다 작아.
> 민우: 또 다른 설명은 없어?
> 시아: 48의 약수야.
> 민우: 아직 잘 모르겠어.
> 시아: 이 수는 3의 배수야.

답

이유 48의 약수 중 7보다 크고 20보다 작은

수는 □, □, □ 이고 그중에서 3의 배

수는 □ 입니다.

미리 보는 수학 익힘   공약수와 최대공약수

진도북 043쪽

● 정답 45쪽

1 12와 18의 공약수와 최대공약수를 구하세요.

> • 12의 약수: 1, 2, 3, 4, 6, 12
> • 18의 약수: 1, 2, 3, 6, 9, 18

공약수 (   )

최대공약수 (   )

[2~3] 15와 20의 최대공약수를 구하려고 합니다. 물음에 답하세요.

2 15와 20의 약수를 모두 쓰세요.

| 15의 약수 |
| 20의 약수 |

3 15와 20의 최대공약수를 구하세요.

(   )

4 어떤 두 수의 최대공약수가 28일 때 두 수의 공약수를 모두 쓰세요.

(   )

5 36과 45를 어떤 수로 나누면 두 수 모두 나누어떨어집니다. 어떤 수 중에서 가장 큰 수를 구하세요.

(   )

6 대화를 읽고 잘못 말한 사람을 찾고, 그 이유를 설명해 보세요.

재인 28과 42의 공약수는 최대공약수의 약수와 같아.

28과 42의 공약수 중에서 가장 큰 수는 7이야.

준호

잘못 말한 사람

이유

7 딸기 60개와 자두 48개를 최대한 많은 친구들에게 남김없이 똑같이 나누어 주려고 합니다. □ 안에 알맞은 말을 써넣고, 최대 몇 명의 친구들에게 나누어 줄 수 있는지 구하세요.

> 딸기와 자두를 친구들에게 똑같이 나누어 줄 방법은 딸기 수와 자두 수의 [   ]를 구하는 것이고, 최대한 많은 친구들에게 나누어 주므로 [   ]를 구합니다.

(   )

미리 보는 **수학 익힘**   최대공약수 구하는 방법

진도북 043쪽

● 정답 46쪽

[1~3] 30과 70을 여러 수의 곱으로 나타낸 곱셈식을 보고 물음에 답하세요.

$$30=1\times30 \qquad 30=2\times15 \qquad 30=3\times10$$
$$30=5\times6 \qquad 30=2\times3\times5$$

$$70=1\times70 \qquad 70=2\times35 \qquad 70=5\times14$$
$$70=7\times10 \qquad 70=2\times5\times7$$

1 30과 70의 최대공약수를 구하기 위한 두 수의 곱셈식을 쓰세요.

$$30=3\times\boxed{}$$
$$70=\boxed{}\times\boxed{}$$

2 30과 70의 최대공약수를 구하기 위한 여러 수의 곱셈식을 쓰세요.

$$30=2\times\boxed{}\times\boxed{}$$
$$70=\boxed{}\times\boxed{}\times\boxed{}$$

3 30과 70의 최대공약수를 구하세요.

( )

4 28과 42의 최대공약수를 구하려고 합니다. □ 안에 알맞은 수를 써넣으세요.

$$
\begin{array}{r}
2)\underline{28\quad42} \\
7)\underline{14\quad21} \\
2\quad\ 3
\end{array}
$$

최대공약수: $\boxed{}\times\boxed{}=\boxed{}$

5 두 수의 최대공약수를 구하세요.

$$)\,\underline{30\quad54}$$

최대공약수: _____

6 그림 카드 56장, 동물 카드 70장을 최대한 많은 사람에게 남김없이 똑같이 나누어 주려고 합니다. 최대 몇 명에게 나누어 줄 수 있나요?

( )

7 공책 60권과 연필 84자루를 최대한 많은 모둠에게 남김없이 똑같이 나누어 주려고 합니다. 한 모둠이 공책과 연필을 각각 얼마만큼씩 받을 수 있는지 구하세요.

(1) 최대 몇 모둠에게 나누어 줄 수 있나요?

( )

(2) 한 모둠이 공책과 연필을 각각 얼마만큼씩 받을 수 있나요?

공책 ( )

연필 ( )

미리 보는 **수학 익힘**　　공배수와 최소공배수

진도북 043쪽

● 정답 46쪽

1 3과 4의 공배수와 최소공배수를 구하세요.

- 3의 배수: 3, 6, 9, 12, 15, 18, 21, 24, 27, 30, 33, 36, …
- 4의 배수: 4, 8, 12, 16, 20, 24, 28, 32, 36, 40, 44, …

공배수 (　　　　　　　　　　)

최소공배수 (　　　　　　　　　　)

[2~3] 6과 9의 최소공배수를 구하려고 합니다. 물음에 답하세요.

2 6과 9의 배수를 쓰세요.

6의 배수	6				…
9의 배수	9				…

3 6과 9의 최소공배수를 구하세요.

(　　　　　　　　　)

4 어떤 두 수의 최소공배수가 21일 때 두 수의 공배수를 3개 쓰세요.

(　　　　　　　　　)

5 21부터 50까지의 수 중에서 3의 배수이면서 4의 배수인 수를 모두 쓰세요.

(　　　　　　　　　)

6 준호가 설명하는 수는 무엇인지 구하세요.

9와 15의 공배수야. 그리고 60보다 크고 100보다 작아.

공배수 중에서 어떤 수일까?

준호　　　　진영

(　　　　　　　　　)

7 지현이는 1부터 100까지의 수를 차례대로 말하면서 다음 규칙으로 놀이를 했습니다. 물음에 답하세요.

규칙
- 10의 배수에서는 말하는 대신 손뼉을 칩니다.
- 15의 배수에서는 말하는 대신 제자리 뛰기를 합니다.

(1) 처음으로 손뼉을 치면서 동시에 제자리 뛰기를 해야 하는 수를 찾아보세요.

(　　　　　　　　　)

(2) 손뼉을 치면서 동시에 제자리 뛰기를 해야 하는 수를 모두 찾아보세요.

(　　　　　　　　　)

미리보는 수학 익힘　최소공배수 구하는 방법

진도북 044쪽

● 정답 46쪽

[1~3] 12와 18을 여러 수의 곱으로 나타낸 곱셈식을 보고 물음에 답하세요.

$12=1\times12$ 　　 $12=2\times6$ $12=3\times4$ 　　 $12=2\times2\times3$

$18=1\times18$ 　　 $18=2\times9$ $18=3\times6$ 　　 $18=2\times3\times3$

1 12와 18의 최소공배수를 구하기 위한 두 수의 곱셈식을 쓰세요.

$$12=2\times\square$$
$$18=\square\times\square$$

2 12와 18의 최소공배수를 구하기 위한 여러 수의 곱셈식을 쓰세요.

$$12=2\times\square\times\square$$
$$18=\square\times\square\times\square$$

3 12와 18의 최소공배수를 구하세요.

(　　　　　)

4 25와 35의 최소공배수를 구하려고 합니다. □ 안에 알맞은 수를 써넣으세요.

$$5 \overline{)\,25\quad35\,}$$
$$\;\,5\quad\;7$$

최소공배수: $\square\times\square\times\square=\square$

5 두 수의 최소공배수를 구하세요.

$\overline{)\,30\quad42\,}$ 최소공배수: _____

6 연주와 경태는 운동장을 일정한 빠르기로 걷고 있습니다. 연주는 3분마다, 경태는 4분 마다 운동장을 한 바퀴 돕니다. 두 사람이 출발점에서 같은 방향으로 동시에 출발할 때, 출발 후 50분 동안 출발점에서 몇 번 다시 만나는지 구하세요.

(　　　　　)

7 4월 1일에 지우와 세진이가 나눈 대화를 읽고 다음번에 두 사람이 도서관에서 만나는 날은 언제인지 구하세요.

4월 1일

지우: 오늘 만나서 반가웠어. 나는 10일마다 도서관에 가고 있어.

세진: 나는 4일마다 가.

지우: 그럼 다음번엔 몇 월 며칠에 만나는 거지?

(　　　　　)

미리보는 수학 익힘 두 양 사이의 관계

진도북 058쪽

●정답 47쪽

[1~3] 도형의 배열을 보고 물음에 답하세요.

1 다음에 이어질 알맞은 모양을 그리고, □ 안에 알맞은 수를 써넣으세요.

사각형이 10개일 때 필요한 삼각형의 수는 □ 개입니다.

2 삼각형이 100개일 때 사각형은 몇 개 필요한가요?

( )

3 삼각형의 수와 사각형의 수 사이의 대응 관계를 쓰세요.

_____

4 식탁의 수와 의자의 수 사이의 대응 관계를 쓰세요.

_____

5 사각형과 고리로 규칙적인 배열을 만들고 있습니다. 표를 완성하고, 사각형의 수와 고리의 수 사이의 대응 관계를 쓰세요.

사각형의 수(개)	2	3	4	5	…
고리의 수(개)	1				…

[6~8] 만화 영화를 1초 동안 상영하려면 사진이 28장 필요합니다. 만화 영화를 상영하는 시간과 필요한 사진의 수 사이에는 어떤 대응 관계가 있는지 알아보세요.

6 만화 영화를 상영하는 시간과 필요한 사진의 수 사이에는 어떤 대응 관계가 있는지 표를 이용하여 알아보세요.

시간(초)	1	2	3	4	…
사진의 수(장)	28				…

7 만화 영화를 100초 상영하려면 사진이 몇 장 필요할까요?

( )

8 만화 영화를 상영하는 시간과 필요한 사진의 수 사이의 대응 관계를 쓰세요.

_____

미리 보는 수학 익힘 　대응 관계를 식으로 나타내는 방법

진도북 059쪽

●정답 47쪽

[1~3] 지우와 민수가 봉사 활동을 하고 있습니다. 지우는 3월에 먼저 10시간 동안 봉사 활동을 했고, 두 사람은 4월부터 한 달에 10시간씩 봉사 활동을 하기로 했습니다. 물음에 답하세요.

1 지우의 봉사 활동 시간과 민수의 봉사 활동 시간 사이의 대응 관계를 표를 이용하여 알아보세요.

	지우의 봉사 활동 시간(시간)	민수의 봉사 활동 시간(시간)
3월	10	0
한 달 후	20	10
두 달 후		
세 달 후		
⋮	⋮	⋮

2 알맞은 카드를 골라 두 양 사이의 대응 관계를 식으로 나타내어 보세요.

| 지우의 봉사 활동 시간 |
| 민수의 봉사 활동 시간 |

| + | − | × | ÷ | = |

| 10 | 20 | 30 |

3 지우의 봉사 활동 시간과 민수의 봉사 활동 시간 사이의 대응 관계를 기호를 사용하여 식으로 나타내어 보세요.

> 지우의 봉사 활동 시간을 ☐, 민수의 봉사 활동 시간을 ☐(이)라고 할 때, 두 양 사이의 대응 관계를 식으로 나타내면 ☐입니다.

[4~5] 한 의자에 학생이 5명씩 앉아 있습니다. 의자의 수를 ○, 학생 수를 △라고 할 때, 물음에 답하세요.

4 대응 관계를 식으로 나타내어 보세요.

> 식

5 대응 관계를 나타낸 식에 대한 친구들의 생각입니다. 잘못 생각한 친구는 누구인가요?

친구 이름	친구의 생각
주원	의자의 수에 따라 학생 수는 항상 일정하게 변해.
민지	○는 △와 관계없이 변할 수 있어.

(　　　　)

미리보는 수학 익힘

생활 속에서 대응 관계를 찾아
식으로 나타내기

진도북 059쪽

●정답 47쪽

[1~3] 우리 주변에서 대응 관계를 찾아 식으로 나타내어 보세요.

1 그림에서 대응 관계를 찾아보세요.

서로 대응하는 두 양	대응 관계
① 옷장의 수	
② 서랍의 수	

2 1에서 찾은 대응 관계를 식으로 나타내어 보세요.

① 옷장의 수를 □, [　　]의 수를 ◎라고 하면 대응 관계는 [　　　　] 입니다.

② [　　]의 수를 □, 서랍의 수를 △라고 하면 대응 관계는 [　　　　] 입니다.

3 위의 그림에서 옷장마다 옷이 1벌씩 더 있을 때, 옷장의 수와 옷의 수 사이의 대응 관계를 식으로 나타내고, 그 이유를 설명해 보세요.

식

이유

4 지호는 친구들과 함께 여러 가지 모양의 천을 이용하여 운동회에서 사용할 콩 주머니를 만들었습니다. 콩 주머니를 만들기 위해 사용한 천의 수와 만든 콩 주머니의 수 사이의 대응 관계를 표를 이용하여 찾고, 기호를 사용하여 식으로 나타내어 보세요.

천의 수(장)	3	7		10	14	…
콩 주머니의 수(개)	6	14	10	20		…

5 대응 관계를 나타낸 식을 보고, 식에 알맞은 상황을 만들어 보세요.

$$\triangle - 5 = \bigcirc$$

6 재인이와 진우는 대응 관계를 만들어 수 알아맞히기를 하고 있습니다. 재인이가 25를 말했을 때 준호가 답한 수는 얼마인가요?

재인 | 10이면? | 7이면? | 13이면?

진우 | 16. | 13. | 19.

(　　　　　)

수학 익힘

3 단원

미리 보는 수학 익힘　　크기가 같은 분수

진도북 080쪽

● 정답 48쪽

1 두 분수 $\frac{1}{3}$, $\frac{2}{6}$만큼 아래부터 색칠하고 알맞은 말에 ○표 하세요.

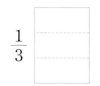 $\frac{1}{3}$　　 $\frac{2}{6}$

$\frac{1}{3}$과 $\frac{2}{6}$는 크기가 (같은 , 다른) 분수입니다.

[2~3] 분수만큼 색칠하고 크기가 같은 분수를 쓰세요.

2

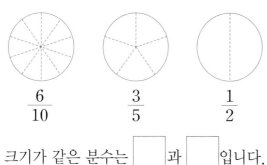

$\frac{6}{10}$　　　$\frac{3}{5}$　　　$\frac{1}{2}$

크기가 같은 분수는 □ 과 □ 입니다.

3

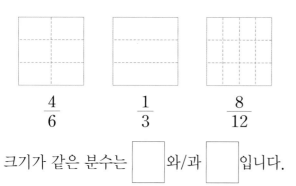

$\frac{4}{6}$　　　$\frac{1}{3}$　　　$\frac{8}{12}$

크기가 같은 분수는 □ 와/과 □ 입니다.

4 분수만큼 수직선에 표시하고 크기가 같은 분수를 쓰세요.

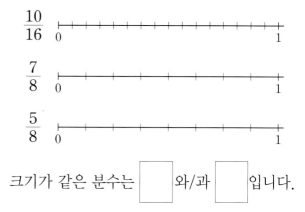

크기가 같은 분수는 □ 와/과 □ 입니다.

5 모양과 크기가 같은 컵에 우유가 담겨 있습니다. 그림을 보고 같은 양이 담긴 우유를 찾아 쓰세요.

흰우유　　초코우유　　딸기우유　　바나나우유

(　　　　　 ,　　　　　)

6 세 분수의 크기가 같게 색칠하고, □ 안에 알맞은 분수를 써넣으세요.

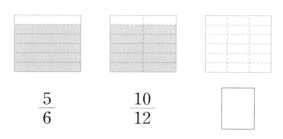

$\frac{5}{6}$　　　$\frac{10}{12}$　　　□

미리보는 수학 익힘 크기가 같은 분수 만들기

진도북 080쪽

● 정답 48쪽

[1~2] 그림을 보고 크기가 같은 분수가 되도록 □ 안에 알맞은 수를 써넣으세요.

1

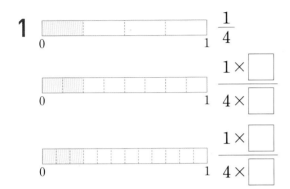

$\dfrac{1}{4}$

$\dfrac{1\times\square}{4\times\square}$

$\dfrac{1\times\square}{4\times\square}$

2

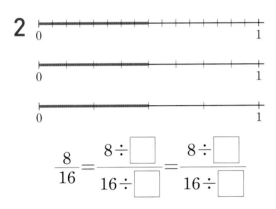

$\dfrac{8}{16}=\dfrac{8\div\square}{16\div\square}=\dfrac{8\div\square}{16\div\square}$

3 □ 안에 알맞은 수를 써넣어 크기가 같은 분수를 만들어 보세요.

(1) $\dfrac{4}{7}=\dfrac{8}{\square}=\dfrac{12}{\square}=\dfrac{\square}{28}$

(2) $\dfrac{18}{24}=\dfrac{\square}{12}=\dfrac{6}{\square}=\dfrac{\square}{4}$

4 $\dfrac{6}{9}$과 크기가 같은 분수를 모두 찾아 ○표 하세요.

$\dfrac{2}{3}$ $\quad$ $\dfrac{5}{6}$ $\quad$ $\dfrac{24}{36}$ $\quad$ $\dfrac{36}{45}$

5 $\dfrac{4}{5}$와 크기가 같은 분수 중에서 분모와 분자의 합이 30보다 크고 50보다 작은 분수를 모두 쓰세요.

(1) $\dfrac{4}{5}$와 크기가 같은 분수를 작은 수부터 차례로 4개 쓰세요.

( )

(2) (1)에서 구한 분수 중에서 분모와 분자의 합이 30보다 크고 50보다 작은 분수를 모두 쓰세요.

( )

수학 익힘

4 단원

6 대화를 읽고 크기가 같은 분수를 같은 방법으로 구한 두 친구를 쓰고, 어떤 방법으로 구했는지 쓰세요.

세현: $\dfrac{32}{40}$와 크기가 같은 분수에는 $\dfrac{4}{5}$가 있어.

지유: $\dfrac{8}{14}$과 크기가 같은 분수에는 $\dfrac{24}{42}$가 있어.

민지: $\dfrac{21}{27}$과 크기가 같은 분수에는 $\dfrac{7}{9}$이 있어.

답 _____ , _____

방법 _____

 분수를 간단하게 나타내기

진도북 081쪽

● 정답 49쪽

1 약분해 보세요.

(1) $\dfrac{6}{14}$ →

(2) $\dfrac{20}{50}$ →   ,   ,

2 기약분수로 나타내려고 합니다. □ 안에 알맞은 수를 써넣으세요.

(1) $\dfrac{24}{30} = \dfrac{24 \div \Box}{30 \div \Box} = \dfrac{\Box}{\Box}$

(2) $\dfrac{60}{96} = \dfrac{60 \div \Box}{96 \div \Box} = \dfrac{\Box}{\Box}$

3 기약분수로 나타내어 보세요.

(1) $\dfrac{12}{16} = \dfrac{\Box}{\Box}$

(2) $\dfrac{18}{21} = \dfrac{\Box}{\Box}$

(3) $\dfrac{18}{48} = \dfrac{\Box}{\Box}$

(4) $\dfrac{5}{30} = \dfrac{\Box}{\Box}$

4 기약분수인 것을 모두 찾아 ○표 하세요.

$$\dfrac{26}{39} \qquad \dfrac{3}{4} \qquad \dfrac{2}{10} \qquad \dfrac{12}{15} \qquad \dfrac{31}{33}$$

5 $\dfrac{36}{60}$ 을 약분하려고 합니다. 1을 제외하고 분모와 분자를 나눌 수 있는 수를 모두 쓰세요.

(   )

6 진분수 $\dfrac{\Box}{10}$ 가 기약분수라고 할 때, □ 안에 들어갈 수 있는 수를 모두 찾아 ○표 하세요.

1	2	3	4	5
6	7	8	9	10

7 분모가 45인 진분수 중에서 약분하면 $\dfrac{4}{5}$ 가 되는 분수를 쓰세요.

(   )

미리 보는 **수학 익힘** 분모가 같은 분수로 나타내기

진도북 081쪽

●정답 49쪽

1 □ 안에 알맞은 수를 써넣으세요.

$$\frac{1}{2} = \frac{2}{4} = \frac{3}{6} = \frac{4}{8} = \frac{5}{10} = \frac{6}{12} = \cdots$$

$$\frac{2}{3} = \frac{4}{6} = \frac{6}{9} = \frac{8}{12} = \frac{10}{15} = \cdots$$

두 분수를 분모가 같은 분수끼리 짝 지으면

$\left(\dfrac{3}{6}, \dfrac{\square}{6}\right), \left(\dfrac{\square}{12}, \dfrac{\square}{\square}\right), \cdots$ 입니다.

이때 공통분모는 $\square$, $\square$, $\cdots$ 입니다.

2 분모의 곱을 공통분모로 하여 통분해 보세요.

$$\left(\frac{4}{7}, \frac{2}{5}\right) \rightarrow \left(\frac{\square}{35}, \frac{\square}{35}\right)$$

3 $\dfrac{4}{9}$와 $\dfrac{5}{12}$를 통분하려고 합니다. □ 안에 알맞은 수를 써넣으세요.

(1) 분모의 곱을 공통분모로 통분하기

$$\frac{4}{9} = \frac{4 \times \square}{9 \times 12}, \quad \frac{5}{12} = \frac{5 \times \square}{12 \times 9}$$

$$\rightarrow \left(\frac{\square}{\square}, \frac{\square}{\square}\right)$$

(2) 분모의 최소공배수를 공통분모로 통분하기

$$\frac{4}{9} = \frac{4 \times \square}{9 \times 4}, \quad \frac{5}{12} = \frac{5 \times \square}{12 \times 3}$$

$$\rightarrow \left(\frac{\square}{\square}, \frac{\square}{\square}\right)$$

4 분모의 최소공배수를 공통분모로 하여 통분해 보세요.

(1) $\left(\dfrac{11}{18}, \dfrac{7}{12}\right) \rightarrow \left(, \right)$

(2) $\left(\dfrac{3}{8}, \dfrac{9}{20}\right) \rightarrow \left(, \right)$

5 두 분수를 통분하려고 합니다. 공통분모가 될 수 있는 수 중에서 100보다 작은 수를 모두 찾아 쓰세요.

$$\left(\frac{1}{4}, \frac{7}{10}\right)$$

$()$

6 두 분수를 다음과 같이 통분했습니다. ㉠, ㉡, ㉢에 알맞은 수를 각각 구하세요.

$$\left(\frac{1}{6}, \frac{9}{14}\right) \rightarrow \left(\frac{7}{㉠}, \frac{㉡}{㉢}\right)$$

㉠ $()$

㉡ $()$

㉢ $()$

수학 익힘

4 단원

미리 보는 수학 익힘　분수의 크기 비교

진도북 082쪽

● 정답 50쪽

1 두 분수를 통분하여 크기를 비교해 보세요.

$$\left(\frac{3}{10}, \frac{4}{15} \right) \rightarrow \left(\frac{\boxed{}}{\boxed{}}, \frac{\boxed{}}{\boxed{}} \right)$$

$$\rightarrow \frac{3}{10} \bigcirc \frac{4}{15}$$

2 분수의 크기를 비교하여 ○ 안에 >, =, < 를 알맞게 써넣으세요.

(1) $\frac{4}{7} \bigcirc \frac{1}{2}$　　(2) $\frac{3}{4} \bigcirc \frac{5}{6}$

3 세 분수 $\frac{1}{3}$, $\frac{5}{8}$, $\frac{7}{12}$의 크기를 비교한 뒤 작은 분수부터 차례로 쓰세요.

$$\left(\frac{1}{3}, \frac{5}{8} \right) \rightarrow \left(\frac{\boxed{}}{24}, \frac{\boxed{}}{24} \right)$$

$$\rightarrow \frac{1}{3} \bigcirc \frac{5}{8}$$

$$\left(\frac{5}{8}, \frac{7}{12} \right) \rightarrow \left(\frac{\boxed{}}{\boxed{}}, \frac{\boxed{}}{\boxed{}} \right)$$

$$\rightarrow \frac{5}{8} \bigcirc \frac{7}{12}$$

$$\left(\frac{1}{3}, \frac{7}{12} \right) \rightarrow \left(\frac{\boxed{}}{\boxed{}}, \frac{\boxed{}}{\boxed{}} \right)$$

$$\rightarrow \frac{1}{3} \bigcirc \frac{7}{12}$$

(　, 　, 　)

4 세 분수의 크기를 비교하여 □ 안에 작은 분수부터 차례로 쓰세요.

$$\left(\frac{3}{5}, \frac{8}{15}, \frac{7}{10} \right) \rightarrow \boxed{}, \boxed{}, \boxed{}$$

5 두 분수의 크기를 비교하여 더 큰 분수를 위의 □ 안에 써넣으세요.

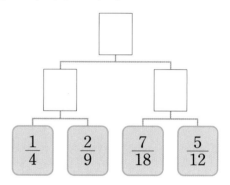

$$\frac{1}{4} \quad \frac{2}{9} \quad \frac{7}{18} \quad \frac{5}{12}$$

6 대화를 읽고 잘못 말한 친구의 이름을 쓰세요.

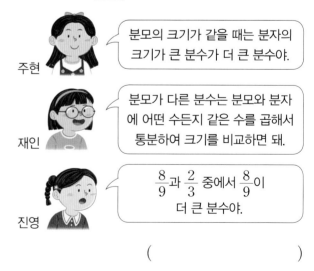

주현: 분모의 크기가 같을 때는 분자의 크기가 큰 분수가 더 큰 분수야.

재인: 분모가 다른 분수는 분모와 분자에 어떤 수든지 같은 수를 곱해서 통분하여 크기를 비교하면 돼.

진영: $\frac{8}{9}$과 $\frac{2}{3}$ 중에서 $\frac{8}{9}$이 더 큰 분수야.

(　　　　)

미리 보는 수학 익힘 분수와 소수의 크기 비교

진도북 082쪽

●정답 50쪽

1 □ 안에 알맞은 수를 써넣으세요.

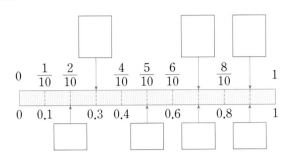

2 분수를 분모가 100인 분수로 고치고, 소수로 나타내어 보세요.

$$\frac{13}{25} = \frac{13 \times \boxed{}}{25 \times \boxed{}} = \frac{\boxed{}}{\boxed{}} = \boxed{}$$

3 $\frac{35}{50}$와 $\frac{54}{60}$의 크기를 비교하려고 합니다. 물음에 답하세요.

(1) 두 분수를 약분하여 크기를 비교해 보세요.

$$\left(\frac{35}{50}, \frac{54}{60}\right) \rightarrow \left(\frac{\boxed{}}{\boxed{}}, \frac{\boxed{}}{\boxed{}}\right)$$

$$\rightarrow \frac{\boxed{}}{10} \bigcirc \frac{\boxed{}}{10} \rightarrow \frac{35}{50} \bigcirc \frac{54}{60}$$

(2) 두 분수를 소수로 나타내어 크기를 비교해 보세요.

$$\left(\frac{35}{50}, \frac{54}{60}\right) \rightarrow \left(\frac{\boxed{}}{10}, \frac{\boxed{}}{10}\right)$$

$$\rightarrow \boxed{} \bigcirc \boxed{} \rightarrow \frac{35}{50} \bigcirc \frac{54}{60}$$

4 두 수의 크기를 비교하여 ○ 안에 >, =, < 를 알맞게 써넣으세요.

(1) $0.8 \bigcirc \frac{4}{5}$ (2) $3\frac{13}{20} \bigcirc 3.7$

5 분수와 소수의 크기를 비교하여 큰 수부터 차례로 쓰세요.

| $\frac{17}{50}$ | 0.26 | $\frac{2}{5}$ |

(, ,)

6 수 카드가 4장 있습니다. 이 중에서 2장을 뽑아 진분수를 만들려고 합니다. 만들 수 있는 진분수 중 가장 큰 수를 구하고, 그 진분수를 소수로 나타내어 보세요.

[1] [3] [5] [9]

진분수 ( )

소수 ( )

미리보는 수학 익힘 받아올림이 없는 진분수의 덧셈

진도북 106쪽

● 정답 51쪽

1 $\frac{1}{4}$ 과 $\frac{1}{8}$ 을 각각 그림에 색칠하고 □ 안에 알맞은 수를 써넣어 $\frac{1}{4}+\frac{1}{8}$ 을 계산해 보세요.

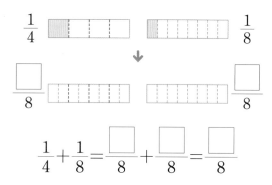

$$\frac{1}{4}+\frac{1}{8}=\frac{\boxed{}}{8}+\frac{\boxed{}}{8}=\frac{\boxed{}}{8}$$

2 □ 안에 알맞은 수를 써넣으세요.

$$\frac{3}{7}+\frac{8}{21}=\frac{3\times\boxed{}}{7\times\boxed{}}+\frac{8}{21}$$

$$=\frac{\boxed{}}{21}+\frac{8}{21}=\frac{\boxed{}}{21}$$

3 보기 와 같이 계산해 보세요.

보기
$$\frac{3}{10}+\frac{1}{2}=\frac{3\times2}{10\times2}+\frac{1\times10}{2\times10}$$
$$=\frac{6}{20}+\frac{10}{20}=\frac{16}{20}=\frac{4}{5}$$

$$\frac{5}{12}+\frac{1}{6}$$

4 계산해 보세요.

(1) $\frac{3}{7}+\frac{1}{2}$

(2) $\frac{2}{9}+\frac{7}{18}$

5 지호는 다음과 같이 잘못 계산했습니다. 처음 잘못 계산한 부분을 찾아 ○표 하고, 바르게 고쳐 계산해 보세요.

$$\frac{7}{12}+\frac{1}{3}=\frac{7}{12}+\frac{1\times1}{3\times4}$$
$$=\frac{7}{12}+\frac{1}{12}=\frac{8}{12}=\frac{2}{3}$$

$$\frac{7}{12}+\frac{1}{3}$$

6 혜나는 다음과 같이 유자차를 만들었습니다. 혜나가 만든 유자차는 몇 L인지 구하세요.

[만드는 방법]
① 컵에 유자청 $\frac{1}{9}$ L를 넣습니다.

② 유자청에 물 $\frac{4}{15}$ L를 넣습니다.

③ 유자청과 물이 잘 섞이도록 젓습니다.

(   )

미리 보는 수학 익힘

받아올림이 있는 진분수의 덧셈

진도북 106쪽

● 정답 51쪽

1 $\frac{1}{2}$과 $\frac{2}{3}$를 각각 그림에 색칠하고 □ 안에 알맞은 수를 써넣어 $\frac{1}{2}+\frac{2}{3}$를 계산해 보세요.

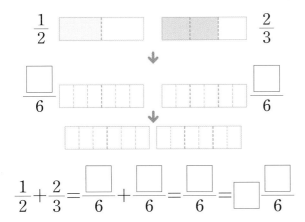

$$\frac{1}{2}+\frac{2}{3}=\frac{\square}{6}+\frac{\square}{6}=\frac{\square}{6}=\square\frac{\square}{6}$$

2 □ 안에 알맞은 수를 써넣으세요.

$$\frac{11}{15}+\frac{4}{9}=\frac{11\times\square}{15\times\square}+\frac{4\times\square}{9\times\square}$$

$$=\frac{\square}{45}+\frac{\square}{45}$$

$$=\frac{\square}{45}=\square\frac{\square}{45}$$

3 보기와 같이 계산해 보세요.

보기
$$\frac{5}{8}+\frac{1}{2}=\frac{5\times2}{8\times2}+\frac{1\times8}{2\times8}=\frac{10}{16}+\frac{8}{16}$$
$$=\frac{18}{16}=1\frac{2}{16}=1\frac{1}{8}$$

$$\frac{6}{7}+\frac{9}{14}$$

4 값이 같은 것끼리 이어 보세요.

(1) $\boxed{\frac{3}{8}+\frac{5}{6}}$ ·　　· $\boxed{1\frac{17}{36}}$

(2) $\boxed{\frac{5}{9}+\frac{11}{12}}$ ·　　· $\boxed{1\frac{5}{36}}$

(3) $\boxed{\frac{3}{4}+\frac{7}{18}}$ ·　　· $\boxed{1\frac{5}{24}}$

5 줄넘기를 수진이는 $\frac{8}{15}$시간 동안 연습했고, 유정이는 $\frac{7}{10}$시간 동안 연습했습니다. 수진이와 유정이가 줄넘기를 연습한 시간은 모두 몇 시간인지 구하세요.

(　　　　　)

6 민우네 집에서 수영장에 가려면 시청을 지나야 합니다. 민우네 집에서 시청까지의 거리는 $\frac{4}{5}$ km이고, 시청에서 수영장까지의 거리는 $\frac{7}{8}$ km입니다. 민우는 집에서 수영장까지의 거리가 1 km가 안 되면 걸어가고, 1 km가 넘으면 자전거를 타고 가려고 합니다. 민우네 집에서 수영장까지 가는 거리를 구하고, 어느 방법으로 가면 좋을지 쓰세요.

(　　　　), (　　　　)

미리 보는 수학 익힘   받아올림이 있는 대분수의 덧셈

진도북 107쪽

● 정답 52쪽

1 분수만큼 색칠하고 □ 안에 알맞은 수를 써넣어 $1\frac{3}{4}+1\frac{2}{3}$ 를 계산해 보세요.

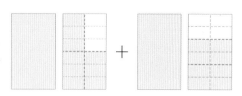

$1\frac{3}{4}=1\frac{\square}{12}$ $1\frac{2}{3}=1\frac{\square}{12}$

$1\frac{3}{4}+1\frac{2}{3}=(1+1)+\left(\dfrac{\square}{12}+\dfrac{\square}{12}\right)$

$=\square+\dfrac{\square}{12}=\square+\square\dfrac{\square}{12}$

$=\square\dfrac{\square}{12}$

2 □ 안에 알맞은 수를 써넣으세요.

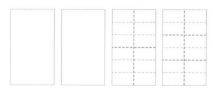

$1\frac{7}{10}+2\frac{1}{2}=\dfrac{\square}{10}+\dfrac{\square}{2}$

$=\dfrac{\square}{10}+\dfrac{\square}{10}$

$=\dfrac{\square}{10}=\square\dfrac{\square}{10}=\square$

3 $1\frac{7}{8}+2\frac{3}{7}$ 을 두 가지 방법으로 계산해 보세요.

방법 1 자연수끼리, 분수끼리 계산하기

$1\frac{7}{8}+2\frac{3}{7}$ ＿＿＿＿＿＿＿＿＿

＿＿＿＿＿＿＿＿＿

방법 2 대분수를 가분수로 고쳐서 계산하기

$1\frac{7}{8}+2\frac{3}{7}$ ＿＿＿＿＿＿＿＿＿

＿＿＿＿＿＿＿＿＿

4 계산해 보세요.

(1) $3\frac{8}{9}+1\frac{1}{4}$

(2) $1\frac{7}{15}+2\frac{9}{10}$

5 진희와 태오는 각자 가지고 있는 수 카드를 한 번씩만 사용하여 가장 작은 대분수를 만들려고 합니다. 진희가 만든 가장 작은 대분수와 태오가 만든 가장 작은 대분수의 합을 구하세요.

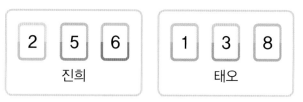

2 5 6
진희

1 3 8
태오

(1) 진희와 태오가 만든 가장 작은 대분수를 각각 구하세요.

진희 (   )

태오 (   )

(2) 두 사람이 만든 가장 작은 대분수의 합을 구하세요.

(   )

미리 보는 **수학 익힘**

받아내림이 없는 진분수의 뺄셈

진도북 107쪽

● 정답 52쪽

1 $\frac{7}{8}$과 $\frac{1}{4}$을 각각 그림에 색칠하고 □ 안에 알맞은 수를 써넣어 $\frac{7}{8} - \frac{1}{4}$을 계산해 보세요.

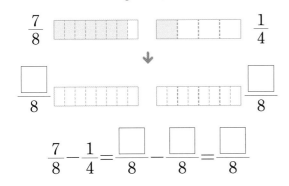

$$\frac{7}{8} - \frac{1}{4} = \frac{\boxed{}}{8} - \frac{\boxed{}}{8} = \frac{\boxed{}}{8}$$

2 □ 안에 알맞은 수를 써넣으세요.

$$\frac{5}{8} - \frac{3}{10} = \frac{5 \times \boxed{}}{8 \times \boxed{}} - \frac{3 \times \boxed{}}{10 \times \boxed{}}$$
$$= \frac{\boxed{}}{40} - \frac{\boxed{}}{40} = \boxed{}$$

3 보기와 같이 계산해 보세요.

> 보기
> $$\frac{3}{4} - \frac{1}{3} = \frac{9}{12} - \frac{4}{12} = \frac{5}{12}$$

$$\frac{9}{10} - \frac{4}{7}$$

4 계산 결과를 비교하여 ○ 안에 >, =, <를 알맞게 써넣으세요.

$$\frac{13}{18} - \frac{1}{6} \bigcirc \frac{17}{18} - \frac{5}{12}$$

5 같은 양의 물이 담긴 두 비커에 소금의 양을 다르게 하여 소금물을 만들었습니다. ㉮ 비커에는 소금을 $\frac{5}{9}$컵 넣었고, ㉯ 비커에는 ㉮ 비커보다 $\frac{4}{15}$컵 적게 소금을 넣었습니다. ㉯ 비커에 넣은 소금의 양은 몇 컵인지 구하세요.

(   )

6 동우와 수현이는 색종이를 연결하여 끈을 만들었습니다. 만든 끈의 길이가 다음과 같을 때, 수현이는 동우보다 끈을 몇 m 더 길게 만들었는지 구하세요.

| 동우 | $\frac{5}{14}$ m |
| 수현 | $\frac{13}{21}$ m |

(   )

미리 보는 수학 익힘 — 받아내림이 없는 대분수의 뺄셈

● 정답 52쪽

1 분수만큼 색칠하고 □ 안에 알맞은 수를 써넣어 $2\frac{2}{3} - 1\frac{1}{2}$ 을 계산해 보세요.

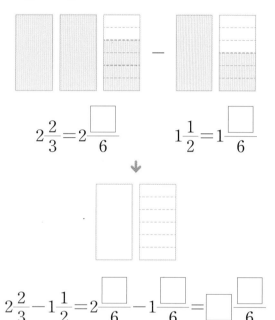

$$2\frac{2}{3} = 2\frac{\square}{6} \qquad 1\frac{1}{2} = 1\frac{\square}{6}$$

$$2\frac{2}{3} - 1\frac{1}{2} = 2\frac{\square}{6} - 1\frac{\square}{6} = \square\frac{\square}{6}$$

2 □ 안에 알맞은 수를 써넣으세요.

$$3\frac{4}{5} - 2\frac{1}{4} = 3\frac{\square}{20} - 2\frac{\square}{20} = \square\frac{\square}{20}$$

3 보기와 같이 계산해 보세요.

보기
$$4\frac{5}{6} - 1\frac{3}{4} = \frac{29}{6} - \frac{7}{4} = \frac{58}{12} - \frac{21}{12}$$
$$= \frac{37}{12} = 3\frac{1}{12}$$

$$5\frac{7}{9} - 2\frac{5}{12}$$

4 $6\frac{3}{4} - 2\frac{2}{7}$ 를 두 가지 방법으로 계산해 보세요.

방법1 자연수끼리, 분수끼리 계산하기

$$6\frac{3}{4} - 2\frac{2}{7}$$

방법2 대분수를 가분수로 고쳐서 계산하기

$$6\frac{3}{4} - 2\frac{2}{7}$$

5 문에 페인트를 칠하는 데 필요한 페인트는 $3\frac{7}{15}$ L입니다. 현재 민수가 가지고 있는 페인트는 $1\frac{3}{10}$ L입니다. 문에 페인트를 칠하려면 페인트가 몇 L 더 필요한지 구하세요.

( )

6 교실 꾸미기를 하고 있습니다. 민준이는 색종이를 $6\frac{5}{7}$ 장 사용했고, 연수는 $4\frac{9}{14}$ 장 사용했습니다. 민준이와 연수 중 누가 색종이를 몇 장 더 많이 사용했는지 구하세요.

( ), ( )

미리 보는 수학 익힘

받아내림이 있는 대분수의 뺄셈

진도북 108쪽

● 정답 53쪽

1 분수만큼 색칠하고 □ 안에 알맞은 수를 써넣어 $2\frac{1}{2} - 1\frac{3}{4}$ 을 계산해 보세요.

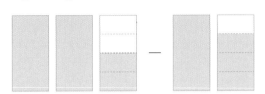

$$2\frac{1}{2} = 2\frac{\square}{4} \qquad 1\frac{3}{4}$$

$$2\frac{1}{2} - 1\frac{3}{4} = 2\frac{\square}{4} - 1\frac{\square}{4}$$

$$= 1\frac{\square}{4} - 1\frac{\square}{4} = \frac{\square}{4}$$

2 □ 안에 알맞은 수를 써넣으세요.

$$4\frac{1}{5} - 2\frac{2}{3} = \frac{\square}{5} - \frac{\square}{3}$$

$$= \frac{\square}{15} - \frac{\square}{15}$$

$$= \frac{\square}{15} = \square\frac{\square}{15}$$

3 계산해 보세요.

(1) $3\frac{1}{5} - 1\frac{3}{8}$

(2) $5\frac{1}{12} - 2\frac{5}{18}$

4 $3\frac{2}{3} - 1\frac{5}{6}$ 를 보기와 같이 계산해 보세요.

보기

방법1 $3\frac{1}{2} - 1\frac{5}{8} = 3\frac{4}{8} - 1\frac{5}{8}$

$= 2\frac{12}{8} - 1\frac{5}{8} = 1\frac{7}{8}$

방법2 $3\frac{1}{2} - 1\frac{5}{8} = \frac{7}{2} - \frac{13}{8} = \frac{28}{8} - \frac{13}{8}$

$= \frac{15}{8} = 1\frac{7}{8}$

방법1 $3\frac{2}{3} - 1\frac{5}{6}$

방법2 $3\frac{2}{3} - 1\frac{5}{6}$

5 ㉠에 들어갈 수를 구하세요.

$$\boxed{㉠} \xrightarrow{+2\frac{11}{12}} \boxed{4\frac{5}{21}}$$

( )

6 준영이가 케이크를 만들기 위해 그릇에 밀가루를 $5\frac{4}{9}$ 컵 담았다가 $2\frac{5}{6}$ 컵을 덜어 냈습니다. 그릇에 담긴 밀가루의 양은 몇 컵인지 구하세요.

( )

미리 보는 수학 익힘 　정다각형의 둘레

진도북 138쪽

● 정답 53쪽

1 태민이와 준호가 정오각형의 둘레를 구하고 있습니다. □ 안에 알맞은 수를 써넣으세요.

7 cm

태민

정오각형의 변의 길이를 모두 더하면
$7 + \square + \square + \square + \square$
이니까 둘레는 35 cm야.

정다각형의 둘레를 구하는 방법은
(한 변의 길이) × (변의 수)이니까
$7 \times \square = 35 \text{ (cm)}$야.

준호

2 정다각형의 둘레를 구하세요.

(1)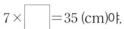

11 cm 　　□ cm

(2) 5 cm

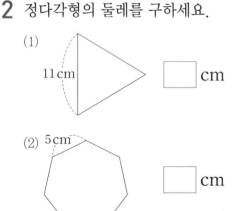

□ cm

3 한 변의 길이가 12 m인 정사각형 모양의 레슬링 경기장이 있습니다. 레슬링 경기장의 둘레는 몇 m인지 구하세요.

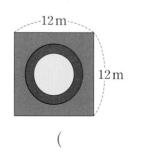

12 m

12 m

(　　　　　　)

4 두 정다각형의 둘레가 각각 48 cm일 때 한 변의 길이를 구하세요.

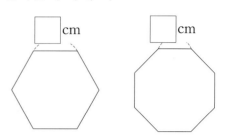

□ cm 　　　 □ cm

[5~6] 둘레가 16 cm인 정사각형을 그리려고 합니다. 물음에 답하세요.

5 정사각형의 한 변의 길이는 몇 cm인가요?

(　　　　　　)

6 둘레가 16 cm인 정사각형을 그려 보세요.

1 cm

1 cm

미리 보는 수학 익힘　　사각형의 둘레

진도북 138쪽

● 정답 53쪽

1 진우가 직사각형의 둘레를 구하고 있습니다. □ 안에 알맞은 수를 써넣으세요.

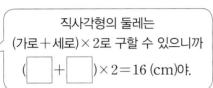

직사각형의 둘레는
(가로＋세로)×2로 구할 수 있으니까
(□＋□)×2＝16 (cm)야.

진우

2 평행사변형의 둘레를 구하세요.

(1) 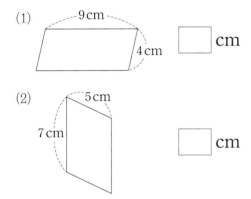 □ cm

(2) □ cm

3 마름모의 둘레를 구하세요.

(1) 9cm 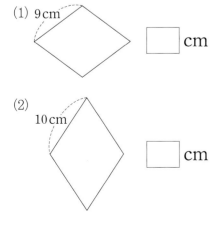 □ cm

(2) 10cm □ cm

4 직사각형 모양 카드의 둘레는 몇 cm인지 자로 재어 구하세요.

(　　　　　　　)

수학 익힘

6
단원

5 직사각형의 둘레가 46 cm일 때, □ 안에 알맞은 수를 써넣으세요.

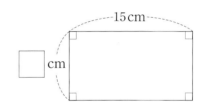

6 주어진 선분을 한 변으로 하는 둘레가 각각 12 cm인 직사각형 2개를 완성해 보세요.

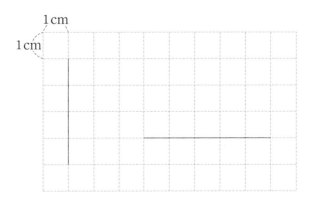

미리 보는 수학 익힘 $1 \, cm^2$

진도북 139쪽

●정답 54쪽

1 주어진 넓이를 쓰고 읽어 보세요.

(1) $2 \, cm^2$

쓰기
$$2 \, cm^2$$

읽기

(2) $7 \, cm^2$

쓰기
$$7 \, cm^2$$

읽기

2 넓이가 $6 \, cm^2$인 것을 모두 찾아 ○표 하세요.

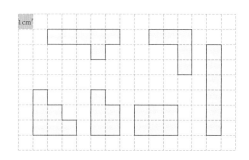

3 □ 안에 알맞은 수를 써넣으세요.

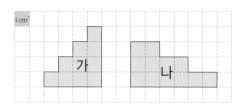

도형 나는 도형 가보다 넓이가 □ cm^2 더 넓습니다.

[4~5] 조각 맞추기 놀이를 하고 있습니다. 물음에 답하세요.

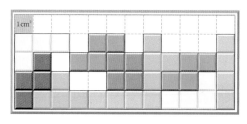

4 ▭▭▭ 으로 채워진 부분의 넓이는 모두 몇 cm^2인가요?

(   )

5 ▭ 모양 조각이 차지하는 부분의 넓이는 몇 cm^2 인가요?

(   )

6 도형의 넓이를 $1 \, cm^2$씩 늘리며 규칙에 따라 그리려고 합니다. 빈칸에 알맞은 도형을 그려 보세요.

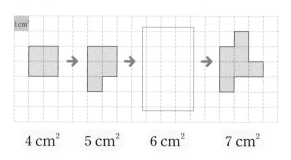

$4 \, cm^2$ $5 \, cm^2$ $6 \, cm^2$ $7 \, cm^2$

미리 보는 수학 익힘   직사각형의 넓이

진도북 139쪽

●정답 54쪽

1 그림을 보고 □ 안에 알맞은 수를 써넣으세요.

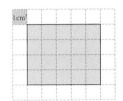

(1) 1cm²가 직사각형의 가로와 세로에 각각 몇 개씩 있나요?

가로 □ 개, 세로 □ 개

(2) 직사각형의 넓이는 몇 cm²인가요?

□ × □ = □ (cm²)

2 직사각형의 넓이를 구하세요.

(1)
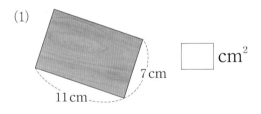
□ cm²

7 cm
11 cm

(2)
6 cm   6 cm
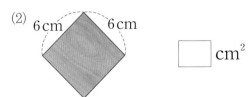
□ cm²

3 세진이가 새로 산 계산기 윗면은 가로가 9 cm, 세로가 15 cm인 직사각형 모양입니다. 이 계산기는 윗면의 넓이가 몇 cm²인가요?

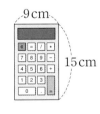

9 cm
15 cm

식

답

[4~5] 직사각형을 보고 물음에 답하세요.

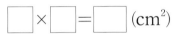

1cm²   첫째   둘째   셋째

4 표를 완성해 보세요.

직사각형	첫째	둘째	셋째
가로 (cm)	3		
세로 (cm)	2		
넓이 (cm²)			

수학 익힘
6 단원

5 위와 같은 규칙에 따라 직사각형을 계속 그렸을 때 옳은 문장에 모두 ○표 하세요.

가로가 계속 같은 직사각형을 그리게 됩니다.

세로가 1 cm만큼 커지면 넓이는 3 cm² 만큼 커집니다.

다섯째 직사각형의 넓이는 21 cm²입니다.

6 태민이가 직사각형의 넓이를 구하고 있습니다. 태민이의 풀이에서 잘못된 곳을 찾아 밑줄을 긋고 바르게 고쳐 보세요.

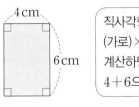

4 cm
6 cm

직사각형의 넓이는 (가로)×(세로)를 계산하면 되니까 4+6으로 구하면 돼.

태민

(   )

미리 보는 수학 익힘   1 cm²보다 더 큰 넓이의 단위

진도북 140쪽

● 정답 55쪽

1 주어진 넓이를 쓰고 읽어 보세요.

(1)   2 m²

쓰기

읽기

(2)   5 km²

쓰기

읽기

2 □ 안에 알맞은 수를 써넣으세요.

(1) 6 m² = □ cm²

(2) 70000 cm² = □ m²

(3) 3000000 m² = □ km²

(4) 12 km² = □ m²

3 1 km²가 몇 번 들어가는지 □ 안에 알맞은 수를 써넣으세요.

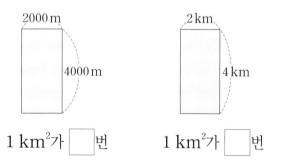

1 km²가 □ 번   1 km²가 □ 번

4 직사각형의 넓이를 구하세요.

(1)

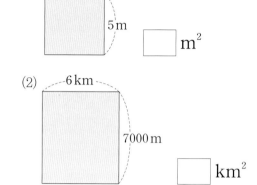

500 cm / 5 m

□ m²

(2)

6 km / 7000 m

□ km²

5 두 넓이의 크기를 비교하여 ○ 안에 >, =, <를 알맞게 써넣으세요.

1000000 m² ○ 10 km²

6 가로가 500 cm, 세로가 400 cm인 직사각형 모양의 광고판이 있습니다. 광고판의 넓이는 몇 m²인지 구하세요.

( )

7 보기 에서 알맞은 단위를 골라 □ 안에 써넣으세요.

보기

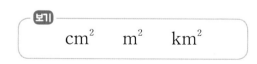

cm²   m²   km²

(1) 거제도의 넓이는 약 380 □ 입니다.

(2) 배구 경기장의 넓이는 720 □ 입니다.

미리 보는 수학 익힘 평행사변형의 넓이

진도북 140쪽

● 정답 55쪽

1 평행사변형의 넓이를 구하세요.

(1)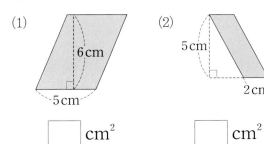

(2)

□ cm²   □ cm²

2 평행사변형의 넓이를 구하는 데 필요한 길이에 모두 ○표 하고 넓이를 구하세요.

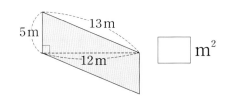

□ m²

3 밑변의 길이가 3 cm인 평행사변형의 넓이가 높이에 따라 달라지는 것을 알아보았습니다. 물음에 답하세요.

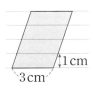

(1) 표를 완성해 보세요.

밑변의 길이(cm)	3	3	3	3
높이(cm)	1	2		
넓이(cm²)				

(2) 높이가 7 cm일 때 평행사변형의 넓이는 몇 cm²인가요?

(   )

4 □ 안에 알맞은 수를 써넣으세요.

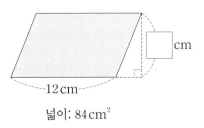

넓이: 84 cm²

5 평행사변형을 보고 알맞은 말을 써넣으세요.

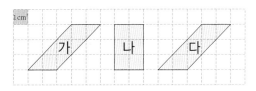

평행사변형 가, 나, 다의 넓이가 모두 같습니다. 왜냐하면 평행사변형의 _____

_____

6 주어진 평행사변형과 넓이가 같은 평행사변형을 다른 모양으로 1개 그려 보세요.

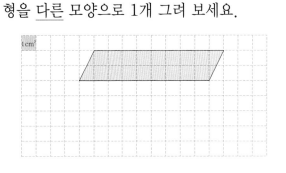

미리 보는 수학 익힘 　삼각형의 넓이

진도북 141쪽

● 정답 55쪽

1 삼각형의 넓이를 구하세요.

(1)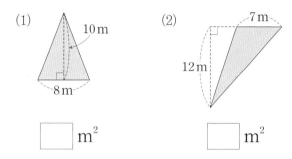

$\boxed{}$ m²

(2)

$\boxed{}$ m²

2 밑변의 길이와 높이를 자로 재어 삼각형의 넓이를 구하세요.

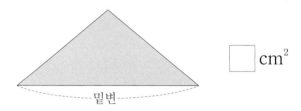

$\boxed{}$ cm²

3 지후와 성민이가 그림을 보면서 삼각형의 넓이를 구하는 과정을 이야기하고 있습니다. 지후의 말이 바르게 되도록 알맞은 말에 ○표 하세요.

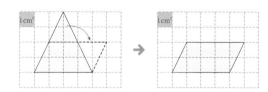

> 지후: 그림과 같이 작은 삼각형을 옮기면 (마름모 , 평행사변형)이 만들어져.
>
> 성민: 두 도형의 밑변은 길이가 같아.
>
> 지후: 평행사변형의 (밑변 , 높이)는 삼각형의 (밑변 , 높이)의 반이야.
>
> 성민: 그래서 삼각형의 넓이는 (밑변의 길이) × (높이) ÷ 2로 구해.

4 □ 안에 알맞은 수를 써넣으세요.

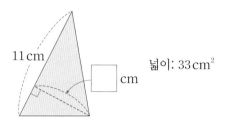

넓이: 33 cm²

5 삼각형을 보고 물음에 답하세요.

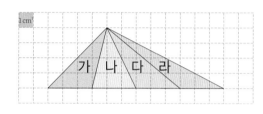

(1) 표를 완성해 보세요.

삼각형	가	나	다	라
밑변의 길이 (cm)	3	3		
높이 (cm)	4			4
넓이 (cm²)				

(2) 위의 결과를 보고 알 수 있는 사실을 □ 안에 알맞은 말을 써넣어 완성해 보세요.

> 삼각형 가, 나, 다, 라는 밑변의 길이와 $\boxed{}$ 이/가 모두 같으므로 $\boxed{}$ 이/가 모두 같습니다.

6 넓이가 9 cm²인 삼각형을 그려 보세요.

미리 보는 수학 익힘   마름모의 넓이

진도북 141쪽

● 정답 56쪽

1 마름모의 대각선을 모두 표시해 보세요.

(1) 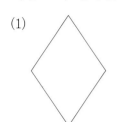   (2)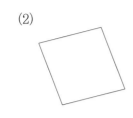

2 마름모의 넓이를 구하는 과정입니다. 보기에서 알맞은 수나 말을 골라 □ 안에 써넣으세요.

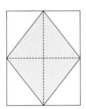

보기
| 2   3   한 대각선 |
| 높이   직사각형   삼각형 |

마름모의 넓이

= 직사각형의 넓이 ÷ □

= 가로 × 세로 ÷ □

= □ 의 길이

　× 다른 대각선의 길이 ÷ □

3 마름모의 넓이를 구하세요.

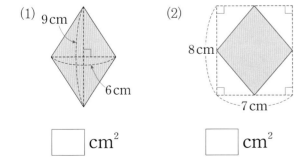

(1) 9 cm, 6 cm

(2) 8 cm, 7 cm

□ cm²   □ cm²

4 □ 안에 알맞은 수를 써넣으세요.

(1)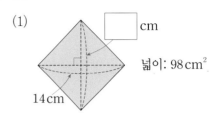

□ cm

14 cm

넓이: 98 cm²

(2)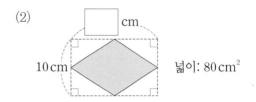

□ cm

10 cm

넓이: 80 cm²

5 주어진 마름모와 넓이가 같은 마름모를 다른 모양으로 1개 그려 보세요.

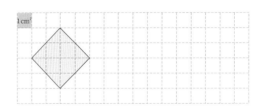

1 cm²

6 지형이가 가지고 있는 손수건은 한 대각선의 길이가 60 cm이고, 다른 대각선의 길이는 50 cm인 마름모 모양입니다. 손수건의 넓이는 몇 cm²인가요?

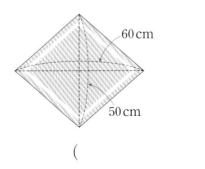

60 cm

50 cm

(　　　　　　　　)

수학 익힘

6
단원

미리 보는 수학 익힘 사다리꼴의 넓이

● 정답 56쪽

1 사다리꼴의 넓이를 구하세요.

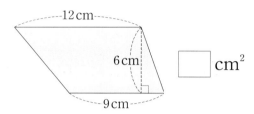

$\boxed{}$ cm²

2 사다리꼴 모양의 화단의 넓이를 구하는 방법을 이야기하고 있습니다. 바르게 말한 친구는 누구인가요?

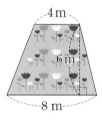

> 지윤: 밑변의 길이가 8 m, 높이가 6 m이니까 넓이는 8×6으로 구하면 돼.
> 민준: 삼각형 2개로 나누어서 하나는 4×6, 나머지 하나는 8×6으로 구해.
> 재영: 윗변의 길이와 아랫변의 길이의 합은 12 m, 높이가 6 m이니까 넓이는 12×6÷2로 구하면 돼.

(   )

3 윗변의 길이, 아랫변의 길이, 높이를 자로 재어 사다리꼴의 넓이를 구하세요.

$\boxed{}$ cm²

4 □ 안에 알맞은 수를 써넣으세요.

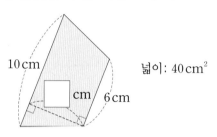

넓이: 40 cm²

5 사다리꼴의 넓이를 구하는 과정입니다. 물음에 답하세요.

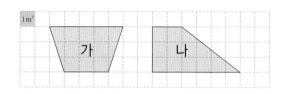

(1) 표를 완성해 보세요.

사다리꼴	가	나
(윗변의 길이)+(아랫변의 길이)(m)	8	
높이(m)		
넓이(m²)		

(2) 그림과 표를 보고 알 수 있는 알맞은 문장에 ○표 하세요.

> 사다리꼴 가, 나의 윗변의 길이와 아랫변의 길이는 모두 같습니다.

> 윗변의 길이와 아랫변의 길이의 합과 높이가 같은 사다리꼴의 넓이는 모두 같습니다.

6 주어진 사다리꼴과 넓이가 같은 사다리꼴을 <u>다른</u> 모양으로 1개 그려 보세요.

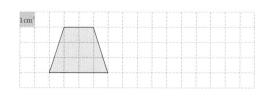

독해의 핵심은 비문학

독해의 핵심은 비문학

지문 분석으로 독해를 깊이 있게!

비문학 독해 | 1~6단계

올바른 문학 독서법

문학 갈래별 작품 이해를 풍성하게!

문학 독해 | 1~6단계

결국은 어휘력

비문학 독해로 어휘 이해부터 어휘 확장까지!

어휘 X 독해 | 1~6단계

초등 문해력의 빠른시작 **빠 작**

큐브
수학
개념

엄마 매니저의
큐브수학

STORY

🔍 초등수학 문제집 추천 ▼

개념

닉네임
사*

3년째 큐브수학 개념으로 엄마표 수학 완성!

4학년부터 개념은 큐브수학으로 시작했는데요. 설명이 쉽게 되어 있어서 접근하기가 좋더라고요. 기초개념만 제대로 잡히면 그다음 단계로 올라가는 건 어렵지 않아요. 처음부터 너무 어려우면 부담스러워 피하기도 하는데 아이가 쉽게 잘 풀어나가는게 효과가 아주 좋았어요. **기초 잡기에는 큐브수학 개념이 제일 만족스러웠어요.**

닉네임
그**

쉽고 재미있게 개념도 탄탄하게!

큐브수학 개념을 계속해서 선택한 이유는 **기초 수학을 체계적으로 풀어가면서 수학 실력을 쌓을 수 있기 때문이에요.** 무료 스마트러닝 개념 동영상 강의도 쉽고 재미나서 혼자서도 충실하게 잘 듣더리고요! 수학 익힘 문제, 더 확장된 문제들까지 다양하게 풀어 볼 수 있어서 좋았어요. 큐브수학만큼 만족도가 큰 문제집은 없는 것 같네요.

닉네임
매****

무료 동영상 강의로 빈틈 없는 홈스쿨링

엄마표 수학을 진행하고 있기 때문에 아이가 잘 따라올 수 있는 수준의 문제집을 고르려고 해요. **특히 홈스쿨링으로 예습을 할 때 가장 좋은 건 동영상 강의예요.** QR코드를 찍으면 바로 동영상을 볼 수 있고, 선생님이 제가 알려주는 것보다 더 알기 쉽게 알려주세요. 부족한 학습은 동영상을 통해 채워줄 수 있어서 정말 좋아요. 혼자서도 언제 어느 때나 강의를 들을 수 있다는 점이 최고!

큐브
수학
개념
정답 및 풀이

5·1

정답 및 풀이

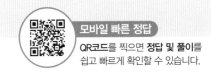

진도북 정답 및 풀이

1 자연수의 혼합 계산

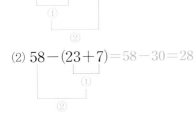

009쪽 STEP1 교과서 개념 잡기

1 (1) 8, 15 (2) 15, 20 (3) 8, 5, 20
2 (1) $61+17-34=78-34=44$

(2) $58-(23+7)=58-30=28$

3 (1) 12 (2) 17
4 33, 9 / 다릅니다에 ○표

2 덧셈과 뺄셈이 섞여 있는 식은 앞에서부터 차례로 계산하고, ( )가 있으면 ( ) 안을 먼저 계산합니다.

3 (1) $31+10-29=41-29=12$

(2) $42-(7+18)=42-25=17$

4 • $25-4+12=21+12=33$
　 • $25-(4+12)=25-16=9$

011쪽 STEP1 교과서 개념 잡기

1 (1) 5, 100 (2) 100, 25 (3) 5, 4, 25
2 3, 45
3 (1) $36\times2\div9=72\div9=8$

(2) $60\div(5\times4)=60\div20=3$

4 (1) 18 (2) 6

2 15가 공통이므로 아래 식에서 15의 자리에 $60\div4$를 넣어 하나의 식으로 나타냅니다.
→ $60\div4=15$, $15\times3=45$ → $60\div4\times3=45$

3 곱셈과 나눗셈이 섞여 있는 식은 앞에서부터 차례로 계산하고, ( )가 있으면 ( ) 안을 먼저 계산합니다.

4 (1) $9\times12\div6=108\div6=18$

(2) $72\div(4\times3)=72\div12=6$

012쪽 STEP2 개념 한번더 잡기

01 9, 7, 14
02 (1) $53+26$에 ○표 (2) $19+17$에 ○표
03 (1) 28, 41 (2) 22, 18
04 (1) $28+12-10=40-10=30$

(2) $30+(16-9)=30+7=37$

05 (1) 35 (2) 41 (3) 7
06 =　　　　　**07** 8, 3, 9
08 $54\div9\times7=42$
09 (계산 순서대로) (1) 6, 54, 54 (2) 24, 5, 5
10 (1) $18\times2\div9=36\div9=4$

(2) $3\times(72\div4)=3\times18=54$

11 (1) 18 (2) 6 (3) 3
12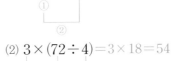

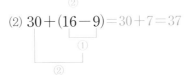

1. 자연수의 혼합 계산 **01**

01 $12+9-7=21-7=14$(명)

02 (1) 덧셈과 뺄셈이 섞여 있으므로 앞에 있는 덧셈을 먼저 계산합니다.
(2) ( )가 있으므로 ( ) 안의 덧셈을 먼저 계산합니다.

03 (1) 덧셈과 뺄셈이 섞여 있으므로 앞에 있는 뺄셈을 먼저 계산합니다.
(2) ( )가 있으므로 ( ) 안의 덧셈을 먼저 계산합니다.

04 (1) 덧셈과 뺄셈이 섞여 있으므로 앞에 있는 덧셈을 먼저 계산합니다.
(2) ( )가 있으므로 ( ) 안의 뺄셈을 먼저 계산합니다.

05 (1) $37+10-12=47-12=35$
(2) $56-24+9=32+9=41$
(3) $28-(13+8)=28-21=7$

06 • $38+23-14=61-14=47$
• $38+(23-14)=38+9=47$

코칭Tip 두 식의 계산 순서가 달라도 계산 결과가 같을 수 있으므로 ( )가 있을 때와 없을 때 계산 결과가 항상 다르다고 생각하지 않도록 주의합니다.

07 $24÷8×3=3×3=9$(봉지)

08 6이 공통이므로 아래 식에서 6의 자리에 $54÷9$를 넣어 하나의 식으로 나타냅니다.
→ $54÷9=6$, $6×7=42$ → $54÷9×7=42$

09 (1) 곱셈과 나눗셈이 섞여 있으므로 앞에 있는 나눗셈을 먼저 계산합니다.
(2) ( )가 있으므로 ( ) 안의 곱셈을 먼저 계산합니다.

10 (1) 곱셈과 나눗셈이 섞여 있으므로 앞에 있는 곱셈을 먼저 계산합니다.
(2) ( )가 있으므로 ( ) 안의 나눗셈을 먼저 계산합니다.

11 (1) $12÷6×9=2×9=18$
(2) $21×4÷14=84÷14=6$
(3) $45÷(3×5)=45÷15=3$

12 (1) $96÷3×2=32×2=64$
(2) $96÷(3×2)=96÷6=16$

015쪽 STEP 1 교과서 개념 잡기

1 (1) 24 (2) 24, 48 (3) 48, 12
(4) 13, 11, 2, 12
2 (1) $40÷5$에 ○표 (2) $17-10$에 ○표
3 (1) 24 / 43, 12 / 31 (2) 27 / 35, 3 / 38

1 (4) $60-(13+11)×2=60-24×2$
$=60-48$
$=12$(개)

2 (1) 덧셈, 뺄셈, 나눗셈이 섞여 있으므로 나눗셈을 가장 먼저 계산합니다.
(2) ( )가 있으므로 ( ) 안의 뺄셈을 가장 먼저 계산합니다.

3 (1) $19+4×6-12=31$
24
43
31

(2) $35+(43-16)\div 9=38$

$$27$$
$$3$$
$$38$$

017쪽 **STEP 1 교과서 개념 잡기**

1 (1) 7, 120 (2) 25, 2, 68 (3) 7, 25, 2, 52
2 ⓛ, ㉠, ㉢
3 7 / 35 / 41, 35 / 6

1 (3) $840\div 7-(9+25)\times 2=840\div 7-34\times 2$
$$=120-34\times 2$$
$$=120-68$$
$$=52(장)$$

2 덧셈, 뺄셈, 곱셈, 나눗셈이 섞여 있는 식은 곱셈과
나눗셈을 앞에서부터 차례로 계산한 후, 덧셈과 뺄셈
을 앞에서부터 차례로 계산합니다.

3 $18+23-77\div 11\times 5=6$
$$41$$
$$7$$
$$35$$
$$6$$

018쪽 **STEP 2 개념 한번 더 잡기**

01 10, 3, 27, 12
02 ⓛ
03 $52-3\times(10+3)=52-3\times 13$
$$=52-39$$
$$=13$$
04 3, 2000, 900
05 (○)
    (   )
06 13   **07** 15, 7, 4, 14
08 원호   **09** 3, 1, 2, 4
10 (계산 순서대로) 48, 7, 22, 29, 29

11 $14+82\div(9-7)\times 3=14+82\div 2\times 3$
$$=14+41\times 3$$
$$=14+123$$
$$=137$$

12 70, 24 / 다릅니다에 ○표

01 $9+10\times 3-27=9+30-27$
$$=39-27$$
$$=12(권)$$

02 덧셈, 뺄셈, 곱셈이 섞여 있는 식은 곱셈을 가장 먼
저 계산합니다.

04 $3500-(1800\div 3+2000)=3500-(600+2000)$
$$=3500-2600$$
$$=900(원)$$

05 덧셈, 뺄셈, 나눗셈이 섞여 있으므로 나눗셈을 먼저
계산한 후, 앞에서부터 뺄셈, 덧셈 순서로 계산합니다.

06 $21-(12+20)\div 4=21-32\div 4$
$$=21-8$$
$$=13$$

07 $30-(15+13)\div 7\times 4=30-28\div 7\times 4$
$$=30-4\times 4$$
$$=30-16$$
$$=14(장)$$

08 (   )가 있으므로 (   ) 안을 가장 먼저 계산합니다.

09 덧셈, 뺄셈, 곱셈, 나눗셈이 섞여 있는 식은 곱셈과
나눗셈을 덧셈과 뺄셈보다 먼저 계산하고, 곱셈과 나
눗셈, 덧셈과 뺄셈은 각각 앞에서부터 차례로 계산합
니다.

10 덧셈, 뺄셈, 곱셈, 나눗셈이 섞여 있는 식은 곱셈과
나눗셈을 앞에서부터 차례로 계산한 후, 덧셈과 뺄셈
을 앞에서부터 차례로 계산합니다.

12 • $60-42\div3+4\times6=60-14+24=70$

• $60-42\div(3+4)\times6=60-42\div7\times6$
$=60-36=24$

코칭Tip 두 식의 계산 순서가 다르므로 두 식의 계산 결과는 서로 다릅니다.

020쪽 STEP3 수학 익힘 문제잡기

01 ( )
(○)
( )

02 $21-5+7=23$ / 23명

03 $7000-(3000+3500)=500$ / 500원

04 ㉠

05 $12\times5\div4=15$ / 15개

06 ⑴ $64\div8\times2=16$ ⑵ $64\div(8\times2)=4$

07 ㉠

08 $(12+5)\times3-4=47$ / 47살

09 580번

10 $10\div2$에 ○표
/ $62-(17+35)\div2=62-52\div2$
$=62-26$
$=36$

11 $15\div3+12\div4=8$ / 8모둠

12 5, 6, 7, 8, 9

13 ②

14 72

15 $10000-(500\times3+1200+9000\div2)$
$=2800$ / 2800원

16 $13+45\div(5\times3)-8=8$

17 ⑴ 작게에 ○표 ⑵ 3, 5, 8 또는 5, 3, 8
⑶ 16

---

01 덧셈과 뺄셈이 섞여 있는 식은 앞에서부터 차례로 계산하고, ( )가 있으면 ( ) 안을 먼저 계산합니다.

02 (지금 버스 안에 있는 사람 수)
=(처음 버스에 타고 있던 사람 수)
－(내린 사람 수)＋(탄 사람 수)
$=21-5+7$
$=16+7=23$(명)

---

03 (재호가 먹은 음식 가격)－(민주가 먹은 음식 가격)
=(돈가스의 가격)－(김밥과 라면의 가격)
$=7000-(3000+3500)$
$=7000-6500=500$(원)

04 ㉠ $11\times(8\div2)=11\times4=44$
$11\times8\div2=88\div2=44$
㉡ $48\div(6\times4)=48\div24=2$
$48\div6\times4=8\times4=32$
따라서 ( )가 없어도 계산 결과가 같은 것은 ㉠입니다.

05 (한 상자에 들어 있는 머핀의 수)
=(구운 머핀의 수)÷(상자의 수)
$=12\times5\div4$
$=60\div4=15$(개)

06 ⑴ $64\div8\times2=8\times2=16$
⑵ 64를 8과 2의 곱으로 나누어야 하므로 ( )를 사용합니다.
➜ $64\div(8\times2)=64\div16=4$

07 ㉠ $45-3\times5+8=45-15+8$
$=30+8=38$
㉡ $45-3\times(5+8)=45-3\times13$
$=45-39=6$
➜ 38＞6이므로 계산 결과가 더 큰 것은 ㉠입니다.

08 (아버지의 나이)=(오빠의 나이)$\times3-4$
$=(12+5)\times3-4$
$=17\times3-4$
$=51-4=47$(살)

09 (준서가 줄넘기를 한 횟수)
＋(연우가 줄넘기를 한 횟수)
$=7\times40+(7-2)\times60$
$=7\times40+5\times60$
$=280+300=580$(번)

10 $62-(17+35)\div2=62-52\div2$
$=62-26$
$=36$

11 (남학생 모둠의 수)＋(여학생 모둠의 수)
$=15\div3+12\div4$
$=5+3=8$(모둠)

12 ・$(40-16)\div 8+5=24\div 8+5$
$=3+5=8$

　・$24\div 6+\square=4+\square$

　→ $8<4+\square$이므로 $\square$ 안에 들어갈 수 있는 수는
　5, 6, 7, 8, 9입니다.

13 ① $21+8\times 2-17$
② $(10-4)\div 3+6$

③ $37+16-4\times 6\div 8$
④ $9\times(7-2)+25\div 5$

⑤ $42\div(24-17)\times 5+11$

14 $12\times 7+\square\div 4=102$, $84+\square\div 4=102$,
$\square\div 4=102-84=18$, $\square=18\times 4=72$

15 (남는 돈)
$=$(낸 돈)$-$(연필, 색연필, 볼펜 3자루씩의 값)
$=10000-(500\times 3+1200+9000\div 2)$
$=10000-(1500+1200+4500)$
$=10000-7200=2800$(원)

16 $13+45\div(5\times 3)-8=13+45\div 15-8$
$=13+3-8$
$=16-8=8$

코칭Tip　・$(13+45)\div 5\times 3-8=58\div 5\times 3-8$ (×)
└→나누어떨어지지 않습니다.

　・$13+(45\div 5)\times 3-8=13+9\times 3-8$
$=13+27-8$
$=40-8=32$ (×)

　・$13+45\div 5\times(3-8)$ (×)
└→3에서 8을 뺄 수 없습니다.

17 (1) 나누는 수가 작을수록 몫이 커집니다.
(2) 3, 5, 8로 만들 수 있는 가장 작은 곱은
$3\times 5=15$ 또는 $5\times 3=15$입니다.
(3) $120\div(3\times 5)+8=120\div 15+8$
$=8+8=16$

---

1 ❶ 8, 40
　❷ 8, 40, 5 / 5시간

2 ❶ 상자 하나에 담을 수 있는 도넛의 수 구하기 ▶ 2점
　❷ 도넛 72개를 모두 담는 데 필요한 상자의 수 구하기 ▶ 3점

　❶ 상자 하나에 담을 수 있는 도넛의 수는
　$6\times 3=18$(개)입니다.
　❷ 도넛 72개를 모두 담으려면 상자는
　$72\div(6\times 3)=72\div 18=4$(개)가 필요합니다.
　/ 4개

3 곱셈, 뺄셈, 덧셈 / 8, 5, 2, 5, 7

4 ❶ 규형이의 풀이가 잘못된 이유 쓰기 ▶ 3점
　❷ 바르게 계산하기 ▶ 2점

　❶ 덧셈, 뺄셈, 나눗셈이 섞여 있고 ( )가 있는
　식이므로 ( ) 안을 먼저 계산한 다음 나눗셈, 덧셈
　순서로 계산해야 하는데 계산 순서가 잘못되었습니다.
　❷ $12+(25-7)\div 6=12+18\div 6$
$=12+3=15$

---

01 30, 300
02 3, 9, 48
03 48
04 19+11에 ○표
05 ㉢, ㉣, ㉠, ㉡
06 $23+56\div 7-6\times 4=23+8-6\times 4$
$=23+8-24$
$=31-24$
$=7$
07 $86-10\times(5+3)\div 4=86-10\times 8\div 4$
$=86-80\div 4$
$=86-20$
$=66$
08 $>$
09 25, 17, 47
10 ㉡
11 원호

12 $44+(20-8)\div4=44+12\div4$
$\qquad\qquad\qquad\qquad\quad=44+3$
$\qquad\qquad\qquad\qquad\quad=47$

13 4

14 $12\times3-4\times7=8$ / 8자루

15 4

16 $10000-(6000+4500\div3)=2500$ / 2500원

17 3 kg　　　　　**18** $50-9\times(2+3)=5$

※서술형 문제의 예시 답안입니다.

서술형

19 ❶ 민교네 반 학생 수 구하기 ▶ 2점
　　❷ 한 사람에게 나누어 주는 빵의 수 구하기 ▶ 3점

　　❶ 민교네 반 학생은 $9\times3=27$(명)입니다.
　　❷ 한 사람에게 나누어 주는 빵은
　　$81\div(9\times3)=81\div27=3$(개)씩입니다.
　　/ 3개

20 ❶ 유미의 풀이가 잘못된 이유 쓰기 ▶ 3점
　　❷ 바르게 계산하기 ▶ 2점

　　❶ ( ) 안을 먼저 계산한 다음 곱셈, 나눗셈, 덧셈 순서로 계산해야 하는데 계산 순서가 잘못되었습니다.
　　❷ $8+4\times(24-9)\div3=8+4\times15\div3$
　　$\qquad\qquad\qquad\qquad\qquad\quad=8+60\div3$
　　$\qquad\qquad\qquad\qquad\qquad\quad=8+20=28$

01 곱셈과 나눗셈이 섞여 있으므로 앞에 있는 나눗셈을 먼저 계산합니다.

02 ( ) 안을 가장 먼저 계산한 후, 나눗셈, 덧셈 순서로 계산합니다.

03 $95-(30+17)=95-47=48$

04 ( ) 안의 덧셈, 나눗셈, 뺄셈 순서로 계산합니다.

05 덧셈, 뺄셈, 곱셈, 나눗셈이 섞여 있는 식은 곱셈과 나눗셈을 앞에서부터 차례로 계산한 후, 덧셈과 뺄셈을 앞에서부터 차례로 계산합니다.

06 나눗셈이 곱셈보다, 덧셈이 뺄셈보다 앞에 있으므로 나눗셈 → 곱셈 → 덧셈 → 뺄셈 순서로 계산합니다.

07 ( )가 있고, 곱셈이 나눗셈보다 앞에 있으므로 덧셈 → 곱셈 → 나눗셈 → 뺄셈 순서로 계산합니다.

08 • $(4+11)\times3-9=15\times3-9=45-9=36$
　　• $4+11\times3-9=4+33-9=37-9=28$

09 (남은 책의 수)
　　=(동화책과 위인전의 수)
　　　-(친구들이 빌려 간 책의 수)
　　=$39+25-17$
　　=$64-17=47$(권)

10 ㉠ $24-(2+3)=24-5=19$
　　　$24-2+3=22+3=25$
　　㉡ $7+(24-6)=7+18=25$
　　　$7+24-6=31-6=25$

11 $48\div3\times4=16\times4=64$이므로 원호가 바르게 계산하였습니다.

12 ( ) 안을 먼저 계산하고 나눗셈, 덧셈 순서로 계산해야 하는데 앞에서부터 차례로 계산하여 계산 순서가 잘못되었습니다.

13 $30\div3-\square=6$, $10-\square=6$, $\square=4$

14 (남는 연필의 수)
　　=(3타의 연필의 수)-(나누어 줄 연필의 수)
　　=$12\times3-4\times7$
　　=$36-28=8$(자루)

15 ㉠ $37+16-4\times6\div8=37+16-3$
　　　$\qquad\qquad\qquad\qquad\quad=53-3=50$
　　㉡ $37+(16-4)\times6\div8=37+12\times6\div8$
　　　$\qquad\qquad\qquad\qquad\qquad=37+9=46$
　　→ ㉠-㉡=$50-46=4$

16 (거스름돈)=(낸 돈)-(산 멜론과 사과의 값)
　　$\qquad\quad=10000-(6000+4500\div3)$
　　$\qquad\quad=10000-(6000+1500)$
　　$\qquad\quad=10000-7500=2500$(원)

17 (나은이와 진우가 달에서 잰 몸무게의 합)
　　　-(선생님이 달에서 잰 몸무게)
　　=$(42+54)\div6-13$
　　=$96\div6-13$
　　=$16-13=3$ (kg)

18 $50-9\times(2+3)=50-9\times5=50-45=5$

2 약수와 배수

1 (1) $9 \div 1 = 9$, $9 \div 2 = 4 \cdots 1$, $9 \div 3 = 3$,
$9 \div 4 = 2 \cdots 1$, $9 \div 5 = 1 \cdots 4$, $9 \div 6 = 1 \cdots 3$,
$9 \div 7 = 1 \cdots 2$, $9 \div 8 = 1 \cdots 1$, $9 \div 9 = 1$

(2) 1, 3, 9

2 8 / 16, 16 / 24, 24 / 8, 16, 24

3 1, 2, 4, 5, 10, 20에 ○표

4 (1) 6, 9, 12, 15 (2) 14, 21, 28, 35

---

1 (2) 9를 1, 3, 9로 나누면 나누어떨어집니다.
→ 9의 약수: 1, 3, 9

코칭Tip ■를 ▲로 나누었을 때 나누어떨어지면 ▲는 ■의 약수
입니다.

2 8의 배수는 8을 1배, 2배, 3배, ...한 수입니다.

3 $20 \div 1 = 20$, $20 \div 2 = 10$, $20 \div 4 = 5$,
$20 \div 5 = 4$, $20 \div 10 = 2$, $20 \div 20 = 1$

다른 풀이 곱이 20이 되는 곱셈식을 이용하여 20의 약
수를 구할 수도 있습니다.
$1 \times 20 = 20$, $2 \times 10 = 20$, $4 \times 5 = 20$
→ 20의 약수: 1, 2, 4, 5, 10, 20

4 (1) $3 \times 1 = 3$, $3 \times 2 = 6$, $3 \times 3 = 9$, $3 \times 4 = 12$,
$3 \times 5 = 15$, ...

(2) $7 \times 1 = 7$, $7 \times 2 = 14$, $7 \times 3 = 21$, $7 \times 4 = 28$,
$7 \times 5 = 35$, ...

---

1 (1) $28 = 1 \times 28$, $28 = 2 \times 14$, $28 = 4 \times 7$

(2) 1, 2, 4, 7, 14, 28 / 1, 2, 4, 7, 14, 28

2 $12 = 1 \times 12$, $12 = 2 \times 6$,
$12 = 3 \times 4$, $12 = 2 \times 2 \times 3$
/ 1, 2, 3, 4, 6, 12 / 1, 2, 3, 4, 6, 12

3 배수, 약수에 ○표

4 ( )(○)

---

1 (1) 1부터 28까지의 수를 차례로 생각하며 두 수의
곱이 28이 되는 경우를 찾습니다.
→ $1 \times 28 = 28 (28 \times 1 = 28)$,
$2 \times 14 = 28 (14 \times 2 = 28)$,
$4 \times 7 = 28 (7 \times 4 = 28)$

(2) ■ = ● × ▲에서 ●와 ▲는 ■의 약수이고, ■는
●와 ▲의 배수입니다.

2 1은 모든 수의 약수이고, $12 = 2 \times 2 \times 3$에서 2, 3,
$2 \times 2 = 4$, $2 \times 3 = 6$, $2 \times 2 \times 3 = 12$는 모두 12를
나누어떨어지게 하므로 12의 약수입니다.
또한, 1, 2, 3, 4, 6, 12를 각각 몇 배 하면 12가 되
므로 12는 이 수들의 배수입니다.

3 3과 6은 18의 약수

18은 3과 6의 배수

4 • $26 \div 4 = 6 \cdots 2$
→ 두 수는 약수와 배수의 관계가 아닙니다.
• $72 \div 9 = 8$
→ 72는 9의 배수이고, 9는 72의 약수입니다.

---

01 $32 \div 1 = 32$, $32 \div 2 = 16$, $32 \div 4 = 8$,
$32 \div 8 = 4$, $32 \div 16 = 2$, $32 \div 32 = 1$
/ 1, 2, 4, 8, 16, 32

02 5, 10, 15, 20 / 5, 10, 15, 20

03 11, 22, 33, 44, 55

04 1, 2, 3, 4, 6, 8, 12, 24에 ○표

05

/ 6, 12, 18, 24

06 18   **07** 20

08 27, 3, 9 / 1, 3, 9, 27 / 1, 3, 9, 27

09 3, 7 / 1, 2, 3, 6, 7, 14, 21, 42
/ 1, 2, 3, 6, 7, 14, 21, 42

10 배수, 약수   **11** ⑤

12 (1)   **13** (×)(○)
(2)   (○)(×)
(3)

01 32의 약수는 32를 나누어떨어지게 하는 수입니다.

02 5의 배수는 5를 1배, 2배, 3배, 4배, ... 한 수입니다.

03 $11 \times 1 = 11$, $11 \times 2 = 22$, $11 \times 3 = 33$,
$11 \times 4 = 44$, $11 \times 5 = 55$, ...
➔ 11의 배수: 11, 22, 33, 44, 55, ...

04 $24 \div 1 = 24$, $24 \div 2 = 12$, $24 \div 3 = 8$, $24 \div 4 = 6$,
$24 \div 6 = 4$, $24 \div 8 = 3$, $24 \div 12 = 2$, $24 \div 24 = 1$
➔ 24의 약수: 1, 2, 3, 4, 6, 8, 12, 24

05 $6 \times 1 = 6$, $6 \times 2 = 12$, $6 \times 3 = 18$, $6 \times 4 = 24$, ...
➔ 6의 배수: 6, 12, 18, 24, ...

06 18의 약수 1, 2, 3, 6, 9, 18 중에서 가장 큰 수는 18입니다.

> **코칭Tip** 어떤 수의 약수 중에서 가장 작은 수는 1이고, 가장 큰 수는 어떤 수 자신입니다.

07 20의 배수 20, 40, 60, ... 중에서 가장 작은 수는 20입니다.

> **코칭Tip** 어떤 수의 배수 중에서 가장 작은 수는 어떤 수 자신이고, 가장 큰 수는 알 수 없습니다.

08 ■ = ● × ▲에서 ●와 ▲는 ■의 약수이고, ■는 ●와 ▲의 배수입니다.

09 $42 = 2 \times 21 = 2 \times 3 \times 7$입니다.
1은 모든 수의 약수이고, $42 = 2 \times 3 \times 7$에서
2, 3, 7, $2 \times 3 = 6$, $2 \times 7 = 14$, $3 \times 7 = 21$,
$2 \times 3 \times 7 = 42$는 모두 42를 나누어떨어지게 하므로
42의 약수입니다.

10 5와 7은 35의 약수

$$5 \times 7 = 35$$

35는 5와 7의 배수

11 ⑤ 30의 약수는 1, 2, 3, 5, $2 \times 3 = 6$, $2 \times 5 = 10$,
$3 \times 5 = 15$, $2 \times 3 \times 5 = 30$입니다.

12 큰 수를 작은 수로 나누었을 때 나누어떨어지는 것끼리 잇습니다.
➔ $25 \div 5 = 5$, $27 \div 9 = 3$, $48 \div 2 = 24$

13 $54 \div 8 = 6 \cdots 6 \ (\times)$, $63 \div 9 = 7 \ (\bigcirc)$,
$42 \div 7 = 6 \ (\bigcirc)$, $86 \div 12 = 7 \cdots 2 \ (\times)$

037쪽 STEP 1 교과서 개념 잡기

1 (1)
24의 약수	①	②	3	④	6	⑧	12	24
40의 약수	①	②	④	5	⑧	10	20	40

(2) 8

2 1, 2, 3, 4, 6, 12 / 12 / 1, 2, 3, 4, 6, 12 / 공약수

3 2, 2, 4

4 2)20 30   / 2, 5, 10
  5)10 15
     2   3

1 (1) 24의 약수이면서 40의 약수인 수: 1, 2, 4, 8
(2) 최대공약수는 공약수 1, 2, 4, 8 중에서 가장 큰 수이므로 8입니다.

2 • 36의 약수: 1, 2, 3, 4, 6, 9, 12, 18, 36
• 48의 약수: 1, 2, 3, 4, 6, 8, 12, 16, 24, 48
➔ 36과 48의 최대공약수는 12이고,
12의 약수는 36과 48의 공약수와 같습니다.

3 최대공약수는 두 수에 공통으로 있는 수들의 곱이므로 $2 \times 2 = 4$입니다.

4 최대공약수는 두 수를 나눈 공약수들의 곱이므로 $2 \times 5 = 10$입니다.

039쪽 STEP 1 교과서 개념 잡기

1 (1)
6의 배수	6	12	⑱	24	30	㊱	42	48	㊴	⋯
9의 배수	9	⑱	27	㊱	45	㊴	63	72	81	⋯

(2) 18

2 10, 20, 30 / 10 / 10, 20, 30 / 배수

3 3, 5 / 3, 3, 5, 90

4 3)45 27   / 3, 3, 5, 3, 135
  3)15   9
     5   3

1 (1) 6의 배수이면서 9의 배수인 수: 18, 36, 54
(2) 최소공배수는 공배수 18, 36, 54, ... 중에서 가장 작은 수이므로 18입니다.

---

2 · 2의 배수: 2, 4, 6, 8, 10, 12, 14, 16, 18, 20, 22, 24, 26, 28, 30, …
· 5의 배수: 5, 10, 15, 20, 25, 30, …
→ 2와 5의 최소공배수는 10이고, 2와 5의 공배수는 10의 배수와 같습니다.

3 최소공배수는 공통으로 있는 수들과 남은 수들의 곱이므로 $2 \times 3 \times 3 \times 5 = 90$입니다.

4 최소공배수는 나눈 공약수들과 남은 몫들의 곱이므로 $3 \times 3 \times 5 \times 3 = 135$입니다.

040쪽 STEP2 개념 한번더 잡기

01 (1) 1, 2, 4, 5, 10, 20 / 1, 2, 4, 8, 16, 32
(2) 1, 2, 4에 ○표 / 4

02 1, 3, 9 / 9

03 1, 2, 4, 8, 16 / 1, 2, 4, 5, 8, 10, 20, 40 / 1, 2, 4, 8 / 8

04 1, 3, 5, 15

05 3 / 2, 3 / 2, 3, 6   **06** 2, 7, 14

07 예 2)16   56   / 8
　　 2) 8   28
　　 2) 4   14
　　　　 2   7

08 7

09 18, 24, 30, 36에 ○표

10 예 24, 48, 72 / 24

11 예 3, 6, 9, 12, 15, 18, 21, 24, …
/ 예 4, 8, 12, 16, 20, 24, …
/ 예 12, 24, 36 / 12

12 (1) 14, 28, 42 (2) 30, 60, 90

13 3, 6 / 6, 3, 7, 126

14 예 3)15   60   / 60
　　 5) 5   20
　　　　 1   4

15 방법❶ 예 $12 = 3 \times 4$, $16 = 4 \times 4$
→ 최소공배수: $4 \times 3 \times 4 = 48$
방법❷ 예 2)12   16
　　　 2) 6   8
　　　　　 3   4
→ 최소공배수: $2 \times 2 \times 3 \times 4 = 48$

---

01 20과 32의 약수를 각각 구한 후 공통된 약수를 찾아 ○표 하고, 그중 가장 큰 수를 찾습니다.

02 · 27과 63의 공약수:
27과 63의 공통된 약수 → 1, 3, 9
· 27과 63의 최대공약수:
공약수 중에서 가장 큰 수 → 9

03 16과 40의 공약수 1, 2, 4, 8 중에서 가장 큰 수는 8입니다.

04 두 수의 공약수는 최대공약수의 약수와 같습니다.
→ 15의 약수: 1, 3, 5, 15

05 두 수에 공통으로 있는 수는 2, 3입니다.
→ 최대공약수: $2 \times 3 = 6$

06 두 수를 나눈 공약수는 2, 7입니다.
→ 최대공약수: $2 \times 7 = 14$

07 두 수를 나눈 공약수는 2, 2, 2입니다.
→ 최대공약수: $2 \times 2 \times 2 = 8$

08 7)21   49
　　　　 3   7   → 최대공약수: 7

09 · 2의 배수: 18, 20, 22, 24, 30, 36, 38
· 3의 배수: 18, 21, 15, 24, 27, 30, 33, 36, 45
→ 2와 3의 공배수: 18, 24, 30, 36

10 · 8과 12의 공배수:
8과 12의 공통된 배수 → 24, 48, 72, …
· 8과 12의 최소공배수:
공배수 중에서 가장 작은 수 → 24

11 3과 4의 공배수 12, 24, 36, … 중에서 가장 작은 수는 12입니다.

12 두 수의 공배수는 두 수의 최소공배수의 배수와 같습니다.

13 두 수에 공통으로 있는 수는 6이고 남은 수는 3, 7입니다. → 최소공배수: $6 \times 3 \times 7 = 126$

14 두 수를 나눈 공약수는 3, 5이고 밑에 남은 몫은 1, 4입니다. → 최소공배수: $3 \times 5 \times 1 \times 4 = 60$

15 방법❶은 여러 수의 곱으로 나타낸 곱셈식을 이용하여 구할 수도 있고, 방법❷는 최대공약수를 이용하여 구할 수도 있습니다.

042쪽 STEP3 수학 익힘 문제 잡기

01 1, 2, 5, 10, 25, 50

02

1	2	3	4	5	⑥	7	⑧
9	10	11	⑫	13	14	15	⑯
17	⑱	19	20	21	22	23	㉔
25	26	27	28	29	㉚	31	㉜
33	34	35	㊱	37	38	39	㊵

03 ㉠

04 72

05 (1) 예 18 (2) 예 7

06 3, 12 / 5, 10 / 6, 12

07 9

08 재하

09 6

10 3개 / 2개

11 120, 225에 ○표

12 40

13 20

14 ㉠

15 2번

16 6월 21일

17 2081년

18 (1) 7 m (2) 22개

---

01 $50 \div 1 = 50$, $50 \div 2 = 25$, $50 \div 5 = 10$,
$50 \div 10 = 5$, $50 \div 25 = 2$, $50 \div 50 = 1$
→ 50의 약수: 1, 2, 5, 10, 25, 50

02 • 6의 배수: $6 \times 1 = 6$, $6 \times 2 = 12$, $6 \times 3 = 18$,
$6 \times 4 = 24$, $6 \times 5 = 30$, $6 \times 6 = 36$
→ 6, 12, 18, 24, 30, 36에 ○표 합니다.
• 8의 배수: $8 \times 1 = 8$, $8 \times 2 = 16$, $8 \times 3 = 24$,
$8 \times 4 = 32$, $8 \times 5 = 40$
→ 8, 16, 24, 32, 40에 ○표 합니다.

03 ㉠ 16의 약수: 1, 2, 4, 8, 16 → 5개
㉡ 25의 약수: 1, 5, 25 → 3개
㉢ 34의 약수: 1, 2, 17, 34 → 4개
따라서 약수가 가장 많은 수는 ㉠ 16입니다.
코칭Tip 수가 클수록 약수의 개수가 많다고 생각하지 않도록 주의합니다.

04 9, 18, 27, 36, 45, ...는 9의 배수입니다.
따라서 8번째의 수는 $9 \times 8 = 72$입니다.
코칭Tip 어떤 수의 배수를 가장 작은 수부터 차례로 쓸 때 ■번째 수는 (어떤 수)×■입니다.

05 주어진 수를 나누어떨어지게 하는 수 또는 주어진 수를 몇 배 한 수를 써넣습니다.
(1) 예 6을 3배 한 수: $6 \times 3 = 18$
(2) 예 28을 나누어떨어지게 하는 수: $28 \div 7 = 4$

06 두 수 중에서 큰 수를 작은 수로 나누었을 때 나누어떨어지면 두 수는 약수와 배수의 관계입니다.
→ $\underline{12} \div \underline{3} = 4$, $\underline{10} \div \underline{5} = 2$, $\underline{12} \div \underline{6} = 2$
다른 풀이 두 수 중에서 작은 수를 몇 배 하여 큰 수가 나오면 두 수는 약수와 배수의 관계입니다.
→ $\underline{3} \times 4 = \underline{12}$, $\underline{5} \times 2 = \underline{10}$, $\underline{6} \times 2 = \underline{12}$

07 3의 배수: 3, 6, 9, 12, ...
• (3의 약수의 합) $= 1 + 3 = 4$
• (6의 약수의 합) $= 1 + 2 + 3 + 6 = 12$
• (9의 약수의 합) $= 1 + 3 + 9 = 13$

08 • 9의 약수: 1, 3, 9
15의 약수: 1, 3, 5, 15
→ 9와 15의 최대공약수: 3
• 4의 약수: 1, 2, 4
20의 약수: 1, 2, 4, 5, 10, 20
→ 4와 20의 최대공약수: 4
따라서 두 수의 최대공약수를 잘못 구한 친구는 재하입니다.

09 18과 30을 나누었을 때 두 수 모두 나누어떨어지게 하는 수는 18과 30의 공약수입니다.
따라서 어떤 수 중에서 가장 큰 수는 18과 30의 최대공약수입니다.
• 18의 약수: 1, 2, 3, 6, 9, 18
• 30의 약수: 1, 2, 3, 5, 6, 10, 15, 30
→ 18과 30의 최대공약수: 6

10 12와 8의 최대공약수가 4이므로 최대 4명에게 나누어 줄 수 있습니다.
따라서 한 명이 초콜릿은 $12 \div 4 = 3$(개),
도넛은 $8 \div 4 = 2$(개)씩 받을 수 있습니다.

11 3의 배수이면서 5의 배수인 수는 3과 5의 공배수이고, 3과 5의 최소공배수인 15의 배수와 같습니다.
→ $15 \times 8 = 120$, $15 \times 15 = 225$

12 4와 10의 공배수는 20, 40, 60, ...입니다.
이 중에서 30보다 크고 60보다 작은 수는 40입니다.

13 10의 배수도 되고 4의 배수도 되는 수에서 만세를 하면서 동시에 제자리 뛰기를 하게 됩니다.
따라서 성준이가 처음으로 만세를 하면서 동시에 제자리 뛰기를 해야 하는 수는 10과 4의 최소공배수인 20입니다.

14 ㉠ 6과 9의 최소공배수: 18

　→ 18의 배수: 18, 36, 54, 72, 90, 108, ...

㉡ 14와 21의 최소공배수: 42

　→ 42의 배수: 42, 84, 126, ...

따라서 90과 84 중에서 100에 더 가까운 수는 90입니다.

15 6과 8의 최소공배수가 24이므로 두 사람은 출발점에서 24분마다 만나게 됩니다.

출발 후 24분, 48분, 72분, ...에 출발점에서 만나므로 60분 동안 2번 다시 만납니다.

16 4와 5의 최소공배수가 20이므로 호정이와 선우는 20일이 지날 때마다 도서관에서 만납니다.

6월 1일에 만났으므로 다음번에 도서관에서 만나는 날은 20일 후인 6월 21일입니다.

코칭Tip 4와 5의 최소공배수만을 생각하여 다음번에 만나는 날을 6월 20일이라고 답하지 않도록 주의합니다.

17 십간은 10년마다, 십이지는 12년마다 반복되고 10과 12의 최소공배수는 60이므로 다음번 신축년이 되는 해는 2021년에서 60년 후인 2081년입니다.

18 (1) 35와 42의 최대공약수만큼의 간격으로 말뚝을 박아야 합니다.

$35=5\times7$, $42=6\times7$ → 최대공약수: 7

(2) $35\div7=5$(개), $42\div7=6$(개)이므로 필요한 말뚝은 모두 $(5+6)\times2=22$(개)입니다.

다른 풀이 (울타리의 둘레)$=(35+42)\times2$

$=154$ (m)

→ (필요한 말뚝의 수)$=154\div7=22$(개)

---

1 정윤 / 9

2 ❶ 잘못 말한 친구를 찾아 이름 쓰기 ▶ 2점

❷ 잘못된 이유 설명하기 ▶ 3점

❶ 정후

❷ 10과 15의 공배수 중에서 가장 작은 수는 30이기 때문입니다.

3 ❶ 3, 2, 3, 2, 6　❷ 5, 5 / 5번

---

4 ❶ 같은 자리에 빨간색 연결큐브를 놓는 위치 구하기 ▶ 2점

❷ 같은 자리에 빨간색 연결큐브를 놓는 경우 구하기 ▶ 3점

❶ 빨간색 연결큐브를 유미는 3의 배수마다, 경호는 6의 배수마다 놓으므로 같은 자리에 빨간색 연결큐브를 놓는 위치는 3과 6의 최소공배수인 6의 배수의 자리입니다.

❷ 1부터 50까지의 수에는 6의 배수가 8개 있으므로 같은 자리에 빨간색 연결큐브를 놓는 경우는 모두 8번입니다. / 8번

4 3과 6의 공배수인 6의 배수의 자리일 때 같은 자리에 빨간색 연결큐브가 놓이므로 6번째, 12번째, 18번째, 24번째, 30번째, 36번째, 42번째, 48번째로 모두 8번입니다.

---

01 1, 2, 4, 8에 ○표

02 10, 20, 30, 40

03 배수, 약수에 ○표

04 1, 2, 4 / 4

05 6 / 6, 7

06 2, 2, 3 / 2, 3, 7

07 6

08 2, 5, 4, 5, 200

09 예 2)32 56 / 8
　　　 2)16 28
　　　　2) 8 14
　　　　　 4 7

10 (1) •
　　(2) •
　　(3) •

11 8개

12 48, 72에 ○표

13 8 / 96

14 105

15 ㉡, ㉠, ㉢

16 6개 / 5개

17 8

18 오전 11시 30분

19 ❶ 잘못 말한 친구를 찾아 이름 쓰기 ▶ 2점

❷ 잘못된 이유 설명하기 ▶ 3점

❶ 예진

❷ 6과 9의 최대공약수인 3은 최소공배수인 18보다 작기 때문입니다.

20 ❶ 같은 자리에 초록색 구슬을 놓는 위치 구하기 ▶ 2점

❷ 같은 자리에 초록색 구슬을 놓는 경우 구하기 ▶ 3점

진도북

2단원

❶ 초록색 구슬을 지민이는 4의 배수마다, 아영이는 3의 배수마다 놓으므로 같은 자리에 초록색 구슬을 놓는 위치는 4와 3의 최소공배수인 12의 배수의 자리입니다.
❷ 1부터 50까지의 수에는 12의 배수가 4개 있으므로 같은 자리에 초록색 구슬을 놓는 경우는 모두 4번입니다. / 4번

01 8을 나누어떨어지게 하는 수를 찾습니다.
→ 8의 약수: $8 \div 1 = 8$, $8 \div 2 = 4$,
$8 \div 4 = 2$, $8 \div 8 = 1$

02 10을 1배, 2배, 3배, 4배 한 수를 구합니다.
→ 10의 배수: $10 \times 1 = 10$, $10 \times 2 = 20$,
$10 \times 3 = 30$, $10 \times 4 = 40$

03 ■=●×▲에서 ●와 ▲는 ■의 약수이고, ■는 ●와 ▲의 배수입니다.

04 • 12와 16의 공약수:
12와 16의 공통된 약수 → 1, 2, 4
• 12와 16의 최대공약수:
공약수 중에서 가장 큰 수 → 4

05 24와 42를 두 수의 곱으로 나타낸 곱셈식 중 공통으로 곱해진 수가 가장 큰 수는 6입니다.
→ $24 = 4 \times 6$, $42 = 6 \times 7$

06 $24 = 4 \times 6$ $42 = 6 \times 7$
      2×2 2×3 2×3

> **채점Tip** 순서를 바꾸어 곱해도 곱은 같으므로 곱하는 세 수의 순서를 다르게 썼어도 정답으로 합니다.

07 $24 = 4 \times 6$, $42 = 6 \times 7$에서 공통으로 곱해진 6이 두 수의 최대공약수입니다.

> **다른 풀이** $24 = 2 \times 2 \times 2 \times 3$, $42 = 2 \times 3 \times 7$에서 공통으로 들어 있는 곱셈식은 2×3이므로 두 수의 최대공약수는 $2 \times 3 = 6$입니다.

08 두 수를 나눈 공약수는 2, 5이고 밑에 남은 몫은 4, 5입니다.
→ 최소공배수: $2 \times 5 \times 4 \times 5 = 200$

09 두 수를 나눈 공약수는 2, 2, 2입니다.
→ 최대공약수: $2 \times 2 \times 2 = 8$

> **코칭Tip** 32와 56을 공약수로 나눌 때, 2와 4 또는 8로 나누어 최대공약수를 구할 수도 있습니다.

10 ⑴ $21 \div 3 = 7$, $48 \div 3 = 16$
⑵ $21 \div 7 = 3$, $56 \div 7 = 8$
⑶ $48 \div 8 = 6$, $56 \div 8 = 7$

11 두 수의 공약수는 최대공약수의 약수와 같습니다.
→ 24의 약수: 1, 2, 3, 4, 6, 8, 12, 24 (8개)

12 8의 배수도 되고 12의 배수도 되는 수는 8과 12의 공배수이고, 8과 12의 최소공배수인 24의 배수와 같습니다.
→ $24 \times 2 = 48$, $24 \times 3 = 72$

13
```
2 ) 24    32
2 ) 12    16
2 )  6     8
     3     4
```
• 최대공약수: $2 \times 2 \times 2 = 8$
• 최소공배수: $2 \times 2 \times 2 \times 3 \times 4 = 96$

14 7, 14, 21, 28, 35, ...는 7의 배수입니다.
따라서 15번째의 수는 $7 \times 15 = 105$입니다.

15 ㉠ 10의 약수: 1, 2, 5, 10 → 4개
㉡ 36의 약수: 1, 2, 3, 4, 6, 9, 12, 18, 36 → 9개
㉢ 49의 약수: 1, 7, 49 → 3개
따라서 약수가 많은 수부터 차례로 기호를 쓰면
㉡ 36, ㉠ 10, ㉢ 49입니다.

16 $54 = 6 \times 9$, $45 = 5 \times 9$ → 최대공약수: 9
따라서 최대 9명에게 나누어 줄 수 있으므로 한 명이 빵은 $54 \div 9 = 6$(개), 과자는 $45 \div 9 = 5$(개)씩 받을 수 있습니다.

17 16의 약수: 1, 2, 4, 8, 16
• (2의 약수의 합)$= 1 + 2 = 3$
• (4의 약수의 합)$= 1 + 2 + 4 = 7$
• (8의 약수의 합)$= 1 + 2 + 4 + 8 = 15$

> **코칭Tip** 어떤 수의 약수의 합이 15이므로 16의 약수 중에서 15보다 큰 수의 약수의 합은 생각하지 않아도 됩니다.

18 두 기차가 동시에 출발하는 경우를 구해야 하므로 30과 45의 최소공배수를 구해야 합니다.
$30 = 3 \times 5 \times 2$, $45 = 3 \times 5 \times 3$
→ 최소공배수: $3 \times 5 \times 2 \times 3 = 90$
따라서 90분은 1시간 30분이므로 다음번에 동시에 출발하는 시각은 1시간 30분 뒤인 오전 11시 30분입니다.

3 규칙과 대응

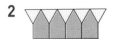

STEP 1 교과서 개념 잡기 (053쪽)

1 (1) 4, 5, 6 (2) 1

2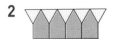

3 4, 5 / 1 / 1

---

1 (2) 의자의 수에 1을 더하면 팔걸이의 수와 같고, 팔걸이의 수에서 1을 빼면 의자의 수와 같습니다.

2 삼각형은 오각형보다 1개 더 많고, 오각형과 삼각형이 1개씩 늘어나므로 다음에 이어질 모양은 오각형 4개와 삼각형 5개로 이루어진 모양입니다.

3 왼쪽에 있는 삼각형 조각 1개는 변하지 않고, 오른쪽에 있는 원과 삼각형 조각의 수가 1개씩 늘어납니다.

STEP 1 교과서 개념 잡기 (055쪽)

1 (1) 2
  (2) 예) 시작 시각＋2＝끝난 시각
    또는 끝난 시각－2＝시작 시각
  (3) 예) ○＋2＝△ 또는 △－2＝○

2 (1) (왼쪽부터) 12, 4, 20 / 4
  (2) 학생 수, 예) □×4＝☆ 또는 ☆÷4＝□

---

1 (3) • 시작 시각에 2시간을 더하면 끝난 시각입니다.
      ➜ ○＋2＝△
    • 끝난 시각에서 2시간을 빼면 시작 시각입니다.
      ➜ △－2＝○

2 (2) (책상의 수)×4＝(학생 수) ➜ □×4＝☆
    또는 (학생 수)÷4＝(책상의 수) ➜ ☆÷4＝□

STEP 2 개념 한 번 더 잡기 (056쪽)

01 10, 15, 20
02 (1) 5 (2) 5
03 3, 6, 9, 12 / 3
04 ●●●●●
    ●○○○○

---

05 2개
06 2, 3, 4
07 예) 같습니다
08 14, 21, 28 / 7배
09 예) ◇×7＝◎ 또는 ◎÷7＝◇
10 4000, 2000 / 5000, 3000
   / 예) ○－2000＝△ 또는 △＋2000＝○
11 예) 책의 수 / (책꽂이 칸의 수)×10＝(책의 수)
12 예) ♡, ☆×10＝♡
13 예) □＋5＝▽ 또는 ▽－5＝□

---

01 접시가 1개씩 늘어날 때마다 딸기는 5개씩 늘어납니다.

02 (1) 딸기의 수는 접시의 수의 5배입니다.
  (2) 접시의 수는 딸기의 수를 5로 나눈 몫과 같습니다.

03 세발자전거 한 대의 바퀴는 3개이므로 세발자전거가 1대씩 늘어날 때마다 바퀴는 3개씩 늘어납니다.

04 왼쪽에 있는 검은색 바둑돌 2개는 변하지 않고, 오른쪽으로 검은색 바둑돌과 흰색 바둑돌이 1개씩 늘어납니다.

05 검은색 바둑돌 2개가 변하지 않으므로 각 배열마다 검은색 바둑돌이 흰색 바둑돌보다 2개 더 많습니다.

06 초록색 사각판이 1개씩 늘어날 때마다 노란색 사각판도 1개씩 늘어납니다.

07 초록색 사각판과 노란색 사각판이 1개씩 늘어나므로 두 사각판의 수는 항상 같습니다.

08 달리기를 1번 했을 때: 1×7＝7(명)
   달리기를 2번 했을 때: 2×7＝14(명)
   달리기를 3번 했을 때: 3×7＝21(명)
   달리기를 4번 했을 때: 4×7＝28(명)
   따라서 달린 학생 수는 달린 횟수의 7배입니다.

09 • 달린 횟수의 7배는 달린 학생 수와 같습니다.
      ➜ ◇×7＝◎
    • 달린 학생 수를 7로 나누면 달린 횟수와 같습니다.
      ➜ ◎÷7＝◇

10 형이 모은 돈은 동생이 모은 돈보다 항상 2000원이 많습니다.
    • 형이 모은 돈에서 2000원을 빼면 동생이 모은 돈이 됩니다. ➜ ○－2000＝△
    • 동생이 모은 돈에 2000원을 더하면 형이 모은 돈이 됩니다. ➜ △＋2000＝○

11 • 책꽂이 칸의 수를 10배 한 만큼이 책의 수입니다.
➜ (책꽂이 칸의 수)×10＝(책의 수)
• 책의 수를 10으로 나눈 만큼이 책꽂이 칸의 수입니다. ➜ (책의 수)÷10＝(책꽂이 칸의 수)

12 책의 수를 나타낼 기호를 정하고, 책꽂이 칸의 수와 책의 수 사이의 대응 관계를 식으로 나타냅니다.
➜ ☆×10＝♡ 또는 ♡÷10＝☆

13 1＋5＝6, 5＋5＝10, 8＋5＝13
• (지원이가 말한 수)＋5＝(성민이가 답한 수)
➜ □＋5＝▽
• (성민이가 답한 수)－5＝(지원이가 말한 수)
➜ ▽－5＝□

058쪽 STEP3 수학 익힘 문제잡기

01 4, 8, 12, 16 **02** 40 / 200
03 예 사각형의 수를 4배 하면 삼각형의 수와 같습니다.
04 20, 40, 60, 80 **05** 20 / 20
06 200장 **07** 15초
08 예 ☆ / 예 □×15＝☆ 또는 ☆÷15＝□
09 예 ◎×10＝♡ 또는 ♡÷10＝◎
10 유나
11 예 △, ○, △×25＝○
12 예 의자, 탁자, ○÷5＝☆
13 예 ☆×6＝○ 또는 ○÷6＝☆
14 예 자동차 바퀴의 수(◎)는 자동차 수(◇)의 4배입니다.
15 20, 7 / 예 ○, □
/ 예 □×2＝○ 또는 ○÷2＝□
16 (왼쪽부터) 2023, 15 / 2029년
17 90
18 ⑴ 1 / 3 ⑵ 예 3＋△＝○ 또는 ○－3＝△
⑶ 53개

01 사각형이 1개씩 늘어날 때마다 삼각형은 4개씩 늘어납니다.

02 사각형 1개에 삼각형이 4개씩 필요하므로 사각형이 10개이면 삼각형은 40개가 필요하고, 사각형이 50개이면 삼각형은 200개가 필요합니다.

---

03 채점Tip '삼각형의 수를 4로 나누면 사각형의 수와 같습니다.'도 정답입니다.

04 만화 영화를 상영하는 시간이 1초씩 늘어날 때마다 그림의 수는 20장씩 늘어납니다.

05 • 필요한 그림의 수는 만화 영화를 상영하는 시간의 20배입니다.
• 만화 영화를 상영하는 시간은 필요한 그림의 수를 20으로 나눈 몫과 같습니다.

06 20×10＝200(장)

07 300÷20＝15(초)

08 • 수영을 한 시간의 15배는 소모된 열량과 같습니다.
➜ □×15＝☆
• 소모된 열량을 15로 나누면 수영을 한 시간과 같습니다. ➜ ☆÷15＝□

09 달걀의 수는 달걀 판의 수의 10배입니다.
• (달걀 판의 수)×10＝(달걀의 수) ➜ ◎×10＝♡
• (달걀의 수)÷10＝(달걀 판의 수) ➜ ♡÷10＝◎

10 달걀 판의 수인 ◎의 값은 항상 달걀의 수인 ♡의 값에 따라 변하므로 유나가 잘못 말하였습니다.

11 • (감자의 무게)×25＝(단백질의 양)
➜ △×25＝○
• (단백질의 양)÷25＝(감자의 무게)
➜ ○÷25＝△

12 탁자 한 개에 의자가 5개씩 있으므로 ☆×5＝○ 또는 ○÷5＝☆로 나타낼 수 있습니다.

13 의자가 1개씩 더 늘어났으므로 5배였던 관계가 6배로 바뀌었습니다. ➜ ☆×6＝○ 또는 ○÷6＝☆

14 채점Tip ◎가 ◇의 4배인 관계에 있는 두 양을 찾아 나타내었으면 모두 정답입니다.

15 • 자석의 수(○)는 미술 작품의 수(□)의 2배입니다.
➜ □×2＝○
• 미술 작품의 수(□)는 자석의 수(○)를 2로 나눈 몫과 같습니다.
➜ ○÷2＝□

16 세희의 나이에 2009를 더한 만큼이 연도이므로 (연도)＝(세희의 나이)＋2009입니다.
➜ 20＋2009＝2029(년)

17 $6 \div 3 = 2$, $21 \div 3 = 7$, $15 \div 3 = 5$

→ (로봇에 넣은 수)÷3=(답한 수)

따라서 (답한 수)×3=(로봇에 넣은 수)이므로 로봇에 넣은 수는 $30 \times 3 = 90$입니다.

18 ② 위에 있는 구슬 3개는 항상 그대로 있고, 아래로 놓이는 구슬은 배열 순서(수 카드의 수)만큼 놓입니다. → 3+(배열 순서)=(구슬의 수)

③ $3 + 50 = 53$(개)

---

11 ⓔ $\triangle + 1000 = \diamondsuit$ 또는 $\diamondsuit - 1000 = \triangle$

12 18, 27, 36 **13** 12개

14 ⓔ 음료의 수

/ ⓔ (의자의 수)+1=(음료의 수)

15 ⓔ $\bigcirc \times 3 = \square$ 또는 $\square \div 3 = \bigcirc$

16 틀림에 ○표 **17** 38, 50, 65

18 ⓔ ♡, ◇ / ⓔ $♡ + 25 = ◇$ 또는 $◇ - 25 = ♡$

※서술형 문제의 예시 답안입니다.

서술형

19
- ❶ 잘못 말한 친구를 찾아 이름 쓰기 ▶ 2점
- ❷ 잘못된 이유 설명하기 ▶ 3점

❶ 성재

❷ 연필의 수는 사람의 수의 4배이므로 사람의 수를 ○, 연필의 수를 △라고 할 때, 두 양 사이의 대응 관계는 $\bigcirc \times 4 = \triangle$입니다.

20
- ❶ ▽와 ◎ 사이의 대응 관계를 식으로 나타내기 ▶ 3점
- ❷ ㉠의 값 구하기 ▶ 2점

❶ ▽와 ◎의 합은 30이므로 두 양 사이의 대응 관계를 식으로 나타내면 $▽ + ◎ = 30$입니다.

❷ ▽가 19일 때 $19 + ◎ = 30$, $◎ = 11$이므로 ㉠의 값은 11입니다. / 11

※서술형 문제의 예시 답안입니다.

061쪽 서술형 잡기

1 성민 / 상자, 도넛

2
- ❶ 잘못 말한 친구를 찾아 이름 쓰기 ▶ 2점
- ❷ 잘못된 이유 설명하기 ▶ 3점

❶ 다현

❷ 비행 거리(☆)는 비행시간(▽)의 14배이므로 두 양 사이의 대응 관계는 $☆ \div 14 = ▽$입니다.

3 ❶ 8, 8 ❷ 8, 18, 18 / 18

4
- ❶ □와 ○ 사이의 대응 관계를 식으로 나타내기 ▶ 3점
- ❷ ㉡의 값 구하기 ▶ 2점

❶ ○는 □보다 13만큼 더 큰 수이므로 두 양 사이의 대응 관계를 식으로 나타내면 $\bigcirc = \square + 13$입니다.

❷ □가 21일 때 $\bigcirc = 21 + 13 = 34$이므로 ㉡의 값은 34입니다. / 34

062쪽 단원 마무리

01 3, 4, 5 **02** 1

03 22, 44, 66, 88 **04** 22

05 6

06

07 30개 **08** 2 / 2

09 1000, 2000 / 1500, 2500

10 ⓔ 오빠가 모은 돈+1000=언니가 모은 돈

또는 언니가 모은 돈−1000=오빠가 모은 돈

---

01 누름 못의 수는 도화지의 수보다 1만큼 더 크고, 도화지의 수는 누름 못의 수보다 1만큼 더 작습니다.

02 누름 못의 수에서 도화지의 수를 빼면 1이므로 '누름 못의 수에서 1을 빼면 도화지의 수와 같습니다.'로 나타낼 수도 있습니다.

03 주스가 1병씩 늘어날 때마다 설탕의 양은 22 g씩 늘어납니다.

04 • 설탕의 양은 주스의 수의 22배입니다.

→ $\bigcirc \times 22 = ☆$

• 주스의 수는 설탕의 양을 22로 나눈 몫과 같습니다. → $☆ \div 22 = \bigcirc$

05 바람개비 1개에 날개가 6개씩 있습니다.

• (바람개비의 수)×6=(날개의 수)

• (날개의 수)÷6=(바람개비의 수)

06 사각형이 1개씩 늘어날 때마다 원은 2개씩 늘어나므로 다음에 이어질 모양은 사각형 4개와 원 8개로 이루어진 모양입니다.

07 사각형 1개에 원은 2개씩 필요하므로 사각형이 15개일 때 필요한 원은 $15 \times 2 = 30$(개)입니다.

08 ・원의 수는 사각형의 수의 2배입니다.
・사각형의 수는 원의 수를 2로 나눈 몫과 같습니다.

09 오빠와 언니가 모은 돈이 매주 500원씩 늘어납니다.

10 ・오빠가 모은 돈에 1000원을 더하면 언니가 모은 돈이 됩니다.
→ (오빠가 모은 돈)＋1000＝(언니가 모은 돈)
・언니가 모은 돈에서 1000원을 빼면 오빠가 모은 돈이 됩니다.
→ (언니가 모은 돈)－1000＝(오빠가 모은 돈)

11 ・◇는 △보다 1000만큼 더 큽니다.
→ △＋1000＝◇
・△는 ◇보다 1000만큼 더 작습니다.
→ ◇－1000＝△

12 상자가 1개씩 늘어날 때마다 구슬은 9개씩 늘어납니다.

13 (구슬의 수)÷9＝(상자의 수)이므로 구슬 108개가 들어 있는 상자는 $108 \div 9 = 12$(개)입니다.

14 음료의 수는 의자의 수보다 1개 더 많습니다.
채점Tip 음료 대신에 팔걸이의 수, 빨대의 수를 이용하여 두 양의 대응 관계를 식으로 나타내었으면 모두 정답입니다.

15 빨대가 2개씩 더 늘어났으므로 1배였던 관계가 3배로 바뀌었습니다. → ◎×3＝□ 또는 □÷3＝◎

16 모둠의 수와 학생 수를 나타내는 기호를 서로 바꾸어 썼으므로 유호의 생각은 틀렸습니다.
→ 모둠의 수(☆)와 학생 수(□) 사이의 대응 관계는 ☆×6＝□ 또는 □÷6＝☆로 나타낼 수 있습니다.

17 $12+25=37$이므로 어머니의 나이는 연주의 나이보다 25살 더 많습니다.
→ $13+25=38$, $25+25=50$, $40+25=65$

18 ・어머니의 나이(◇)는 연주의 나이(♡)보다 25살 더 많습니다. → ♡＋25＝◇
・연주의 나이(♡)는 어머니의 나이(◇)보다 25살 더 적습니다. → ◇－25＝♡

4 약분과 통분

069쪽 STEP1 교과서 개념 잡기

1 (1)
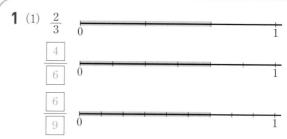
$\dfrac{2}{3}$ / $\boxed{\dfrac{4}{6}}$ / $\boxed{\dfrac{6}{9}}$

(2) 2, 2, $\dfrac{4}{6}$ / 3, 3, $\dfrac{6}{9}$

2 예
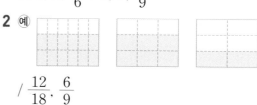
/ $\dfrac{12}{18}$, $\dfrac{6}{9}$

3 (1) 2, 3, 4 / 6, 9, 32 (2) 2, 3, 6 / 15, 2, 1

1 (2) 분모와 분자에 각각 0이 아닌 같은 수를 곱하면 크기가 같은 분수를 만들 수 있습니다.
코칭Tip 1을 몇 등분했는지에 따라 분자와 분모는 달라도 수직선에 나타낸 크기가 같음을 알게 합니다.

2 전체를 나눈 부분의 개수는 다르지만 색칠한 부분의 크기가 같은 분수는 $\dfrac{12}{18}$와 $\dfrac{6}{9}$입니다.

3 (1) 분모와 분자에 각각 0이 아닌 같은 수를 곱하면 크기가 같은 분수를 만들 수 있습니다.
(2) 분모와 분자를 각각 0이 아닌 같은 수로 나누면 크기가 같은 분수를 만들 수 있습니다.

071쪽 STEP1 교과서 개념 잡기

1 (1) 2, 3, 6 (2) 2, $\dfrac{15}{21}$ / 3, 3, $\dfrac{10}{14}$ / 6, 6, $\dfrac{5}{7}$

2 8 / 8, 8, $\dfrac{3}{4}$

3 (1) $\dfrac{2}{14}$, $\dfrac{1}{7}$ (2) $\dfrac{15}{18}$, $\dfrac{10}{12}$, $\dfrac{5}{6}$

4 (1) $\dfrac{3}{5}$ (2) $\dfrac{1}{4}$ (3) $\dfrac{2}{7}$

1 (2) 분모와 분자를 1을 제외한 그들의 공약수로 나누어 $\dfrac{30}{42}$과 크기가 같은 분수를 만들 수 있습니다.

2 $32=\underline{8}\times 4,\ 24=\underline{8}\times 3$ → 32와 24의 최대공약수: 8

코칭Tip 분모와 분자를 그들의 최대공약수로 나누면 기약분수가 됩니다.

3 (1) 28과 4의 공약수: 1, 2, 4
→ 분모와 분자를 2, 4로 각각 나눕니다.

$\dfrac{4}{28}=\dfrac{4\div 2}{28\div 2}=\dfrac{2}{14},\ \dfrac{4}{28}=\dfrac{4\div 4}{28\div 4}=\dfrac{1}{7}$

(2) 36과 30의 공약수: 1, 2, 3, 6
→ 분모와 분자를 2, 3, 6으로 각각 나눕니다.

$\dfrac{30}{36}=\dfrac{30\div 2}{36\div 2}=\dfrac{15}{18},\ \dfrac{30}{36}=\dfrac{30\div 3}{36\div 3}=\dfrac{10}{12},$

$\dfrac{30}{36}=\dfrac{30\div 6}{36\div 6}=\dfrac{5}{6}$

4 (1) $\dfrac{9}{15}=\dfrac{9\div 3}{15\div 3}=\dfrac{3}{5}$ (2) $\dfrac{6}{24}=\dfrac{6\div 6}{24\div 6}=\dfrac{1}{4}$

(3) $\dfrac{10}{35}=\dfrac{10\div 5}{35\div 5}=\dfrac{2}{7}$

072쪽 STEP2 개념 한번더 잡기

01 (예) / 같은에 ○표

02 $\dfrac{3}{6}$

03 (예)

$\boxed{\dfrac{3}{4}}$ $\dfrac{1}{2}$ $\boxed{\dfrac{9}{12}}$

04 2, 2 / 3, 3   **05** 2, 2 / 4, 4

06 (1) 4, 27, 8 (2) 27, 4, 9

07 ④

08 2, 3, 6 / 2, 2, $\dfrac{12}{15}$ / 3, 3, $\dfrac{8}{10}$ / 6, 6, $\dfrac{4}{5}$

09 9

10 (1) 4, 4, $\dfrac{2}{3}$ (2) 12, 12, $\dfrac{5}{6}$

11 (1) $\dfrac{5}{15},\ \dfrac{2}{6},\ \dfrac{1}{3}$ (2) $\dfrac{16}{28},\ \dfrac{8}{14},\ \dfrac{4}{7}$

12 $\dfrac{7}{15},\ \dfrac{11}{45}$ **13** 9

---

01 전체를 나눈 부분의 개수는 다르지만 색칠한 부분의 크기가 같으므로 두 분수는 크기가 같은 분수입니다.

02 $\dfrac{9}{18}$는 전체를 똑같이 6으로 나눈 것 중의 3만큼 색칠한 것과 크기가 같습니다.

03 전체를 나눈 부분의 개수는 다르지만 색칠한 부분의 크기가 같은 분수는 $\dfrac{3}{4}$과 $\dfrac{9}{12}$입니다.

04 분모와 분자에 각각 0이 아닌 같은 수를 곱하면 크기가 같은 분수가 됩니다.

05 분모와 분자를 각각 0이 아닌 같은 수로 나누면 크기가 같은 분수가 됩니다.

06 (1) $\dfrac{2}{9}=\dfrac{2\times 2}{9\times 2}=\dfrac{2\times 3}{9\times 3}=\dfrac{2\times 4}{9\times 4}$

(2) $\dfrac{12}{54}=\dfrac{12\div 2}{54\div 2}=\dfrac{12\div 3}{54\div 3}=\dfrac{12\div 6}{54\div 6}$

07 약분할 때 분모와 분자를 나눌 수 있는 수는 분모와 분자의 공약수입니다.
→ 48과 36의 공약수: 1, 2, 3, 4, 6, 12

08 분모와 분자를 1을 제외한 그들의 공약수로 나누어 $\dfrac{24}{30}$와 크기가 같은 분수를 만들 수 있습니다.

09 분모와 분자를 한 번씩만 나누어 기약분수로 나타내려면 81과 45의 최대공약수인 9로 분모와 분자를 나누어야 합니다.

10 (1) 12와 8의 최대공약수인 4로 분모와 분자를 나눕니다.

(2) 72와 60의 최대공약수인 12로 분모와 분자를 나눕니다.

11 (1) 30과 10의 공약수: 1, 2, 5, 10
→ 분모와 분자를 2, 5, 10으로 각각 나눕니다.

$\dfrac{10}{30}=\dfrac{10\div 2}{30\div 2}=\dfrac{5}{15},\ \dfrac{10}{30}=\dfrac{10\div 5}{30\div 5}=\dfrac{2}{6},$

$\dfrac{10}{30}=\dfrac{10\div 10}{30\div 10}=\dfrac{1}{3}$

(2) 56과 32의 공약수: 1, 2, 4, 8
→ 분모와 분자를 2, 4, 8로 각각 나눕니다.

$\dfrac{32}{56}=\dfrac{32\div 2}{56\div 2}=\dfrac{16}{28},\ \dfrac{32}{56}=\dfrac{32\div 4}{56\div 4}=\dfrac{8}{14},$

$\dfrac{32}{56}=\dfrac{32\div 8}{56\div 8}=\dfrac{4}{7}$

12 약분할 수 있으면 기약분수가 아닙니다.

$$\frac{12}{20}=\frac{12\div4}{20\div4}=\frac{3}{5}, \quad \frac{14}{35}=\frac{14\div7}{35\div7}=\frac{2}{5},$$

$$\frac{10}{16}=\frac{10\div2}{16\div2}=\frac{5}{8}$$

따라서 기약분수는 $\frac{7}{15}$, $\frac{11}{45}$ 입니다.

13 $\frac{20}{25}=\frac{20\div5}{25\div5}=\frac{4}{5}$ → $5+4=9$

075쪽 STEP 1 교과서 개념 잡기

1 (1) 3, 4, $\frac{5}{10}$, $\frac{6}{12}$, $\frac{7}{14}$ / 6, $\frac{8}{12}$, $\frac{10}{15}$, $\frac{12}{18}$, $\frac{14}{21}$

(2) 3, 4 / $\frac{6}{12}$, $\frac{8}{12}$

2 2, 2, 5, 5 / 14, 15

3 8, 8, 6, 6 / $\frac{40}{48}$, $\frac{18}{48}$

4 6, 6, 5, 5 / $\frac{54}{60}$, $\frac{35}{60}$

1 (2) $\frac{1}{2}$, $\frac{2}{3}$ 와 크기가 같은 분수들 중에서 분모가 같은 분수는 $\left(\frac{3}{6}, \frac{4}{6}\right)$, $\left(\frac{6}{12}, \frac{8}{12}\right)$ 입니다.

3 분모가 $6\times8=48$ 이 되도록 두 분수의 분모와 분자에 각각 같은 수를 곱합니다.

4 2) 10   12
　　　　5　　6   → 최소공배수: $2\times5\times6=60$

077쪽 STEP 1 교과서 개념 잡기

1 (1) 21, 20   (2) 21, >, 20 / >

2 4, 3, > / 4, $\frac{5}{8}$, < / 예 $\frac{16}{24}$, $\frac{15}{24}$, > / $\frac{1}{2}$, $\frac{5}{8}$, $\frac{2}{3}$

3 (1) 8, 0.8 / 0.8, <, 0.9 / <

(2) 8, 9 / 8, <, 9 / <

---

1 두 분모의 곱인 28을 공통분모로 하여 통분한 후 분자의 크기를 비교합니다.

2 두 분수씩 차례로 통분하여 크기를 비교합니다.

3 (1) $\frac{4}{5}=\frac{4\times2}{5\times2}=\frac{8}{10}=0.8$

(2) 0.9는 소수 한 자리 수이므로 분모가 10인 분수로 나타낸 후 통분하여 크기를 비교합니다.

078쪽 STEP 2 개념 한 번 더 잡기

01 10, 12 / 20, 24

02 (1)·　·
(2)·　·
(3)·　·

03 (1) $\frac{45}{54}$, $\frac{42}{54}$ (2) $\frac{8}{80}$, $\frac{50}{80}$

04 (1) $\frac{20}{45}$, $\frac{33}{45}$ (2) $\frac{21}{24}$, $\frac{10}{24}$

05 36 / 24 / 36

06 5, $\frac{30}{35}$ / 7, $\frac{28}{35}$ / >

07 (1) <   (2) >

08 >, <, < / $\frac{7}{10}$, $\frac{5}{8}$, $\frac{4}{7}$

09 (1) $\frac{4}{7}$, $\frac{3}{4}$, $\frac{5}{6}$ (2) $\frac{1}{4}$, $\frac{5}{9}$, $\frac{3}{5}$

10 2, 2, 4, 0.4　　**11** 4, 4, 28, 0.28

12 3, 6 / 6, < / <

13 방법 1 4, 5 / <

방법 2 4, 5 / 0.4, <, 0.5 / <

14 (1) >   (2) <

01 $\left(\frac{2}{9}, \frac{4}{15}\right)$ → $\left(\frac{2\times5}{9\times5}, \frac{4\times3}{15\times3}\right)$ → $\left(\frac{10}{45}, \frac{12}{45}\right)$

$\left(\frac{2}{9}, \frac{4}{15}\right)$ → $\left(\frac{2\times10}{9\times10}, \frac{4\times6}{15\times6}\right)$ → $\left(\frac{20}{90}, \frac{24}{90}\right)$

03 (1) $\left(\frac{5}{6}, \frac{7}{9}\right)$ → $\left(\frac{5\times9}{6\times9}, \frac{7\times6}{9\times6}\right)$ → $\left(\frac{45}{54}, \frac{42}{54}\right)$

(2) $\left(\frac{1}{10}, \frac{5}{8}\right)$ → $\left(\frac{1\times8}{10\times8}, \frac{5\times10}{8\times10}\right)$ → $\left(\frac{8}{80}, \frac{50}{80}\right)$

04 (1)
$$3 \underline{)\ 9 \quad 15}$$
$$\qquad 3 \quad 5 \quad \rightarrow \text{최소공배수: } 3 \times 3 \times 5 = 45$$

$$\left(\frac{4}{9}, \frac{11}{15} \right) \rightarrow \left(\frac{4 \times 5}{9 \times 5}, \frac{11 \times 3}{15 \times 3} \right)$$
$$\rightarrow \left(\frac{20}{45}, \frac{33}{45} \right)$$

(2)
$$4 \underline{)\ 8 \quad 12}$$
$$\qquad 2 \quad 3 \quad \rightarrow \text{최소공배수: } 4 \times 2 \times 3 = 24$$

$$\left(\frac{7}{8}, \frac{5}{12} \right) \rightarrow \left(\frac{7 \times 3}{8 \times 3}, \frac{5 \times 2}{12 \times 2} \right)$$
$$\rightarrow \left(\frac{21}{24}, \frac{10}{24} \right)$$

05 $7 \times 3 = 21$이므로 ㉠$= 12 \times 3 = 36$이고,

$\dfrac{21}{㉠}$과 $\dfrac{㉡}{㉢}$은 통분한 분수이므로 ㉠$=$㉢$=36$입니다.

이때 $3 \times 12 = 36$이므로 ㉡$= 2 \times 12 = 24$입니다.

07 (1) $\left(\dfrac{5}{8}, \dfrac{7}{9} \right) \rightarrow \left(\dfrac{45}{72}, \dfrac{56}{72} \right) \rightarrow \dfrac{5}{8} < \dfrac{7}{9}$

(2) $\left(1\dfrac{3}{4}, 1\dfrac{7}{12} \right) \rightarrow \left(1\dfrac{9}{12}, 1\dfrac{7}{12} \right) \rightarrow 1\dfrac{3}{4} > 1\dfrac{7}{12}$

08 ・$\dfrac{5}{8}\left(= \dfrac{35}{56}\right) > \dfrac{4}{7}\left(= \dfrac{32}{56}\right)$

・$\dfrac{4}{7}\left(= \dfrac{40}{70}\right) < \dfrac{7}{10}\left(= \dfrac{49}{70}\right)$

・$\dfrac{5}{8}\left(= \dfrac{25}{40}\right) < \dfrac{7}{10}\left(= \dfrac{28}{40}\right)$

$\rightarrow \dfrac{7}{10} > \dfrac{5}{8} > \dfrac{4}{7}$

09 (1) ・$\dfrac{5}{6}\left(= \dfrac{10}{12}\right) > \dfrac{3}{4}\left(= \dfrac{9}{12}\right)$

・$\dfrac{3}{4}\left(= \dfrac{21}{28}\right) > \dfrac{4}{7}\left(= \dfrac{16}{28}\right)$

$\rightarrow \dfrac{4}{7} < \dfrac{3}{4} < \dfrac{5}{6}$

(2) ・$\dfrac{5}{9}\left(= \dfrac{20}{36}\right) > \dfrac{1}{4}\left(= \dfrac{9}{36}\right)$

・$\dfrac{1}{4}\left(= \dfrac{5}{20}\right) < \dfrac{3}{5}\left(= \dfrac{12}{20}\right)$

・$\dfrac{5}{9}\left(= \dfrac{25}{45}\right) < \dfrac{3}{5}\left(= \dfrac{27}{45}\right)$

$\rightarrow \dfrac{1}{4} < \dfrac{5}{9} < \dfrac{3}{5}$

10 $5 \times 2 = 10$이므로 분모와 분자에 각각 2를 곱합니다.

11 $25 \times 4 = 100$이므로 분모와 분자에 각각 4를 곱합니다.

13 방법❷에서 두 분수를 소수로 고치면

$\dfrac{8}{20} = \dfrac{4}{10} = 0.4$, $\dfrac{15}{30} = \dfrac{5}{10} = 0.5$입니다.

$\rightarrow \dfrac{4}{10}(= 0.4) < \dfrac{5}{10}(= 0.5) \rightarrow \dfrac{8}{20} < \dfrac{15}{30}$

14 (1) $\dfrac{11}{50} = \dfrac{22}{100} = 0.22 \gtrdot 0.2$

(2) $1.7 = 1\dfrac{7}{10} = 1\dfrac{49}{70} \lessdot 1\dfrac{5}{7} = 1\dfrac{50}{70}$

코칭Tip (2)에서 $1\dfrac{5}{7}$는 소수로 나타낼 수 없으므로 소수를 분수로 나타내어 크기를 비교합니다.

080쪽 STEP3 수학 익힘 문제잡기

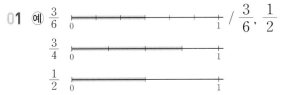

01 예 $\dfrac{3}{6}$ / $\dfrac{3}{6}$, $\dfrac{1}{2}$

02 3, 6 / 딸기우유, 물

03 / $\dfrac{6}{15}$ **04** 예 $\dfrac{9}{27}$, $\dfrac{3}{9}$, $\dfrac{1}{3}$

05 $\dfrac{21}{24}$, $\dfrac{56}{64}$에 ○표 **06** $\dfrac{12}{27}$

07 $\dfrac{3}{18}$, $\dfrac{4}{24}$ **08** 2, 4, 8

09 수아 **10** 1, 3, 7, 9

11 예 $\dfrac{7}{14}$, $\dfrac{6}{14}$ / $\dfrac{14}{28}$, $\dfrac{12}{28}$

12 30에 ○표 **13** (1) (2) (3)

14 24, 48, 72, 96

15 (위에서부터) $\dfrac{7}{9}$ / $\dfrac{7}{9}$, $\dfrac{11}{24}$

16 학교, 은행, 우체국 **17** 328 / 0.328

18 0.75 **19** 1.2, $\dfrac{11}{20}$, 0.34

20 (1) 25, 22 (2) $\dfrac{2}{5}$, $\dfrac{10}{23}$, $\dfrac{5}{11}$

01 $\frac{3}{6}$과 $\frac{1}{2}$은 수직선에 나타낸 부분의 크기가 같으므로 크기가 같은 분수입니다.

02 $\frac{3}{4}$과 $\frac{6}{8}$은 크기가 같은 분수입니다.

03 크기가 같게 색칠하면 전체를 똑같이 15로 나눈 것 중의 6이므로 $\frac{6}{15}$입니다.

04 $\frac{27}{81}=\frac{27\div3}{81\div3}=\frac{27\div9}{81\div9}=\frac{27\div27}{81\div27}$

　➡ $\frac{27}{81}=\frac{9}{27}=\frac{3}{9}=\frac{1}{3}$

05 분모와 분자를 같은 수로 나누었을 때 $\frac{7}{8}$이 되는 것을 찾습니다.

・ $\frac{21}{24}=\frac{21\div3}{24\div3}=\frac{7}{8}$

・ $\frac{56}{64}=\frac{56\div8}{64\div8}=\frac{7}{8}$

06 $\frac{4\times2}{9\times2}=\frac{8}{18}$, $\frac{4\times3}{9\times3}=\frac{12}{27}$, $\frac{4\times4}{9\times4}=\frac{16}{36}$, …

따라서 수 카드로 만들 수 있는 크기가 같은 분수는 $\frac{12}{27}$입니다.

07 $\frac{1}{6}$과 크기가 같은 분수는 $\frac{2}{12}$, $\frac{3}{18}$, $\frac{4}{24}$, $\frac{5}{30}$, …이고, 이 중 분모와 분자의 합이 20보다 크고 30보다 작은 분수는 $\frac{3}{18}$, $\frac{4}{24}$입니다.

08 $\frac{24}{40}$를 약분할 때 분모와 분자를 나눌 수 있는 수는 40과 24의 공약수 중 1을 제외한 2, 4, 8입니다.

09 ・서준: 분모와 분자를 같은 수로 나누어야 합니다.

・수아: 18과 15의 최대공약수인 3으로 분모와 분자를 나누어 기약분수로 바르게 나타내었습니다.

➡ $\frac{15}{18}=\frac{15\div3}{18\div3}=\frac{5}{6}$

10 분모가 10인 진분수 $\frac{1}{10}$, $\frac{2}{10}$, $\frac{3}{10}$, $\frac{4}{10}$, $\frac{5}{10}$, $\frac{6}{10}$, $\frac{7}{10}$, $\frac{8}{10}$, $\frac{9}{10}$ 중에서 기약분수는 $\frac{1}{10}$, $\frac{3}{10}$, $\frac{7}{10}$, $\frac{9}{10}$이므로 □ 안에 들어갈 수 있는 수는 1, 3, 7, 9입니다.

11 두 분모의 공배수 14, 28, …을 공통분모로 하여 통분합니다.

12 두 분모의 공배수 18, 36, 54, …를 공통분모로 하여 통분할 수 있습니다.

13 (1) $\left(\frac{3}{4},\frac{1}{6}\right)\to\left(\frac{9}{12},\frac{2}{12}\right)$

$\left(\frac{5}{12},\frac{1}{3}\right)\to\left(\frac{5}{12},\frac{4}{12}\right)$

(2) $\left(\frac{3}{10},\frac{7}{20}\right)\to\left(\frac{6}{20},\frac{7}{20}\right)$

$\left(\frac{4}{5},\frac{1}{4}\right)\to\left(\frac{16}{20},\frac{5}{20}\right)$

(3) $\left(\frac{4}{9},\frac{7}{15}\right)\to\left(\frac{20}{45},\frac{21}{45}\right)$

$\left(\frac{3}{5},\frac{2}{9}\right)\to\left(\frac{27}{45},\frac{10}{45}\right)$

코칭Tip 공통분모가 같은 것을 찾는 문제이므로 두 분모의 최소공배수만 알면 두 분수를 통분하지 않아도 됩니다.

14 통분할 때 공통분모가 될 수 있는 수는 두 분모의 공배수인 24, 48, 72, 96, 120, …입니다.

따라서 100보다 작은 수를 모두 찾으면 24, 48, 72, 96입니다.

15 ・$\left(\frac{7}{9},\frac{5}{8}\right)\to\left(\frac{56}{72},\frac{45}{72}\right)\to\frac{7}{9}>\frac{5}{8}$

・$\left(\frac{5}{16},\frac{11}{24}\right)\to\left(\frac{15}{48},\frac{22}{48}\right)\to\frac{5}{16}<\frac{11}{24}$

・$\left(\frac{7}{9},\frac{11}{24}\right)\to\left(\frac{56}{72},\frac{33}{72}\right)\to\frac{7}{9}>\frac{11}{24}$

16 ・$\left(\frac{2}{3},\frac{14}{15}\right)\to\left(\frac{10}{15},\frac{14}{15}\right)\to\frac{2}{3}<\frac{14}{15}$

・$\left(\frac{2}{3},\frac{4}{5}\right)\to\left(\frac{10}{15},\frac{12}{15}\right)\to\frac{2}{3}<\frac{4}{5}$

・$\left(\frac{4}{5},\frac{14}{15}\right)\to\left(\frac{12}{15},\frac{14}{15}\right)\to\frac{4}{5}<\frac{14}{15}$

따라서 $\frac{2}{3}<\frac{4}{5}<\frac{14}{15}$이므로 가까운 곳부터 차례로 쓰면 학교, 은행, 우체국입니다.

코칭Tip $\frac{2}{3}$, $\frac{4}{5}$, $\frac{14}{15}$와 같이 분자가 분모보다 1만큼 더 작은 분수는 분모가 클수록 큽니다. 따라서 세 분수의 분모의 크기를 비교하면 $3<5<15$이므로 $\frac{2}{3}<\frac{4}{5}<\frac{14}{15}$입니다.

17 $\frac{41}{125}=\frac{41\times8}{125\times8}=\frac{328}{1000}=0.328$

18 주어진 수 카드 중에서 2장을 뽑아 만들 수 있는 진

분수는 $\dfrac{1}{3}$, $\dfrac{1}{4}$, $\dfrac{1}{8}$, $\dfrac{3}{4}\left(=\dfrac{6}{8}\right)$, $\dfrac{3}{8}$, $\dfrac{4}{8}$입니다.

이 중 가장 큰 수는 $\dfrac{3}{4}$이므로 소수로 나타내면

$\dfrac{3}{4}=\dfrac{3\times25}{4\times25}=\dfrac{75}{100}=0.75$입니다.

19 $\dfrac{11}{20}=\dfrac{55}{100}=0.55$이고, $0.34<0.55<1.2$이므로

큰 수부터 차례로 쓰면 1.2, $\dfrac{11}{20}$, 0.34입니다.

20 (1) $\dfrac{2}{5}=\dfrac{2\times5}{5\times5}=\dfrac{10}{25}$, $\dfrac{5}{11}=\dfrac{5\times2}{11\times2}=\dfrac{10}{22}$

(2) 분자가 같은 분수는 분모가 클수록 작은 수입니다.

세 분수 $\dfrac{10}{25}$, $\dfrac{10}{22}$, $\dfrac{10}{23}$의 분모의 크기를 비교하

면 $25>23>22$이므로 $\dfrac{2}{5}<\dfrac{10}{23}<\dfrac{5}{11}$입니다.

083쪽 서술형 잡기　　※서술형 문제의 예시 답안입니다.

1 은지 / 0

2 ❶ 잘못 말한 친구를 찾아 이름 쓰기 ▶ 2점
ㅤ❷ 잘못된 이유 설명하기 ▶ 3점

ㅤ❶ 경민

ㅤ❷ $\dfrac{9}{36}$의 분모와 분자를 각각 0이 아닌 같은 수

로 나누어야 하는데 분모와 분자를 서로 다른 수
로 나누었습니다.

3 ❶ $<$, $>$, $>$, $\dfrac{1}{2}$, $\dfrac{4}{9}$, $\dfrac{3}{7}$

ㅤ❷ $\dfrac{1}{2}$, 민영 / 민영

4 ❶ 세 분수의 크기 비교하기 ▶ 3점
ㅤ❷ 우유를 가장 적게 마신 친구 구하기 ▶ 2점

ㅤ❶ $\dfrac{5}{18}>\dfrac{2}{9}$, $\dfrac{2}{9}<\dfrac{1}{4}$, $\dfrac{5}{18}>\dfrac{1}{4}$이므로

$\dfrac{2}{9}<\dfrac{1}{4}<\dfrac{5}{18}$입니다.

ㅤ❷ 가장 작은 분수는 $\dfrac{2}{9}$이므로 우유를 가장 적게

마신 친구는 연우입니다. / 연우

084쪽 단원 마무리

01 2, 2 / 3, 3 / 4, 4

02 예

ㅤ$\dfrac{1}{2}$ㅤㅤ$\dfrac{4}{6}$ㅤㅤ$\dfrac{5}{10}$

03 6, 6, $\dfrac{3}{5}$

04 $\dfrac{24}{28}$, $\dfrac{12}{14}$, $\dfrac{6}{7}$

05 25, 25, 25, 0.25

06 96 / 3, 3, $\dfrac{33}{96}$ / 4, 4, $\dfrac{28}{96}$

07 예 $\dfrac{16}{36}$, $\dfrac{15}{36}$ㅤㅤ**08** $\dfrac{7}{8}$에 색칠

09 / $\dfrac{12}{18}$ㅤ**10** $\dfrac{1}{4}$, $\dfrac{8}{32}$에 ○표

11 4ㅤㅤㅤㅤㅤㅤ**12** ②, ⑤

13 2개ㅤㅤㅤㅤㅤ**14** (1) •　•
ㅤㅤㅤㅤㅤㅤㅤㅤㅤ(2) •　•
ㅤㅤㅤㅤㅤㅤㅤㅤㅤ(3) •　•

15 정규

16 방법❶ 예 $\left(\dfrac{24}{30}, \dfrac{28}{40}\right) \Rightarrow \left(\dfrac{8}{10}, \dfrac{7}{10}\right)$

ㅤㅤㅤㅤㅤㅤㅤㅤㅤㅤ$\Rightarrow \dfrac{24}{30} > \dfrac{28}{40}$

ㅤ방법❷ 예 $\left(\dfrac{24}{30}, \dfrac{28}{40}\right) \Rightarrow \left(\dfrac{8}{10}, \dfrac{7}{10}\right)$

ㅤㅤㅤㅤㅤㅤㅤㅤㅤㅤ$\Rightarrow 0.8 > 0.7$

ㅤㅤㅤㅤㅤㅤㅤㅤㅤㅤ$\Rightarrow \dfrac{24}{30} > \dfrac{28}{40}$

17 0.8

18 $\dfrac{16}{25}$, 0.7, $1\dfrac{1}{2}$

※서술형 문제의 예시 답안입니다.

서술형

19 ❶ 잘못 말한 친구를 찾아 이름 쓰기 ▶ 2점
ㅤㅤ❷ 잘못된 이유 설명하기 ▶ 3점

ㅤㅤ❶ 주경

ㅤㅤ❷ 크기가 같은 분수를 만들려면 분모와 분자를
각각 0이 아닌 같은 수로 나누어야 합니다.

20

❶ $\dfrac{2}{3} > \dfrac{5}{9}$, $\dfrac{5}{9} < \dfrac{7}{10}$, $\dfrac{2}{3} < \dfrac{7}{10}$이므로

$\dfrac{7}{10} > \dfrac{2}{3} > \dfrac{5}{9}$입니다.

❷ 가장 큰 분수는 $\dfrac{7}{10}$이므로 가장 큰 분수를

쓴 친구는 수민입니다. / 수민

01 분모와 분자에 각각 0이 아닌 같은 수를 곱하면 크기가 같은 분수가 됩니다.

02 전체를 나눈 부분의 개수는 다르지만 색칠한 부분의 크기가 같은 분수는 $\dfrac{1}{2}$과 $\dfrac{5}{10}$입니다.

03 30과 18의 최대공약수인 6으로 분모와 분자를 나눕니다.

04 56과 48의 공약수: 1, 2, 4, 8
➔ 분모와 분자를 2, 4, 8로 각각 나눕니다.

$\dfrac{48}{56} = \dfrac{48 \div 2}{56 \div 2} = \dfrac{48 \div 4}{56 \div 4} = \dfrac{48 \div 8}{56 \div 8}$

➔ $\dfrac{48}{56} = \dfrac{24}{28} = \dfrac{12}{14} = \dfrac{6}{7}$

05 $4 \times 25 = 100$이므로 분모와 분자에 각각 25를 곱합니다.

06 32와 24의 최소공배수인 96을 공통분모로 하여 통분하려면 $\dfrac{11}{32}$의 분모와 분자에 각각 3을 곱하고, $\dfrac{7}{24}$의 분모와 분자에 각각 4를 곱합니다.

07 두 분모의 곱 또는 최소공배수를 공통분모로 하여 통분합니다.

$\dfrac{4}{9} = \dfrac{4 \times 4}{9 \times 4} = \dfrac{16}{36}$, $\dfrac{5}{12} = \dfrac{5 \times 3}{12 \times 3} = \dfrac{15}{36}$

채점Tip 9와 12의 공배수 36, 72, 108, ...을 공통분모로 하여 통분하였으면 모두 정답입니다.

08 $\left(\dfrac{17}{20}, \dfrac{7}{8} \right) \rightarrow \left(\dfrac{34}{40}, \dfrac{35}{40} \right) \rightarrow \dfrac{17}{20} < \dfrac{7}{8}$

09 크기가 같게 색칠하면 전체를 똑같이 18로 나눈 것 중의 12이므로 $\dfrac{12}{18}$입니다.

10 $\cdot \dfrac{4}{16} = \dfrac{4 \div 4}{16 \div 4} = \dfrac{1}{4}$ $\cdot \dfrac{4}{16} = \dfrac{4 \times 2}{16 \times 2} = \dfrac{8}{32}$

11 $\dfrac{36}{60} = \dfrac{36 \div \square}{60 \div \square} = \dfrac{9}{15}$에서 $36 \div \square = 9$, $\square = 4$이므로 분모와 분자를 각각 4로 나누었습니다.

12 공통분모가 될 수 있는 수는 분모 8과 12의 공배수인 24, 48, 72, 96, ...입니다.

13 분모와 분자의 공약수가 1뿐인 분수는 $\dfrac{13}{35}$, $\dfrac{15}{52}$로 모두 2개입니다.

➔ $\dfrac{8}{44} = \dfrac{8 \div 4}{44 \div 4} = \dfrac{2}{11}$, $\dfrac{6}{24} = \dfrac{6 \div 6}{24 \div 6} = \dfrac{1}{4}$,

$\dfrac{15}{75} = \dfrac{15 \div 15}{75 \div 15} = \dfrac{1}{5}$

14 (1) $\left(\dfrac{1}{4}, \dfrac{5}{12} \right) \rightarrow \left(\dfrac{1 \times 12}{4 \times 12}, \dfrac{5 \times 4}{12 \times 4} \right) \rightarrow \left(\dfrac{12}{48}, \dfrac{20}{48} \right)$

(2) $\left(\dfrac{3}{8}, \dfrac{1}{6} \right) \rightarrow \left(\dfrac{3 \times 3}{8 \times 3}, \dfrac{1 \times 4}{6 \times 4} \right) \rightarrow \left(\dfrac{9}{24}, \dfrac{4}{24} \right)$

(3) $\left(\dfrac{1}{2}, \dfrac{2}{3} \right) \rightarrow \left(\dfrac{1 \times 6}{2 \times 6}, \dfrac{2 \times 4}{3 \times 4} \right) \rightarrow \left(\dfrac{6}{12}, \dfrac{8}{12} \right)$

15 $37\dfrac{27}{50} = 37\dfrac{54}{100} = 37.54 \rightarrow 37.4 < 37.54$

따라서 정규의 몸무게가 더 무겁습니다.

다른 풀이 $37.4 = 37\dfrac{4}{10} = 37\dfrac{20}{50} \rightarrow 37\dfrac{20}{50} < 37\dfrac{27}{50}$

로 크기를 비교하여 구할 수도 있습니다.

16 **방법❶** 분모가 10인 분수로 약분하여 분자의 크기를 비교합니다.

방법❷ 분모가 10인 분수로 약분하여 소수로 고친 후 소수의 크기를 비교합니다.

17 주어진 수 카드 중에서 2장을 뽑아 만들 수 있는 진분수는 $\dfrac{1}{2}\left(= \dfrac{10}{20}\right)$, $\dfrac{1}{4}$, $\dfrac{1}{5}$, $\dfrac{2}{4}\left(= \dfrac{10}{20}\right)$, $\dfrac{2}{5}$, $\dfrac{4}{5}\left(= \dfrac{16}{20}\right)$입니다. 이 중 가장 큰 수는 $\dfrac{4}{5}$이므로 소수로 나타내면 $\dfrac{4}{5} = \dfrac{4 \times 2}{5 \times 2} = \dfrac{8}{10} = 0.8$입니다.

18 $\dfrac{16}{25} = \dfrac{64}{100} = 0.64$, $1\dfrac{1}{2} = 1\dfrac{5}{10} = 1.5$이고,

$0.64 < 0.7 < 1.5$이므로 작은 수부터 차례로 쓰면

$\dfrac{16}{25}$, 0.7, $1\dfrac{1}{2}$입니다.

5 분수의 덧셈과 뺄셈

091쪽 **STEP 1** 교과서 개념 잡기

1 2, 9, 11

2 $\dfrac{2}{7}+\dfrac{1}{4}=\dfrac{2\times4}{7\times4}+\dfrac{1\times7}{4\times7}=\dfrac{8}{28}+\dfrac{7}{28}=\dfrac{15}{28}$

3 (1) $\dfrac{5}{6}+\dfrac{1}{9}=\dfrac{5\times9}{6\times9}+\dfrac{1\times6}{9\times6}=\dfrac{45}{54}+\dfrac{6}{54}$

$\quad\quad=\dfrac{51}{54}=\dfrac{17}{18}$

  (2) $\dfrac{5}{6}+\dfrac{1}{9}=\dfrac{5\times3}{6\times3}+\dfrac{1\times2}{9\times2}=\dfrac{15}{18}+\dfrac{2}{18}$

$\quad\quad=\dfrac{17}{18}$

4 (1) $\dfrac{10}{21}$ (2) $\dfrac{7}{8}$ (3) $\dfrac{25}{36}$

3 두 분모의 곱 또는 최소공배수를 공통분모로 하여 통분한 후 계산합니다.

4 (1) $\dfrac{1}{3}+\dfrac{1}{7}=\dfrac{7}{21}+\dfrac{3}{21}=\dfrac{10}{21}$

  (2) $\dfrac{5}{8}+\dfrac{1}{4}=\dfrac{5}{8}+\dfrac{2}{8}=\dfrac{7}{8}$

  (3) $\dfrac{1}{9}+\dfrac{7}{12}=\dfrac{4}{36}+\dfrac{21}{36}=\dfrac{25}{36}$

093쪽 **STEP 1** 교과서 개념 잡기

1 예

/ 3 / 4 / 1, 1

2 $\dfrac{7}{9}+\dfrac{1}{3}=\dfrac{7\times3}{9\times3}+\dfrac{1\times9}{3\times9}=\dfrac{21}{27}+\dfrac{9}{27}$

$\quad\quad=\dfrac{30}{27}=1\dfrac{3}{27}=1\dfrac{1}{9}$

3 $\dfrac{1}{6}+\dfrac{11}{12}=\dfrac{1\times2}{6\times2}+\dfrac{11}{12}=\dfrac{2}{12}+\dfrac{11}{12}$

$\quad\quad=\dfrac{13}{12}=1\dfrac{1}{12}$

4 (1) $1\dfrac{7}{30}$ (2) $1\dfrac{9}{20}$ (3) $1\dfrac{1}{24}$

1 $\dfrac{1}{2}=\dfrac{1\times3}{2\times3}=\dfrac{3}{6}$, $\dfrac{2}{3}=\dfrac{2\times2}{3\times2}=\dfrac{4}{6}$

→ $\dfrac{1}{2}+\dfrac{2}{3}=\dfrac{3}{6}+\dfrac{4}{6}=\dfrac{7}{6}=1\dfrac{1}{6}$

2 계산 결과가 가분수이면 대분수로 나타내고, 약분할 수 있으면 약분하여 기약분수로 나타냅니다.

4 (1) $\dfrac{2}{5}+\dfrac{5}{6}=\dfrac{12}{30}+\dfrac{25}{30}=\dfrac{37}{30}=1\dfrac{7}{30}$

  (2) $\dfrac{3}{4}+\dfrac{7}{10}=\dfrac{15}{20}+\dfrac{14}{20}=\dfrac{29}{20}=1\dfrac{9}{20}$

  (3) $\dfrac{1}{8}+\dfrac{11}{12}=\dfrac{3}{24}+\dfrac{22}{24}=\dfrac{25}{24}=1\dfrac{1}{24}$

095쪽 **STEP 1** 교과서 개념 잡기

1 5 / 8 / 예

/ $1\dfrac{1}{2}+1\dfrac{4}{5}=(1+1)+\left(\dfrac{5}{10}+\dfrac{8}{10}\right)$

$\quad\quad=2+\dfrac{13}{10}=2+1\dfrac{3}{10}=3\dfrac{3}{10}$

2 (1) $1\dfrac{5}{8}+1\dfrac{3}{4}=1\dfrac{5}{8}+1\dfrac{6}{8}$

$\quad\quad=(1+1)+\left(\dfrac{5}{8}+\dfrac{6}{8}\right)$

$\quad\quad=2+\dfrac{11}{8}=2+1\dfrac{3}{8}=3\dfrac{3}{8}$

  (2) $1\dfrac{5}{8}+1\dfrac{3}{4}=\dfrac{13}{8}+\dfrac{7}{4}=\dfrac{13}{8}+\dfrac{14}{8}$

$\quad\quad=\dfrac{27}{8}=3\dfrac{3}{8}$

3 (1) $4\dfrac{17}{45}$ (2) $5\dfrac{1}{9}$ (3) $5\dfrac{11}{24}$

2 (1) 분수끼리의 합이 가분수이면 대분수로 나타냅니다.
  (2) 대분수를 가분수로 고쳐서 계산한 결과는 다시 대분수로 나타냅니다.

3 (1) $1\dfrac{3}{5}+2\dfrac{7}{9}=1\dfrac{27}{45}+2\dfrac{35}{45}=3\dfrac{62}{45}=4\dfrac{17}{45}$

  (2) $2\dfrac{4}{9}+2\dfrac{2}{3}=2\dfrac{4}{9}+2\dfrac{6}{9}=4\dfrac{10}{9}=5\dfrac{1}{9}$

  (3) $3\dfrac{5}{6}+1\dfrac{5}{8}=3\dfrac{20}{24}+1\dfrac{15}{24}=4\dfrac{35}{24}=5\dfrac{11}{24}$

096쪽 STEP2 개념 한번 더 잡기

01 (예) [표] / 2, 3, 5, 1

02 4, 13

03 (1) $\dfrac{2\times9}{7\times9}+\dfrac{4\times7}{9\times7}=\dfrac{18}{63}+\dfrac{28}{63}=\dfrac{46}{63}$

(2) $\dfrac{3\times2}{8\times2}+\dfrac{1\times8}{2\times8}=\dfrac{6}{16}+\dfrac{8}{16}=\dfrac{14}{16}=\dfrac{7}{8}$

04 $\dfrac{13}{15}$

05 (예)

$\dfrac{1}{3}$ [그림] $\dfrac{3}{4}$

↓ ↓

$\boxed{\dfrac{4}{12}}$ + $\boxed{\dfrac{9}{12}}$

/ 4, 9, 13, 1

06 25, 16, 41, 1, 11

07 방법1 $\dfrac{1}{4}+\dfrac{5}{6}=\dfrac{1\times6}{4\times6}+\dfrac{5\times4}{6\times4}$

$=\dfrac{6}{24}+\dfrac{20}{24}=\dfrac{26}{24}$

$=1\dfrac{2}{24}=1\dfrac{1}{12}$

방법2 $\dfrac{1}{4}+\dfrac{5}{6}=\dfrac{1\times3}{4\times3}+\dfrac{5\times2}{6\times2}$

$=\dfrac{3}{12}+\dfrac{10}{12}$

$=\dfrac{13}{12}=1\dfrac{1}{12}$

08 $1\dfrac{11}{30}$

09 $1\dfrac{1}{10}$에 ○표

10 15, 8, 23, 4, 5

11 방법1 $2\dfrac{16}{40}+1\dfrac{35}{40}=(2+1)+\left(\dfrac{16}{40}+\dfrac{35}{40}\right)$

$=3+\dfrac{51}{40}=3+1\dfrac{11}{40}=4\dfrac{11}{40}$

방법2 $\dfrac{12}{5}+\dfrac{15}{8}=\dfrac{96}{40}+\dfrac{75}{40}=\dfrac{171}{40}=4\dfrac{11}{40}$

12 $3\dfrac{13}{28}$

02 $\dfrac{9}{16}+\dfrac{1}{4}=\dfrac{9}{16}+\dfrac{1\times4}{4\times4}=\dfrac{9}{16}+\dfrac{4}{16}=\dfrac{13}{16}$

03 두 분모의 곱을 공통분모로 하여 통분한 후 계산합니다.

04 $\dfrac{4}{15}+\dfrac{3}{5}=\dfrac{4}{15}+\dfrac{9}{15}=\dfrac{13}{15}$

06 $\dfrac{5}{6}+\dfrac{8}{15}=\dfrac{5\times5}{6\times5}+\dfrac{8\times2}{15\times2}$

$=\dfrac{25}{30}+\dfrac{16}{30}=\dfrac{41}{30}=1\dfrac{11}{30}$

08 $\dfrac{7}{10}+\dfrac{2}{3}=\dfrac{21}{30}+\dfrac{20}{30}=\dfrac{41}{30}=1\dfrac{11}{30}$

09 $\dfrac{1}{2}+\dfrac{3}{5}=\dfrac{5}{10}+\dfrac{6}{10}=\dfrac{11}{10}=1\dfrac{1}{10}$

12 $1\dfrac{5}{7}+1\dfrac{3}{4}=1\dfrac{20}{28}+1\dfrac{21}{28}=2\dfrac{41}{28}=3\dfrac{13}{28}$

099쪽 STEP1 교과서 개념 잡기

1 3, 2, 1

2 $\dfrac{7}{12}-\dfrac{1}{8}=\dfrac{7\times2}{12\times2}-\dfrac{1\times3}{8\times3}$

$=\dfrac{14}{24}-\dfrac{3}{24}=\dfrac{11}{24}$

3 (1) $\dfrac{7}{8}-\dfrac{5}{6}=\dfrac{7\times6}{8\times6}-\dfrac{5\times8}{6\times8}$

$=\dfrac{42}{48}-\dfrac{40}{48}=\dfrac{2}{48}=\dfrac{1}{24}$

(2) $\dfrac{7}{8}-\dfrac{5}{6}=\dfrac{7\times3}{8\times3}-\dfrac{5\times4}{6\times4}$

$=\dfrac{21}{24}-\dfrac{20}{24}=\dfrac{1}{24}$

4 (1) $\dfrac{2}{9}$ (2) $\dfrac{13}{35}$ (3) $\dfrac{13}{24}$

3 (1) 8과 6의 곱인 48을 공통분모로 하여 통분한 후 계산합니다.

(2) 8과 6의 최소공배수인 24를 공통분모로 하여 통분한 후 계산합니다.

4 (1) $\dfrac{8}{9}-\dfrac{2}{3}=\dfrac{8}{9}-\dfrac{6}{9}=\dfrac{2}{9}$

(2) $\dfrac{4}{5}-\dfrac{3}{7}=\dfrac{28}{35}-\dfrac{15}{35}=\dfrac{13}{35}$

(3) $\dfrac{11}{12}-\dfrac{3}{8}=\dfrac{22}{24}-\dfrac{9}{24}=\dfrac{13}{24}$

1 예 ☐ / 9 / 4 / 5

2 $3\frac{2}{3}-1\frac{3}{5}=3\frac{10}{15}-1\frac{9}{15}$

$\qquad=(3-1)+\left(\frac{10}{15}-\frac{9}{15}\right)=2\frac{1}{15}$

3 (1) $2\frac{4}{7}-1\frac{1}{2}=2\frac{8}{14}-1\frac{7}{14}$

$\qquad=(2-1)+\left(\frac{8}{14}-\frac{7}{14}\right)$

$\qquad=1+\frac{1}{14}=1\frac{1}{14}$

(2) $2\frac{4}{7}-1\frac{1}{2}=\frac{18}{7}-\frac{3}{2}=\frac{36}{14}-\frac{21}{14}$

$\qquad=\frac{15}{14}=1\frac{1}{14}$

4 (1) $2\frac{5}{24}$ (2) $4\frac{1}{4}$ (3) $2\frac{17}{60}$

1 $1\frac{3}{4}-1\frac{1}{3}=1\frac{9}{12}-1\frac{4}{12}=\frac{5}{12}$

4 (1) $4\frac{7}{8}-2\frac{2}{3}=4\frac{21}{24}-2\frac{16}{24}=2\frac{5}{24}$

(2) $5\frac{1}{2}-1\frac{1}{4}=5\frac{2}{4}-1\frac{1}{4}=4\frac{1}{4}$

(3) $6\frac{7}{10}-4\frac{5}{12}=6\frac{42}{60}-4\frac{25}{60}=2\frac{17}{60}$

1 예 ☐ ☐ / 2 / 1, 3

$/\ 3\frac{1}{2}-1\frac{3}{4}=3\frac{2}{4}-1\frac{3}{4}=2\frac{6}{4}-1\frac{3}{4}=1\frac{3}{4}$

2 $3\frac{4}{9}-2\frac{1}{2}=3\frac{8}{18}-2\frac{9}{18}=2\frac{26}{18}-2\frac{9}{18}$

$\qquad=(2-2)+\left(\frac{26}{18}-\frac{9}{18}\right)=\frac{17}{18}$

3 $2\frac{1}{4}-1\frac{4}{5}=\frac{9}{4}-\frac{9}{5}=\frac{45}{20}-\frac{36}{20}=\frac{9}{20}$

4 (1) $\frac{9}{10}$ (2) $2\frac{17}{45}$ (3) $2\frac{7}{24}$

2 분수끼리 뺄 수 없으므로 자연수 부분에서 1을 받아내림하여 분모가 18인 가분수로 바꿔서 계산합니다.

4 (1) $5\frac{3}{5}-4\frac{7}{10}=5\frac{6}{10}-4\frac{7}{10}$

$\qquad=4\frac{16}{10}-4\frac{7}{10}=\frac{9}{10}$

(2) $6\frac{4}{15}-3\frac{8}{9}=6\frac{12}{45}-3\frac{40}{45}$

$\qquad=5\frac{57}{45}-3\frac{40}{45}=2\frac{17}{45}$

(3) $4\frac{1}{8}-1\frac{5}{6}=4\frac{3}{24}-1\frac{20}{24}$

$\qquad=3\frac{27}{24}-1\frac{20}{24}=2\frac{7}{24}$

01 예 $\frac{3}{4}$ ☐ ☐ $\frac{1}{2}$ / 3, 2, 1

$\frac{3}{4}$ ☐ ↓ ↓ ☐ $\frac{2}{4}$

02 18, 5, 13

03 $\frac{30}{35}-\frac{14}{35}=\frac{16}{35}$

04 $\frac{1}{10}$ 에 ○표

05 예 ☐ / 4, 3, 1

06 36, 15, 2, 21

07 방법1 $4\frac{12}{20}-2\frac{5}{20}=(4-2)+\left(\frac{12}{20}-\frac{5}{20}\right)$

$\qquad=2+\frac{7}{20}=2\frac{7}{20}$

방법2 $\frac{23}{5}-\frac{9}{4}=\frac{92}{20}-\frac{45}{20}=\frac{47}{20}=2\frac{7}{20}$

08 $2\frac{5}{42}$ 　　　**09** $3\frac{7}{12}$

10 예 ☐ / $\frac{8}{9}$

11 $3\frac{7}{20}-1\frac{5}{8}=3\frac{14}{40}-1\frac{25}{40}$

$\qquad=2\frac{54}{40}-1\frac{25}{40}=1\frac{29}{40}$

12 방법1 $2\dfrac{5}{15}-1\dfrac{6}{15}=1\dfrac{20}{15}-1\dfrac{6}{15}=\dfrac{14}{15}$

방법2 $\dfrac{7}{3}-\dfrac{7}{5}=\dfrac{35}{15}-\dfrac{21}{15}=\dfrac{14}{15}$

13 $2\dfrac{13}{18}$ **14** $2\dfrac{13}{24}$

02 10과 4의 최소공배수인 20을 공통분모로 하여 통분한 후 계산합니다.

$\dfrac{9}{10}-\dfrac{1}{4}=\dfrac{9\times2}{10\times2}-\dfrac{1\times5}{4\times5}=\dfrac{18}{20}-\dfrac{5}{20}=\dfrac{13}{20}$

03 두 분모의 곱을 공통분모로 하여 통분한 후 계산합니다.

04 $\dfrac{4}{5}-\dfrac{7}{10}=\dfrac{4\times2}{5\times2}-\dfrac{7}{10}=\dfrac{8}{10}-\dfrac{7}{10}=\dfrac{1}{10}$

05 6을 공통분모로 하여 통분하면 $1\dfrac{4}{6}$와 $1\dfrac{3}{6}$이므로 자연수는 자연수끼리, 분수는 분수끼리 뺍니다.

06 $3\dfrac{9}{10}-1\dfrac{3}{8}=3\dfrac{36}{40}-1\dfrac{15}{40}$

$=(3-1)+\left(\dfrac{36}{40}-\dfrac{15}{40}\right)=2\dfrac{21}{40}$

07 방법2 에서 대분수를 가분수로 고쳐서 계산한 결과는 다시 대분수로 나타냅니다.

08 $3\dfrac{5}{6}-1\dfrac{5}{7}=3\dfrac{35}{42}-1\dfrac{30}{42}=2\dfrac{5}{42}$

09 $5\dfrac{3}{4}-2\dfrac{1}{6}=5\dfrac{9}{12}-2\dfrac{2}{12}=3\dfrac{7}{12}$

10 ×로 지우고 남은 부분은 $\dfrac{8}{9}$입니다.

11 분수끼리 뺄 수 없으면 자연수 부분에서 1을 받아내림하여 분모가 40인 가분수로 바꿔서 계산합니다.

12 방법1 자연수는 자연수끼리, 분수는 분수끼리 빼서 계산합니다.

방법2 대분수를 가분수로 고쳐서 계산합니다.

13 $5\dfrac{2}{9}-2\dfrac{1}{2}=5\dfrac{4}{18}-2\dfrac{9}{18}=4\dfrac{22}{18}-2\dfrac{9}{18}=2\dfrac{13}{18}$

14 $4\dfrac{3}{8}-1\dfrac{5}{6}=4\dfrac{9}{24}-1\dfrac{20}{24}=3\dfrac{33}{24}-1\dfrac{20}{24}=2\dfrac{13}{24}$

106쪽 STEP3 수학 익힘 문제 잡기

01 $\dfrac{9}{16}$

02 $\dfrac{1\times1}{6\times2}$에 ○표

/ $\dfrac{5}{12}+\dfrac{1\times2}{6\times2}=\dfrac{5}{12}+\dfrac{2}{12}=\dfrac{7}{12}$

03 $\dfrac{17}{40}$컵

04 (위에서부터) $1\dfrac{11}{20}$ / $1\dfrac{7}{10}$

05 ④ **06** $1\dfrac{1}{15}$

07 =

08 $1\dfrac{5}{8}+1\dfrac{1}{2}=3\dfrac{1}{8}$ / $3\dfrac{1}{8}$ cm

09 $\dfrac{10}{21}$, $\dfrac{1}{7}$ **10** $\dfrac{1}{4}$ m

11 (1) •——•
(2) •╲╱•
(3) •╱╲•

12 2, 3, 1

13 $4\dfrac{5}{28}$ **14** (○)( )

15 $1\dfrac{35}{36}$ **16** 1, 2, 3

17 (1) $6\dfrac{1}{12}$ km (2) $5\dfrac{23}{24}$ km

(3) 학교, $\dfrac{1}{8}$ km

01 $\dfrac{1}{4}+\dfrac{5}{16}=\dfrac{4}{16}+\dfrac{5}{16}=\dfrac{9}{16}$

02 분모와 분자에 각각 같은 수를 곱하여 통분해야 하는데 분모에는 2를, 분자에는 1을 곱하여 계산을 잘못했습니다.

03 (④ 비커의 설탕의 양)

$=$(② 비커의 설탕의 양)$+\dfrac{1}{8}$

$=\dfrac{3}{10}+\dfrac{1}{8}=\dfrac{12}{40}+\dfrac{5}{40}=\dfrac{17}{40}$(컵)

04 • $\dfrac{4}{5}+\dfrac{3}{4}=\dfrac{16}{20}+\dfrac{15}{20}=\dfrac{31}{20}=1\dfrac{11}{20}$

• $\dfrac{4}{5}+\dfrac{9}{10}=\dfrac{8}{10}+\dfrac{9}{10}=\dfrac{17}{10}=1\dfrac{7}{10}$

05
① $\dfrac{1}{2}+\dfrac{2}{5}=\dfrac{5}{10}+\dfrac{4}{10}=\dfrac{9}{10}$

② $\dfrac{3}{8}+\dfrac{1}{6}=\dfrac{9}{24}+\dfrac{4}{24}=\dfrac{13}{24}$

③ $\dfrac{1}{4}+\dfrac{4}{9}=\dfrac{9}{36}+\dfrac{16}{36}=\dfrac{25}{36}$

④ $\dfrac{4}{7}+\dfrac{1}{2}=\dfrac{8}{14}+\dfrac{7}{14}=\dfrac{15}{14}=1\dfrac{1}{14}$

⑤ $\dfrac{1}{3}+\dfrac{5}{9}=\dfrac{3}{9}+\dfrac{5}{9}=\dfrac{8}{9}$

따라서 계산 결과가 1보다 큰 것은 ④입니다.

06 $\dfrac{1}{3}=\dfrac{5}{15}$, $\dfrac{3}{5}=\dfrac{9}{15}$이므로 $\dfrac{11}{15}>\dfrac{3}{5}>\dfrac{1}{3}$입니다.

➡ $\dfrac{11}{15}+\dfrac{1}{3}=\dfrac{11}{15}+\dfrac{5}{15}=\dfrac{16}{15}=1\dfrac{1}{15}$

07
· $1\dfrac{2}{3}+1\dfrac{1}{2}=1\dfrac{4}{6}+1\dfrac{3}{6}=2\dfrac{7}{6}=3\dfrac{1}{6}$

· $1\dfrac{5}{6}+1\dfrac{1}{3}=1\dfrac{5}{6}+1\dfrac{2}{6}=2\dfrac{7}{6}=3\dfrac{1}{6}$

08 (직사각형의 세로)

　　$=$(직사각형의 가로)$+1\dfrac{1}{2}$

　　$=1\dfrac{5}{8}+1\dfrac{1}{2}=1\dfrac{5}{8}+1\dfrac{4}{8}=2\dfrac{9}{8}=3\dfrac{1}{8}$ (cm)

09
· $\dfrac{4}{7}-\dfrac{2}{21}=\dfrac{12}{21}-\dfrac{2}{21}=\dfrac{10}{21}$

· $\dfrac{10}{21}-\dfrac{1}{3}=\dfrac{10}{21}-\dfrac{7}{21}=\dfrac{3}{21}=\dfrac{1}{7}$

10 (파란색 끈의 길이)$-$(노란색 끈의 길이)

　　$=\dfrac{5}{6}-\dfrac{7}{12}=\dfrac{10}{12}-\dfrac{7}{12}=\dfrac{3}{12}=\dfrac{1}{4}$ (m)

11
(1) $6\dfrac{6}{7}-3\dfrac{5}{6}=6\dfrac{36}{42}-3\dfrac{35}{42}=3\dfrac{1}{42}$

(2) $5\dfrac{2}{3}-2\dfrac{3}{7}=5\dfrac{14}{21}-2\dfrac{9}{21}=3\dfrac{5}{21}$

(3) $7\dfrac{5}{7}-4\dfrac{1}{3}=7\dfrac{15}{21}-4\dfrac{7}{21}=3\dfrac{8}{21}$

12
· $4\dfrac{3}{4}-1\dfrac{1}{2}=4\dfrac{3}{4}-1\dfrac{2}{4}=3\dfrac{1}{4}$

· $5\dfrac{2}{7}-3\dfrac{1}{5}=5\dfrac{10}{35}-3\dfrac{7}{35}=2\dfrac{3}{35}$

· $5\dfrac{2}{3}-2\dfrac{1}{6}=5\dfrac{4}{6}-2\dfrac{1}{6}=3\dfrac{3}{6}=3\dfrac{1}{2}$

➡ $3\dfrac{1}{2}\left(=3\dfrac{2}{4}\right)>3\dfrac{1}{4}>2\dfrac{3}{35}$

13
· 만들 수 있는 가장 큰 대분수: $7\dfrac{3}{4}$

· 만들 수 있는 가장 작은 대분수: $3\dfrac{4}{7}$

➡ $7\dfrac{3}{4}-3\dfrac{4}{7}=7\dfrac{21}{28}-3\dfrac{16}{28}=4\dfrac{5}{28}$

코칭Tip 세 수로 가장 큰 대분수와 가장 작은 대분수 만들기

①<②<③일 때 ➡ ┌ 가장 큰 대분수: ③$\dfrac{①}{②}$

　　　　　　　　└ 가장 작은 대분수: ①$\dfrac{②}{③}$

14
· $3\dfrac{2}{7}-2\dfrac{1}{6}=3\dfrac{12}{42}-2\dfrac{7}{42}=1\dfrac{5}{42}$

· $2\dfrac{1}{8}-1\dfrac{1}{4}=2\dfrac{1}{8}-1\dfrac{2}{8}=1\dfrac{9}{8}-1\dfrac{2}{8}=\dfrac{7}{8}$

코칭Tip 자연수끼리의 차가 1이므로 분수끼리 뺄 수 없는 식의 계산 결과는 진분수입니다.

15 ㉠$+1\dfrac{7}{12}=3\dfrac{5}{9}$

➡ ㉠$=3\dfrac{5}{9}-1\dfrac{7}{12}=3\dfrac{20}{36}-1\dfrac{21}{36}$

　　$=2\dfrac{56}{36}-1\dfrac{21}{36}=1\dfrac{35}{36}$

코칭Tip $3\dfrac{5}{9}$에서 거꾸로 계산하여 ㉠에 알맞은 수를 구합니다.

16 $5\dfrac{1}{12}-1\dfrac{5}{9}=5\dfrac{3}{36}-1\dfrac{20}{36}$

　　　　$=4\dfrac{39}{36}-1\dfrac{20}{36}=3\dfrac{19}{36}$

따라서 $3\dfrac{19}{36}>\square$이므로 $\square$ 안에 들어갈 수 있는 자연수는 1, 2, 3입니다.

코칭Tip 대분수의 자연수 부분만을 보고 $\square$ 안에 들어갈 수 있는 자연수가 1, 2라고 답하지 않도록 주의합니다.

17
(1) $2\dfrac{5}{12}+3\dfrac{2}{3}=2\dfrac{5}{12}+3\dfrac{8}{12}$

　　　$=5\dfrac{13}{12}=6\dfrac{1}{12}$ (km)

(2) $4\dfrac{5}{6}+1\dfrac{1}{8}=4\dfrac{20}{24}+1\dfrac{3}{24}=5\dfrac{23}{24}$ (km)

(3) $6\dfrac{1}{12}>5\dfrac{23}{24}$이므로 학교를 거쳐 가는 길이 더 가깝습니다.

➡ $6\dfrac{1}{12}-5\dfrac{23}{24}=6\dfrac{2}{24}-5\dfrac{23}{24}=5\dfrac{26}{24}-5\dfrac{23}{24}$

　　　$=\dfrac{3}{24}=\dfrac{1}{8}$ (km)

진도북

5
단원

※서술형 문제의 예시 답안입니다.

1 2, 1 / $\dfrac{5}{8} - \dfrac{1}{4} = \dfrac{5}{8} - \dfrac{2}{8} = \dfrac{3}{8}$

2
❶ 계산이 잘못된 이유 쓰기 ▶ 3점
❷ 바르게 계산하기 ▶ 2점

❶ 분수의 분모와 분자에 같은 수를 곱하여 통분한 후 계산해야 하는데 분모끼리 더하고, 분자끼리 더해서 계산을 잘못했습니다.

❷ $\dfrac{1}{2} + \dfrac{3}{7} = \dfrac{7}{14} + \dfrac{6}{14} = \dfrac{13}{14}$

3 ❶ 3, 8, 11 ❷ 11, 18, 11, 7 / $\dfrac{7}{18}$

4
❶ 선미와 세호가 먹은 피자는 전체의 얼마인지 구하기 ▶ 3점

❷ 용희가 먹은 피자는 전체의 얼마인지 구하기 ▶ 2점

❶ 선미와 세호가 먹은 피자는 전체의
$\dfrac{5}{12} + \dfrac{3}{8} = \dfrac{10}{24} + \dfrac{9}{24} = \dfrac{19}{24}$입니다.

❷ 피자 전체를 1이라 하면 용희가 먹은 피자는
전체의 $1 - \dfrac{19}{24} = \dfrac{24}{24} - \dfrac{19}{24} = \dfrac{5}{24}$입니다.

/ $\dfrac{5}{24}$

01 예

/ 2, 3, 5

02 $\dfrac{5}{12} + \dfrac{7}{8} = \dfrac{5 \times 2}{12 \times 2} + \dfrac{7 \times 3}{8 \times 3}$
$= \dfrac{10}{24} + \dfrac{21}{24} = \dfrac{31}{24} = 1\dfrac{7}{24}$

03 $2\dfrac{1}{6} + 1\dfrac{2}{3} = 2\dfrac{1}{6} + 1\dfrac{4}{6}$
$= (2+1) + \left(\dfrac{1}{6} + \dfrac{4}{6} \right)$
$= 3 + \dfrac{5}{6} = 3\dfrac{5}{6}$

04 $4\dfrac{2}{3} - 1\dfrac{3}{7} = \dfrac{14}{3} - \dfrac{10}{7} = \dfrac{98}{21} - \dfrac{30}{21}$
$= \dfrac{68}{21} = 3\dfrac{5}{21}$

05 $\dfrac{5 \times 5}{8 \times 5} - \dfrac{11 \times 2}{20 \times 2} = \dfrac{25}{40} - \dfrac{22}{40} = \dfrac{3}{40}$

06 $3\dfrac{8}{15}$ **07** $\dfrac{25}{36}$

08 $\dfrac{47}{77}$ **09** $1\dfrac{5}{12}$

10 $3\dfrac{11}{16}$

11
(1) • ⤬ •
(2) •   •

12 $4\dfrac{7}{80}$, $5\dfrac{5}{48}$ **13** >

14 민수   **15** $\dfrac{3}{8}$

16 $4\dfrac{3}{20}$장   **17** $\dfrac{1}{6}$

18 강아지, $1\dfrac{4}{5}$ kg

※서술형 문제의 예시 답안입니다.

19
❶ 계산이 잘못된 이유 쓰기 ▶ 3점
❷ 바르게 계산하기 ▶ 2점

❶ 분모와 분자에 같은 수를 곱하여 통분한 후 계산해야 하는데 $\dfrac{1}{2}$의 분모에는 7을, 분자에는 1을 곱하여 계산을 잘못했습니다.

❷ $\dfrac{9}{14} + \dfrac{1}{2} = \dfrac{9}{14} + \dfrac{7}{14}$
$= \dfrac{16}{14} = 1\dfrac{2}{14} = 1\dfrac{1}{7}$

20
❶ 토마토와 오이를 심은 부분은 전체의 얼마인지 구하기 ▶ 3점

❷ 상추를 심은 부분은 전체의 얼마인지 구하기 ▶ 2점

❶ 토마토와 오이를 심은 부분은 텃밭 전체의
$\dfrac{3}{10} + \dfrac{9}{20} = \dfrac{6}{20} + \dfrac{9}{20} = \dfrac{15}{20} = \dfrac{3}{4}$입니다.

❷ 텃밭 전체를 1이라 하면 상추를 심은 부분은
전체의 $1 - \dfrac{3}{4} = \dfrac{4}{4} - \dfrac{3}{4} = \dfrac{1}{4}$입니다. / $\dfrac{1}{4}$

03 6과 3의 최소공배수인 6을 공통분모로 하여 통분한 후 자연수는 자연수끼리, 분수는 분수끼리 계산합니다.

04 대분수를 가분수로 고친 다음 3과 7의 곱인 21을 공통분모로 하여 통분한 후 계산합니다.

05 두 분모의 최소공배수를 공통분모로 하여 통분한 후 계산합니다.

06 $1\dfrac{5}{6}+1\dfrac{7}{10}=1\dfrac{25}{30}+1\dfrac{21}{30}=3\dfrac{16}{30}=3\dfrac{8}{15}$

07 $2\dfrac{7}{12}-1\dfrac{8}{9}=2\dfrac{21}{36}-1\dfrac{32}{36}=1\dfrac{57}{36}-1\dfrac{32}{36}=\dfrac{25}{36}$

08 $\dfrac{3}{7}+\dfrac{2}{11}=\dfrac{33}{77}+\dfrac{14}{77}=\dfrac{47}{77}$

09 $\dfrac{11}{12}+\dfrac{1}{2}=\dfrac{11}{12}+\dfrac{6}{12}=\dfrac{17}{12}=1\dfrac{5}{12}$

10 $5\dfrac{9}{16}-1\dfrac{7}{8}=5\dfrac{9}{16}-1\dfrac{14}{16}=3\dfrac{11}{16}$

11 (1) $\dfrac{8}{9}+\dfrac{5}{6}=\dfrac{16}{18}+\dfrac{15}{18}=\dfrac{31}{18}=1\dfrac{13}{18}$

(2) $\dfrac{1}{2}+\dfrac{4}{9}=\dfrac{9}{18}+\dfrac{8}{18}=\dfrac{17}{18}$

12 • $1\dfrac{3}{16}+2\dfrac{9}{10}=1\dfrac{15}{80}+2\dfrac{72}{80}=3\dfrac{87}{80}=4\dfrac{7}{80}$

• $1\dfrac{3}{16}+3\dfrac{11}{12}=1\dfrac{9}{48}+3\dfrac{44}{48}=4\dfrac{53}{48}=5\dfrac{5}{48}$

13 • $3\dfrac{4}{5}-1\dfrac{1}{2}=3\dfrac{8}{10}-1\dfrac{5}{10}=2\dfrac{3}{10}$

• $6\dfrac{3}{5}-4\dfrac{7}{10}=6\dfrac{6}{10}-4\dfrac{7}{10}=1\dfrac{9}{10}$

14 민수: $4\dfrac{1}{2}-1\dfrac{3}{7}=4\dfrac{7}{14}-1\dfrac{6}{14}=3\dfrac{1}{14}$ (○)

연희: $3\dfrac{1}{12}-1\dfrac{7}{10}=3\dfrac{5}{60}-1\dfrac{42}{60}=1\dfrac{23}{60}$ (×)

15 $\square-\dfrac{1}{4}=\dfrac{1}{8}$ ➡ $\square=\dfrac{1}{8}+\dfrac{1}{4}=\dfrac{1}{8}+\dfrac{2}{8}=\dfrac{3}{8}$

16 $2\dfrac{2}{5}+1\dfrac{3}{4}=2\dfrac{8}{20}+1\dfrac{15}{20}=3\dfrac{23}{20}=4\dfrac{3}{20}$(장)

17 $\dfrac{2}{3}\left(=\dfrac{20}{30}\right)>\dfrac{3}{5}\left(=\dfrac{18}{30}\right)>\dfrac{1}{2}\left(=\dfrac{15}{30}\right)$

➡ $\dfrac{2}{3}-\dfrac{1}{2}=\dfrac{4}{6}-\dfrac{3}{6}=\dfrac{1}{6}$

18 $5\dfrac{8}{15}<7\dfrac{1}{3}$이므로 강아지의 무게가 더 무겁습니다.

➡ $7\dfrac{1}{3}-5\dfrac{8}{15}=7\dfrac{5}{15}-5\dfrac{8}{15}=1\dfrac{12}{15}=1\dfrac{4}{5}$ (kg)

6 다각형의 둘레와 넓이

117쪽 STEP 1 교과서 개념 잡기

1 (1) 4, 4, 4, 4, 20 (2) 5, 20
2 (1) 18 (2) 20
3 2, 6, 2 / 6, 2, 28
4 (1) 24 (2) 24

2 (1) (정삼각형의 둘레)$=6\times3=18$ (cm)
(2) (정사각형의 둘레)$=5\times4=20$ (cm)

4 (1) (평행사변형의 둘레)$=(9+3)\times2=24$ (cm)
(2) (마름모의 둘레)$=6\times4=24$ (cm)

119쪽 STEP 1 교과서 개념 잡기

1 (1) 6 (2) 6
2 $3\,\text{cm}^2$ / 3 제곱센티미터
3 (1) 5, 3 / 5, 3, 15 (2) 3, 3 / 3, 3, 9
4 (1) 48 (2) 25

4 (1) (직사각형의 넓이)$=8\times6=48$ (cm²)
(2) (정사각형의 넓이)$=5\times5=25$ (cm²)

121쪽 STEP 1 교과서 개념 잡기

1 (1) 100, 100 / 10000
(2) 1000, 1000 / 1000000
2 (1) 30000 (2) 8
3 (1) 28 (2) 28
4 (1) 73 m²에 ○표 (2) 73 km²에 ○표

2 (1) 1 m²$=10000$ cm² ➡ 3 m²$=30000$ cm²
(2) 1000000 m²$=1$ km² ➡ 8000000 m²$=8$ km²

4 길이가 1 m가 넘으면 넓이의 단위로 m², 길이가 1 km가 넘으면 넓이의 단위로 km²가 알맞습니다.

코칭Tip 73 cm²는 메모장의 넓이로 알맞습니다.

01 5, 5, 5, 5 / 6, 30   **02** 32 cm

03 7, 9 / 56, 72

04 (1) 2, 2, 16   (2) 3, 2, 16

05 30 cm   **06** 8, 4, 2, 24

07 36 cm   **08** 8, 4, 32

09 36 cm   **10** ㉡

11 13, 13   **12** 12 cm^2

13

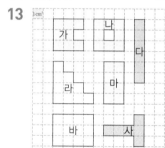

14 7, 2, 14

15 3, 5 / 5, 5 / 15, 25

16 8, 8, 64   **17** 70 cm^2

18 60 cm^2 **19** 81 cm^2

20 121 cm^2 **21** 100, 10000

22 1000, 1000000   **23** (1) 2   (2) 5000000

24 69 / 501000000 / 1061

25 30 / 30

26 (1) km^2 (2) m^2

01 정육각형의 둘레는 여섯 변의 길이를 모두 더하거나 한 변의 길이에 변의 수를 곱하여 구합니다.

02 한 변의 길이가 4 cm인 정팔각형입니다.
→ (정팔각형의 둘레)＝4×8＝32 (cm)

03 (정칠각형의 둘레)＝8×7＝56 (cm)
(정구각형의 둘레)＝8×9＝72 (cm)

04 (1) (직사각형의 둘레)＝(가로)×2＋(세로)×2
(2) (직사각형의 둘레)＝(가로＋세로)×2

05 (직사각형의 둘레)＝(6＋9)×2
＝15×2＝30 (cm)

06 (평행사변형의 둘레)
＝(한 변의 길이＋다른 한 변의 길이)×2
＝(8＋4)×2＝12×2＝24 (cm)

07 (평행사변형의 둘레)＝(7＋11)×2
＝18×2＝36 (cm)

08 (마름모의 둘레)＝(한 변의 길이)×4
＝8×4＝32 (cm)

09 (마름모의 둘레)＝9×4＝36 (cm)

10 ㉠ (직사각형의 둘레)＝(6＋4)×2
＝10×2＝20 (cm)
㉡ (평행사변형의 둘레)＝(3＋8)×2
＝11×2＝22 (cm)
㉢ (마름모의 둘레)＝5×4＝20 (cm)
따라서 둘레가 다른 도형은 ㉡입니다.

11 1cm² 13개의 넓이는 13 cm^{2}입니다.

12 1cm²가 모두 12개 있으므로 도형의 넓이는 12 cm^{2}입니다.

13 1cm²의 수가 같은 도형끼리 같은 색으로 색칠합니다.
→ 가: 8개, 나: 8개, 다: 6개, 라: 10개, 마: 8개, 바: 12개, 사: 6개

14 1cm²가 직사각형의 가로에 7개, 세로에 2개 있으므로 직사각형의 넓이는 7×2＝14 (cm^2)입니다.

15 • 직사각형 가의 넓이: 3×5＝15 (cm^2)
• 직사각형 나의 넓이: 5×5＝25 (cm^2)

16 (정사각형의 넓이)
＝(한 변의 길이)×(한 변의 길이)
＝8×8＝64 (cm^2)

17 7×10＝70 (cm^2)

18 12×5＝60 (cm^2)

19 9×9＝81 (cm^2)

20 11×11＝121 (cm^2)

21 한 변의 길이가 1 m＝100 cm인 정사각형의 넓이는 1 m^2＝10000 cm^{2}입니다.

22 한 변의 길이가 1 km＝1000 m인 정사각형의 넓이는 1 km^2＝1000000 m^{2}입니다.

23 (1) 10000 cm^2＝1 m^2 → 20000 cm^2＝2 m^2
(2) 1 km^2＝1000000 m^2 → 5 km^2＝5000000 m^2

24
- 대전광역시의 넓이: $69000000 \, \mathrm{m}^2 = 69 \, \mathrm{km}^2$
- 광주광역시의 넓이: $501 \, \mathrm{km}^2 = 501000000 \, \mathrm{m}^2$
- 울산광역시의 넓이: $1061000000 \, \mathrm{m}^2 = 1061 \, \mathrm{km}^2$

25 $1 \, \mathrm{km}^2$가 한 줄에 6개씩 5줄 들어가므로 30번 들어갑니다.
따라서 $6000 \, \mathrm{m} = 6 \, \mathrm{km}$, $5000 \, \mathrm{m} = 5 \, \mathrm{km}$이므로 두 직사각형의 넓이는 같습니다.

26 국토의 면적을 나타낼 때는 넓이의 단위로 km^2, 운동 경기장의 면적을 나타낼 때는 넓이의 단위로 m^2가 알맞습니다.

127쪽 STEP 1 교과서 개념 잡기

1 (1) 예    (2) 예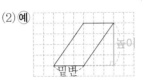

2 (1) 2 (2) 9, 9   **3** 6, 72

4 3, 3, 3 / 12, 12, 12 / 같습니다에 ◯표

1 평행사변형의 높이는 두 밑변 사이의 거리입니다.

2 1cm² 6개와 ◁ 6개로 이루어졌으므로 평행사변형의 넓이는 1cm² 6+3=9(개)의 넓이와 같습니다.

3 (평행사변형의 넓이)=(밑변의 길이)×(높이)
$$=12 \times 6 = 72 \, (\mathrm{cm}^2)$$

4
- (평행사변형 가의 넓이)=$4 \times 3 = 12 \, (\mathrm{cm}^2)$
- (평행사변형 나의 넓이)=$4 \times 3 = 12 \, (\mathrm{cm}^2)$
- (평행사변형 다의 넓이)=$4 \times 3 = 12 \, (\mathrm{cm}^2)$

129쪽 STEP 1 교과서 개념 잡기

1 (1)   (2)

2 (1) 4, 20 (2) 10   **3** 8, 2, 40

4 5, 5 / 15, 15

---

1 삼각형의 높이는 밑변과 마주 보는 꼭짓점에서 밑변에 수직으로 그은 선분의 길이입니다.

2 (1) (평행사변형의 넓이)=(밑변의 길이)×(높이)
$$=5 \times 4 = 20 \, (\mathrm{cm}^2)$$
(2) (삼각형의 넓이)=(평행사변형의 넓이)÷2
$$=20 \div 2 = 10 \, (\mathrm{cm}^2)$$

3 (삼각형의 넓이)=(밑변의 길이)×(높이)÷2
$$=10 \times 8 \div 2 = 40 \, (\mathrm{cm}^2)$$

4
- (삼각형 가의 넓이)=$6 \times 5 \div 2 = 15 \, (\mathrm{cm}^2)$
- (삼각형 나의 넓이)=$6 \times 5 \div 2 = 15 \, (\mathrm{cm}^2)$

130쪽 STEP 2 개념 한번 더 잡기

01 예

02 $24 \, \mathrm{cm}^2$

03 / 3, 5, 15

04 나   **05** (1) 42 (2) 36

06 예

07 5

08 / 4, 4, 2, 8

09 (1) 42 (2) 24   **10** $10 \, \mathrm{cm}^2$

11 3, 3, 3, 3 / 4, 4, 4, 4 / 6, 6, 6, 6

12 높이, 넓이

01 평행사변형의 높이는 두 밑변 사이의 거리입니다.

02 1cm² 20개와 ◁ 8개로 이루어졌으므로 평행사변형의 넓이는 1cm² 20+4=24(개)의 넓이와 같습니다.

03 평행사변형의 밑변과 높이는 각각 평행사변형을 잘라 만든 직사각형의 가로와 세로가 됩니다.

04 • 가와 다는 밑변의 길이가 3 cm, 높이가 6 cm로 같으므로 넓이가 $3 \times 6 = 18\,(\text{cm}^2)$로 같습니다.

• 나는 밑변의 길이가 2 cm, 높이가 6 cm이므로 넓이가 $2 \times 6 = 12\,(\text{cm}^2)$입니다.

코칭Tip 평행사변형의 높이가 6 cm로 모두 같으므로 밑변의 길이가 다른 것을 찾으면 나입니다.

05 (1) $7 \times 6 = 42\,(\text{cm}^2)$

(2) $4 \times 9 = 36\,(\text{m}^2)$

06 (평행사변형의 넓이)=(밑변의 길이)×(높이)이므로 밑변의 길이와 높이의 곱이 10이 되는 평행사변형을 그립니다.

밑변의 길이(cm)	1	2	5	10
높이(cm)	10	5	2	1

07 길이가 16 cm인 변과 수직으로 만나는 선분의 길이는 5 cm입니다.

08 삼각형 2개를 겹치지 않게 이어 붙여서 평행사변형을 만들 수 있습니다.

09 (1) $12 \times 7 \div 2 = 42\,(\text{cm}^2)$

(2) $8 \times 6 \div 2 = 24\,(\text{m}^2)$

10 삼각형의 밑변의 길이는 4 cm이고, 높이는 5 cm입니다.

→ (삼각형의 넓이)=$4 \times 5 \div 2 = 10\,(\text{cm}^2)$

11 삼각형 가, 나, 다, 라 모두 밑변의 길이가 3 cm이고, 높이가 4 cm이므로 넓이는 $3 \times 4 \div 2 = 6\,(\text{cm}^2)$입니다.

12 삼각형 가, 나, 다, 라는 모양은 다르지만 밑변의 길이와 높이가 각각 같으므로 넓이가 모두 같습니다.

133쪽 STEP1 교과서 개념 잡기

1 (1)   (2)

2 (1) 2 / 4, 2, 2   (2) 2, 12

3 2 / 7, 2, 42

---

1 마름모에서 이웃하지 않는 두 꼭짓점을 이은 선분을 대각선이라고 합니다.

코칭Tip 마름모의 두 대각선은 서로 수직으로 만납니다.

2 (1) 평행사변형의 밑변의 길이는 마름모의 한 대각선의 길이와 같고, 평행사변형의 높이는 마름모의 다른 대각선의 길이의 반과 같습니다.

3 마름모의 넓이는 직사각형의 넓이의 반입니다.

135쪽 STEP1 교과서 개념 잡기

1 (1) 3, 10 / 2, 2   (2) 10, 2, 20
2 7, 7, 2 / 42, 14, 56
3 8, 8 / 5, 5 / 20, 20 / 합, 같습니다에 ○표

1 (1) 평행사변형의 밑변의 길이는 사다리꼴의 윗변의 길이와 아랫변의 길이의 합과 같고, 평행사변형의 높이는 사다리꼴의 높이의 반과 같습니다.

2 (평행사변형의 넓이)=$6 \times 7 = 42\,(\text{cm}^2)$,
(삼각형의 넓이)=$(10-6) \times 7 \div 2 = 14\,(\text{cm}^2)$
→ (사다리꼴의 넓이)=$42 + 14 = 56\,(\text{cm}^2)$

3 • (사다리꼴 가의 넓이)=$(3+5) \times 5 \div 2 = 20\,(\text{m}^2)$
• (사다리꼴 나의 넓이)=$(6+2) \times 5 \div 2 = 20\,(\text{m}^2)$

136쪽 STEP2 개념 한번 더 잡기

01  / 3, 12

02 직사각형 / 2 / 대각선, 2
03 10, 2, 40   **04** (1) 48 (2) 72
05 14 cm^2
06 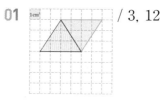   **07** 평행사변형 / 10, 20
   08 28, 49, 77

09 예 5, 2, 4 / 1, 4, 2 / 4, 4, 4 / 12, 12, 12
10 (1) 80 (2) 84   **11** 2, 4, 3 / 9 cm^2

01 마름모의 넓이는 만들어지는 평행사변형의 넓이와 같고, 만들어지는 평행사변형의 높이는 마름모의 다른 대각선의 길이의 반이므로 $6 \div 3 = 2 \, (\text{cm})$입니다.

02 마름모의 두 대각선의 길이는 각각 마름모를 둘러싼 직사각형의 가로, 세로와 같고, 마름모를 둘러싼 직사각형의 넓이는 평행사변형의 넓이의 2배입니다.

03 직사각형 안에 그린 마름모의 넓이는 직사각형의 넓이의 반입니다.

04 (1) $8 \times 12 \div 2 = 48 \, (\text{cm}^2)$
　　(2) $16 \times 9 \div 2 = 72 \, (\text{m}^2)$

05 마름모의 한 대각선의 길이는 $7 \, \text{cm}$이고, 다른 대각선의 길이는 $4 \, \text{cm}$입니다.
　　→ (마름모의 넓이) $= 7 \times 4 \div 2 = 14 \, (\text{cm}^2)$

06 아랫변과 평행한 변이 윗변이고, 평행한 두 밑변 사이의 거리가 높이입니다.

07 사다리꼴의 넓이는 만들어지는 평행사변형의 넓이와 같습니다.
　　• 만들어지는 평행사변형의 밑변의 길이는 사다리꼴의 윗변의 길이와 아랫변의 길이의 합과 같습니다.
　　　→ $6 + 4 = 10 \, (\text{cm})$
　　• 만들어지는 평행사변형의 높이는 사다리꼴의 높이의 반과 같습니다.
　　　→ $4 \div 2 = 2 \, (\text{cm})$

08 • (삼각형 가의 넓이) $= 8 \times 7 \div 2 = 28 \, (\text{cm}^2)$
　　• (삼각형 나의 넓이) $= 14 \times 7 \div 2 = 49 \, (\text{cm}^2)$

09 사다리꼴의 모양이 달라도 윗변의 길이와 아랫변의 길이의 합과 높이가 각각 같으면 사다리꼴의 넓이는 같습니다.
　　채점Tip 윗변의 길이와 아랫변의 길이를 서로 바꾸어 썼어도 정답입니다.

10 (1) $(15+5) \times 8 \div 2 = 20 \times 8 \div 2$
　　　　　　　　　　　$= 80 \, (\text{cm}^2)$
　　(2) $(6+18) \times 7 \div 2 = 24 \times 7 \div 2$
　　　　　　　　　　　$= 84 \, (\text{m}^2)$

11 사다리꼴의 윗변의 길이는 $2 \, \text{cm}$, 아랫변의 길이는 $4 \, \text{cm}$, 높이는 $3 \, \text{cm}$입니다.
　　→ (사다리꼴의 넓이) $= (2+4) \times 3 \div 2$
　　　　　　　　　　　$= 6 \times 3 \div 2 = 9 \, (\text{cm}^2)$

138쪽 STEP**3** **수학 익힘 문제 잡기**

01 $52 \, \text{m}$

02 6

03
（1 cm 모눈 위에 그린 도형）

04 $16 \, \text{cm}$

05 $5 \, \text{cm}$

06
（1 cm 모눈 위에 그린 도형）

07 $8 \, \text{cm}^2 \, / \, 9 \, \text{cm}^2$

08 나, $1 \, \text{cm}^2$

09 $44 \, \text{cm}^2$

10 예
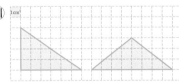
$2 \, \text{cm}^2$　$3 \, \text{cm}^2$　　$4 \, \text{cm}^2$　　$5 \, \text{cm}^2$

11 $2, 3 \, / \, 3, 3 \, / \, 3, 6, 9$

12 (○)

13 다솜
　　(　)

14 $18 \, \text{km}^2$　　**15** $12 \, \text{m}^2$

16 $6 \, \text{m}$, $8 \, \text{m}$에 ○표 $/ \, 6 \times 8 = 48 \, / \, 48 \, \text{m}^2$

17 $5 \, / \, 3 \, / \, 5, 10, 15$　　**18** $25 \, \text{cm}^2$

19 8

20 같습니다, 높이에 ○표

21 9

22 예
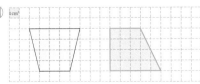

23 15

24 $1000 \, \text{cm}^2$

25 7

26 예
（사다리꼴 그림）

27 117, 45, 72　　**28** 54 cm^2

29 (1) 예

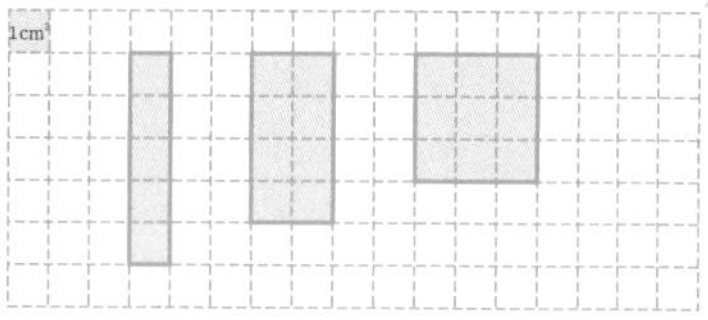

(2) 3, 2, 1 / 8, 9, 8, 5　(3) 3 cm / 3 cm

01 (정사각형 모양의 체조 경기장의 둘레)
$=13\times4=52$ (m)

02 (정다각형의 한 변의 길이)=(둘레)÷(변의 수)
→ (정오각형의 한 변의 길이)$=30\div5=6$ (cm)

코칭Tip (정다각형의 둘레)=(한 변의 길이)×(변의 수)
→ (정다각형의 한 변의 길이)=(둘레)÷(변의 수)

03 정사각형의 한 변의 길이는 $16\div4=4$ (cm)이므로 한 변의 길이가 모눈 4칸인 정사각형을 그립니다.

04 가로가 5 cm이고, 세로가 3 cm인 직사각형입니다.
→ $(5+3)\times2=16$ (cm)

05 $(9+\square)\times2=28$, $9+\square=14$, $\square=5$

06 (직사각형의 가로와 세로의 합)$=18\div2=9$ (cm)
- 세로가 6 cm인 직사각형의 가로는 $9-6=3$ (cm)입니다.
- 가로가 5 cm인 직사각형의 세로는 $9-5=4$ (cm)입니다.

07 도형 가는 1cm²가 8개이므로 넓이가 8 cm^2이고, 도형 나는 1cm²가 9개이므로 넓이가 9 cm^2입니다.

08 $8<9$이므로 도형 나의 넓이가 $9-8=1$ (cm^2) 더 넓습니다.

09 그림에서 모양 조각이 차지하는 부분은 1cm²가 44개이므로 44 cm^2입니다.

다른 풀이 전체 모눈 60칸 중 비어 있는 부분이 16칸이므로 모양 조각이 차지하는 부분의 넓이는 $60-16=44$ (cm^2)입니다.

10 도형을 그리는 규칙은 오른쪽 아래와 오른쪽 위가 한 칸씩 늘어나는 것입니다. 빈칸에 알맞은 도형의 넓이는 4 cm^2이므로  다음에는 오른쪽 위가 한 칸 더 늘어난 도형을 그려야 합니다.

채점Tip 이 외에 타당한 이유로 도형을 그렸으면 모두 정답입니다.

11
- 첫째 직사각형의 넓이: $1\times3=3$ (cm^2)
- 둘째 직사각형의 넓이: $2\times3=6$ (cm^2)
- 셋째 직사각형의 넓이: $3\times3=9$ (cm^2)

12 직사각형의 세로는 3 cm로 같고, 가로가 1 cm만큼 커지면 넓이는 3 cm^2만큼 커집니다.

13 (직사각형의 넓이)=(가로)×(세로)
$=8\times4=32$ (cm^2)

14 3000 m=3 km
→ (직사각형의 넓이)$=3\times6=18$ (km^2)

15 $600\times200=120000$ (cm^2)
→ 10000 cm^2=1 m^2이므로
120000 cm^2=12 m^2입니다.

다른 풀이 600 cm=6 m, 200 cm=2 m이므로 칠판의 넓이는 $6\times2=12$ (m^2)입니다.

16 평행사변형의 넓이를 구하기 위해 필요한 길이는 밑변의 길이 6 m와 높이 8 m입니다.
→ (평행사변형의 넓이)$=6\times8=48$ (m^2)

17 평행사변형 그림을 통해 밑변의 길이가 5 cm로 일정하고, 높이가 1 cm씩 커지는 것을 알 수 있습니다.
→ $5\times1=5$ (cm^2), $5\times2=10$ (cm^2),
$5\times3=15$ (cm^2)

18 밑변의 길이가 5 cm로 일정하므로 높이가 5 cm일 때 평행사변형의 넓이는 $5\times5=25$ (cm^2)입니다.

19 (평행사변형의 넓이)=(밑변의 길이)×(높이)
→ $\square\times14=112$, $\square=112\div14=8$

20 삼각형을 잘라 만든 평행사변형은 밑변의 길이가 삼각형과 같고, 높이는 삼각형의 반입니다.

21 (삼각형의 넓이)$=18\times6\div2=54$ (cm^2)
→ $12\times\square\div2=54$, $12\times\square=108$, $\square=9$

22 넓이가 12 cm^2이므로 밑변의 길이와 높이를 곱하여 24가 되는 삼각형을 그립니다.

코칭Tip 밑변의 길이와 높이를 곱하여 12가 되는 삼각형을 그리지 않도록 주의합니다.

23 (마름모의 넓이)
=(한 대각선의 길이)×(다른 대각선의 길이)÷2
→ $\square\times8\div2=60$, $\square\times8=120$, $\square=15$

24 $40 \times 50 \div 2 = 1000 \ (\text{cm}^2)$

25 (사다리꼴의 넓이)=(윗변＋아랫변)×(높이)÷2
→ $(5+11) \times \square \div 2 = 56$, $16 \times \square = 112$, $\square = 7$

26 (사다리꼴의 넓이)=$(5+3) \times 4 \div 2 = 16 \ (\text{cm}^2)$이
므로 사다리꼴의 윗변의 길이와 아랫변의 길이의 합
과 높이를 곱하여 32가 되는 사다리꼴을 그립니다.

27 · (사다리꼴의 넓이)=$(11+15) \times 9 \div 2$
　　　　　　　　　　$= 117 \ (\text{cm}^2)$
· (삼각형의 넓이)=$15 \times 6 \div 2 = 45 \ (\text{cm}^2)$
→ (색칠한 부분의 넓이)=$117 - 45 = 72 \ (\text{cm}^2)$

28 직사각형의 가로를 $\square$ cm라 하면
$(\square+9) \times 2 = 30$, $\square+9 = 15$, $\square = 6$입니다.
→ (직사각형의 넓이)=$6 \times 9 = 54 \ (\text{cm}^2)$

29 (1) 가로와 세로의 합이 $12 \div 2 = 6 \ (\text{cm})$인 직사각형
을 그립니다.
(3) 가로가 3 cm, 세로가 3 cm일 때 직사각형의 넓
이가 $3 \times 3 = 9 \ (\text{cm}^2)$로 가장 큽니다.

143쪽 서술형 잡기　　　　※서술형 문제의 예시 답안입니다.

1 ❶ 20 / 4, 22
❷ 평행사변형에 ○표, 22, 20, 2
/ 평행사변형, 2 cm

2 ❶ 직사각형과 정사각형의 둘레 구하기 ▶ 4점
❷ 어느 것의 둘레가 몇 cm 더 짧은지 구하기 ▶ 1점

❶ (직사각형의 둘레)=$(13+7) \times 2 = 40 \ (\text{cm})$,
(정사각형의 둘레)=$9 \times 4 = 36 \ (\text{cm})$입니다.
❷ 정사각형의 둘레가 $40 - 36 = 4 \ (\text{cm})$ 더 짧
습니다. / 정사각형, 4 cm

3 ❶ 4, 4, 16　❷ 8, 16, 2 / 2 cm

4 ❶ 왼쪽 마름모의 넓이 구하기 ▶ 2점
❷ 오른쪽 마름모의 다른 대각선의 길이 구하기 ▶ 3점

❶ 왼쪽 마름모의 넓이는 $14 \times 6 \div 2 = 42 \ (\text{cm}^2)$
입니다.
❷ 오른쪽 마름모의 다른 대각선의 길이를
● cm라 하면 $12 \times ● \div 2 = 42$, $● = 7$입니다.
/ 7 cm

144쪽 단원마무리

01 20, 9, 58　　　　**02** 4, 20
03 10　　　　　　　**04** 120 cm²
05 m²　　　　　　　**06** 80 cm
07 16 cm　　　　　**08** 24 / 24
09 80 / 400　　　　**10** 5 / 4 / 10, 10
11 35 cm²　　　　　**12** 12 km²
13 나, 마　　　　　**14** 180 m²
15 (예)

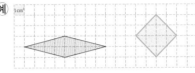

16 9 cm　　　　　　**17** 10
18 6 cm

서술형　　　　　　※서술형 문제의 예시 답안입니다.

19 ❶ 평행사변형과 마름모의 둘레 구하기 ▶ 4점
❷ 어느 것의 둘레가 몇 cm 더 긴지 구하기 ▶ 1점

❶ (평행사변형의 둘레)
=$(17+8) \times 2 = 50 \ (\text{cm})$,
(마름모의 둘레)=$13 \times 4 = 52 \ (\text{cm})$입니다.
❷ 마름모의 둘레가 $52 - 50 = 2 \ (\text{cm})$ 더 깁니
다. / 마름모, 2 cm

20 ❶ 정사각형의 넓이 구하기 ▶ 2점
❷ 직사각형의 세로 구하기 ▶ 3점

❶ 정사각형의 넓이는 $6 \times 6 = 36 \ (\text{cm}^2)$입니다.
❷ 직사각형의 세로를 $\square$ cm라 하면
$4 \times \square = 36$이므로 $\square = 9$입니다.
/ 9 cm

01 (직사각형의 둘레)=(가로＋세로)×2
　　　　　　　　　=$(20+9) \times 2$
　　　　　　　　　=$29 \times 2 = 58 \ (\text{cm})$

02 (마름모의 둘레)=(한 변의 길이)×4
　　　　　　　　=$5 \times 4 = 20 \ (\text{cm})$

03 주어진 도형에는 ■1cm² 가 모두 10개 있으므로 도형의
넓이는 10 cm²입니다.

04 (수첩의 윗면의 넓이)=$8 \times 15 = 120 \ (\text{cm}^2)$

05 1 km² = 1000000 m² → 25 km² = 25000000 m²

진도북

6
단원

06 정팔각형은 변의 수가 8개입니다.

→ (정팔각형의 둘레)$=10×8=80$ (cm)

07 (평행사변형의 둘레)$=(3+5)×2$
$=8×2=16$ (cm)

08 $1\,m^2$가 한 줄에 4개씩 6줄 들어가므로 24번 들어갑니다. 따라서 $400\,cm=4\,m$, $600\,cm=6\,m$이므로 두 직사각형의 넓이는 같습니다.

09 (나무 판의 둘레)$=20×4=80$ (cm)
(나무 판의 넓이)$=20×20=400$ (cm^2)

> **코칭Tip** (정사각형의 둘레)$=$(한 변의 길이)$×4$
> (정사각형의 넓이)$=$(한 변의 길이)$×$(한 변의 길이)

10 • (삼각형 가의 넓이)$=5×4÷2=10$ (cm^2)
• (삼각형 나의 넓이)$=5×4÷2=10$ (cm^2)

> **코칭Tip** 밑변의 길이와 높이가 각각 같은 두 삼각형의 넓이는 같습니다.

11 (평행사변형의 넓이)$=5×7=35$ (cm^2)

> **코칭Tip** 밑변의 길이를 11 cm로 하는 경우에는 높이를 알 수 없으므로 넓이를 구할 수 없습니다.

12 $3000\,m=3\,km$이므로 $3×4=12$ (km^2)입니다.

13

도형	가	나	다	라	마
넓이(cm^2)	5	5	9	4	5

따라서 가와 넓이가 같은 도형은 나, 마입니다.

14 (땅의 넓이)$=(15+25)×9÷2$
$=40×9÷2=180$ (m^2)

15 (마름모의 넓이)$=8×2÷2=8$ (cm^2)이므로 두 대각선의 길이를 곱하여 16이 되는 모양의 마름모를 그립니다.

→ 한 대각선이 1 cm, 다른 대각선이 16 cm이거나 한 대각선이 4 cm, 다른 대각선이 4 cm인 마름모를 그릴 수 있습니다.

16 정사각형의 한 변의 길이를 □ cm라 하면
□×□$=81$에서 $9×9=81$이므로 □$=9$입니다.

17 $24×$□$÷2=120$, $24×$□$=240$, □$=10$

18 아랫변의 길이를 □ cm라 하면
$(10+$□$)×7÷2=56$, $(10+$□$)×7=112$,
$10+$□$=16$, □$=6$입니다.

149쪽 학업 성취도 평가

01 $3×5$에 ◯표   **02** ( )(◯)

03 ㉠   **04** (1) • (2) •

05 $(5950-650×3)÷5=800$ / 800원

06 3, 6, 9, 12, 15   **07** 예 8

08 예

```
2 ) 20   30    / 10 / 60
  5 ) 10   15
      2    3
```

09 ㉢   **10** 12

11 2번

12 예 □, ◯, □$×15=$◯

13 14, 2024 / 41살   **14** 14, 9, 28

15 1, 3, 5, 7   **16** ①, ⑤

17 $<$ **18** $\dfrac{21}{50}$, $\dfrac{3}{4}$, 0.81

19 $\dfrac{19}{24}$, $1\dfrac{1}{60}$ **20** $\dfrac{5}{18}$

21 동혁 / $3\dfrac{8}{15}$장   **22** $3\dfrac{21}{40}$

23 $6\dfrac{1}{12}$ **24** 42 cm

25 $84\,km^2$ **26** 9

27 다   **28** $50\,cm^2$

29 7   **30** $144\,cm^2$

01 덧셈, 뺄셈, 곱셈이 섞여 있으므로 곱셈을 가장 먼저 계산합니다.

02 나눗셈이 곱셈보다 앞에 있으므로 나눗셈, 곱셈 순으로 계산합니다.

03 ㉠ $20+(34-11)=20+23=43$,
$20+34-11=54-11=43$
㉢ $56-(17+29)=56-46=10$,
$56-17+29=39+29=68$

04 • $36-18+24÷6=36-18+4=18+4=22$
• $36-(18+24)÷6=36-42÷6=36-7=29$

05 • 음료수 3개의 값: $(650×3)$원
• 사과 5개의 값: $(5950-650×3)$원

➡ (사과 1개의 값)=(사과 5개의 값)÷(사과의 수)
$$=(5950-650\times3)\div5$$
$$=(5950-1950)\div5$$
$$=4000\div5=800(원)$$

06 $3\times1=3,\ 3\times2=6,\ 3\times3=9,\ 3\times4=12,$
$3\times5=15$

07 56을 나누어떨어지게 하는 수 또는 56을 몇 배 한 수를 써넣습니다.

08 • 최대공약수: $2\times5=10$
• 최소공배수: $2\times5\times2\times3=60$

09 ㉠ 6의 약수: 1, 2, 3, 6 ➡ 4개
㉡ 28의 약수: 1, 2, 4, 7, 14, 28 ➡ 6개
㉢ 49의 약수: 1, 7, 49 ➡ 3개

10 36과 48을 나누었을 때 두 수 모두 나누어떨어지게 하는 수는 36과 48의 공약수이므로 어떤 수 중에서 가장 큰 수는 36과 48의 최대공약수입니다.
$36=2\times2\times3\times3,\ 48=2\times2\times2\times2\times3$
➡ 최대공약수: $2\times2\times3=12$

11 5와 7의 최소공배수가 35이므로 두 사람은 출발점에서 35분마다 만나게 됩니다. 출발 후 35분, 70분, 105분, …에 출발점에서 만나므로 90분 동안 2번 다시 만납니다.

12 • (사용한 시간)×15=(나온 물의 양)
➡ $\square\times15=\bigcirc$
• (나온 물의 양)÷15=(사용한 시간)
➡ $\bigcirc\div15=\square$

13 민채의 나이에 2009를 더한 만큼이 연도이므로
(민채의 나이)=(연도)−2009입니다.
➡ $2050-2009=41(살)$

14 $\dfrac{3}{7}=\dfrac{3\times2}{7\times2}=\dfrac{3\times3}{7\times3}=\dfrac{3\times4}{7\times4}$

15 분모가 8인 진분수 $\dfrac{1}{8},\dfrac{2}{8},\dfrac{3}{8},\dfrac{4}{8},\dfrac{5}{8},\dfrac{6}{8},\dfrac{7}{8}$ 중에서 기약분수는 $\dfrac{1}{8},\dfrac{3}{8},\dfrac{5}{8},\dfrac{7}{8}$이므로 $\square$ 안에 들어갈 수 있는 수는 1, 3, 5, 7입니다.

16 두 분모의 최소공배수는 다음과 같습니다.
① 36 ② 35 ③ 24 ④ 12 ⑤ 36

17 $\left(\dfrac{4}{9},\dfrac{7}{15}\right)\to\left(\dfrac{20}{45},\dfrac{21}{45}\right)\to\dfrac{4}{9}<\dfrac{7}{15}$

18 $\dfrac{21}{50}=\dfrac{42}{100}=0.42,\ \dfrac{3}{4}=\dfrac{75}{100}=0.75$이므로
$0.42<0.75<0.81\to\dfrac{21}{50}<\dfrac{3}{4}<0.81$입니다.

19 • $\dfrac{5}{12}+\dfrac{3}{8}=\dfrac{10}{24}+\dfrac{9}{24}=\dfrac{19}{24}$
• $\dfrac{5}{12}+\dfrac{3}{5}=\dfrac{25}{60}+\dfrac{36}{60}=\dfrac{61}{60}=1\dfrac{1}{60}$

20 $\dfrac{1}{2}>\dfrac{1}{3}\left(=\dfrac{3}{9}\right)>\dfrac{2}{9}\to\dfrac{1}{2}-\dfrac{2}{9}=\dfrac{9}{18}-\dfrac{4}{18}=\dfrac{5}{18}$

21 동혁이가 $8\dfrac{2}{3}-5\dfrac{2}{15}=8\dfrac{10}{15}-5\dfrac{2}{15}=3\dfrac{8}{15}(장)$
더 많이 사용했습니다.

22 $\square+4\dfrac{5}{8}=8\dfrac{3}{20}$
➡ $\square=8\dfrac{3}{20}-4\dfrac{5}{8}=8\dfrac{6}{40}-4\dfrac{25}{40}$
$=7\dfrac{46}{40}-4\dfrac{25}{40}=3\dfrac{21}{40}$

23 가장 큰 대분수: $4\dfrac{1}{3}$, 가장 작은 대분수: $1\dfrac{3}{4}$
➡ $4\dfrac{1}{3}+1\dfrac{3}{4}=4\dfrac{4}{12}+1\dfrac{9}{12}=5\dfrac{13}{12}=6\dfrac{1}{12}$

24 한 변의 길이가 7 cm인 정육각형입니다.
➡ (정육각형의 둘레)=$7\times6=42\ (cm)$

25 7000 m=7 km이므로 $12\times7=84\ (km^2)$입니다.

26 (평행사변형의 넓이)=$6\times6=36\ (m^2)$
➡ $\square\times4=36,\ \square=9$

27 • 가와 나는 밑변의 길이가 5 cm, 높이가 4 cm로 같으므로 넓이가 $5\times4\div2=10\ (cm^2)$로 같습니다.
• 다는 밑변의 길이가 4 cm, 높이가 4 cm이므로 넓이가 $4\times4\div2=8\ (cm^2)$입니다.

28 마름모의 두 대각선은 모두 원의 지름과 길이가 같으므로 10 cm입니다. ➡ $10\times10\div2=50\ (cm^2)$

29 $(13+\square)\times6\div2=60,\ 13+\square=20,\ \square=7$

30 직사각형의 가로를 $\square$ cm라 하면
$(\square+16)\times2=50,\ \square+16=25,\ \square=9$입니다.
➡ (직사각형의 넓이)=$9\times16=144\ (cm^2)$

기초력 학습지

1 자연수의 혼합 계산

01쪽 | 01 | 덧셈과 뺄셈이 섞여 있는 식

1 28		**2** 17		**3** 50		**4** 14	
5 19		**6** 17		**7** 34		**8** 40	
9 31		**10** 41		**11** 35		**12** 42	

02쪽 | 02 | 곱셈과 나눗셈이 섞여 있는 식

1 32		**2** 56		**3** 91		**4** 5	
5 6		**6** 18		**7** 63		**8** 182	
9 204		**10** 3		**11** 324		**12** 9	

03쪽 | 03 | 덧셈, 뺄셈, 곱셈이 섞여 있는 식

1 41		**2** 93		**3** 83		**4** 32	
5 57		**6** 27		**7** 70		**8** 45	
9 288		**10** 23		**11** 6		**12** 56	

04쪽 | 04 | 덧셈, 뺄셈, 나눗셈이 섞여 있는 식

1 55		**2** 21		**3** 23		**4** 26	
5 21		**6** 22		**7** 20		**8** 20	
9 3		**10** 31		**11** 42		**12** 42	

05쪽 | 05 | 덧셈, 뺄셈, 곱셈, 나눗셈이 섞여 있는 식

1 29		**2** 21		**3** 25		**4** 46	
5 59		**6** 14		**7** 19		**8** 60	
9 127		**10** 29		**11** 1		**12** 28	

2 약수와 배수

06쪽 | 06 | 약수와 배수

1 1, 3, 5, 15
2 1, 2, 4, 5, 10, 20
3 1, 2, 3, 4, 6, 8, 12, 24
4 1, 3, 7, 9, 21, 63
5 1, 2, 3, 4, 6, 9, 12, 18, 36
6 1, 31
7 3, 6, 9, 12, 15
8 8, 16, 24, 32, 40
9 10, 20, 30, 40, 50
10 12, 24, 36, 48, 60
11 18, 36, 54, 72, 90
12 27, 54, 81, 108, 135

07쪽 | 07 | 약수와 배수의 관계

1 1, 5, 7, 35 / 1, 5, 7, 35
2 1, 2, 4, 8, 16 / 1, 2, 4, 8, 16
3 9, 27에 ○표   **4** 5, 25에 ○표
5 45, 45에 ○표   **6** 8, 32에 ○표
7 50, 25에 ○표   **8** 7, 28에 ○표
9 14, 1에 ○표   **10** 12, 48에 ○표

08쪽 | 08 | 공약수와 최대공약수 / 최대공약수 구하는 방법

1 3 / 3
2 6 / 3, 6 / 1, 3, 6 / 6
3 13 / 5, 13 / 1, 13 / 13
4 3, 9, 21 / 9, 15, 45 / 1, 3, 9 / 9
5 2, 7 / 2, 3, 3 / 2, 2, 4
6 3, 5 / 2, 2, 5 / 2, 5, 10
7 2, 2, 2, 3 / 2, 2, 2, 2, 2 / 2, 2, 2, 8
8 3, 3, 3 / 3, 3, 5 / 3, 3, 9

09 | 최대공약수 구하는 방법

1 2)20 24 / 4
  2)10 12
   5 6

2 2)12 30 / 6
  3)6 15
   2 5

3 2)16 56 / 8
  2)8 28
  2)4 14
   2 7

4 2)36 42 / 6
  3)18 21
   6 7

5 3)63 90 / 9
  3)21 30
   7 10

6 2)50 70 / 10
  5)25 35
   5 7

7 3)45 60 / 15
  5)15 20
   3 4

8 2)72 48 / 24
  2)36 24
  2)18 12
  3)9 6
   3 2

9 2)60 100 / 20
  2)30 50
  5)15 25
   3 5

10 2)28 84 / 28
  2)14 42
  7)7 21
   1 3

---

10 | 공배수와 최소공배수 / 최소공배수 구하는 방법

1 36, 108 / 36, 90 / 36, 72, 108 / 36
2 48, 64, 80, 128, 144 / 48, 72, 96, 120 / 48, 96, 144 / 48
3 2 / 7 / 2, 2, 7, 28
4 3, 5 / 2, 3 / 3, 5, 2, 30
5 2, 3, 7 / 2, 2, 3 / 2, 3, 7, 2, 84
6 2, 2, 5 / 2, 3, 5 / 2, 5, 2, 3, 60

---

11 | 최소공배수 구하는 방법

1 3)12 9 / 36
   4 3

2 2)20 8 / 40
  2)10 4
   5 2

3 2)10 30 / 30
  5)5 15
   1 3

4 2)16 36 / 144
  2)8 18
   4 9

5 2)24 56 / 168
  2)12 28
  2)6 14
   3 7

6 2)48 60 / 240
  2)24 30
  3)12 15
   4 5

7 3)15 45 / 45
  5)5 15
   1 3

8 2)36 40 / 360
  2)18 20
   9 10

9 7)35 42 / 210
   5 6

10 3)27 63 / 189
  3)9 21
   3 7

---

3 규칙과 대응

12 | 두 양 사이의 관계

1 20, 2 　　**2** 30, 3
3 2, 3 / 예 사각형의 수와 같습니다.
4 2, 3 / 예 사각형의 수보다 1개 많습니다.
5 8, 12 / 예 사각형의 수의 4배입니다.

---

13 | 대응 관계를 식으로 나타내기

1 8, 12, 16 / 4　　**2** 4, 6, 8 / 2
3 6, 9, 12 / 3　　**4** 10, 15, 20 / 5
5 23, 25, 26 / 예 ●＋21＝◎ 또는 ◎−21＝●
6 3, 24, 30 / 예 ●×6＝◎ 또는 ◎÷6＝●
7 (왼쪽부터) 22, 3, 44, 5
  / 예 ●×11＝◎ 또는 ◎÷11＝●
8 (왼쪽부터) 11, 4, 13, 14
  / 예 ●＋8＝◎ 또는 ◎−8＝●
9 (왼쪽부터) 10, 3, 20, 5
  / 예 ●×5＝◎ 또는 ◎÷5＝●
10 (왼쪽부터) 2, 9, 11, 6
  / 예 ●＋6＝◎ 또는 ◎−6＝●

4 약분과 통분

14쪽 **14 | 크기가 같은 분수 만들기 / 분수를 간단하게 나타내기**

1 $3, \dfrac{6}{9}$ **2** $3, \dfrac{21}{36}$

3 $4, \dfrac{12}{28}$ **4** $4, 4, 16$

5 $5, 5, 10$ **6** $2, \dfrac{4}{5}$

7 $4, \dfrac{4}{5}$ **8** $3, \dfrac{6}{8}$

9 $4, 4, 9$ **10** $2, 2, \dfrac{4}{7}$

11 $3, 3, \dfrac{4}{7}$ **12** $5, 5, \dfrac{2}{5}$

13 $8, 8, \dfrac{1}{3}$ **14** $9, 9, \dfrac{3}{5}$

15 $6, 6, \dfrac{6}{7}$ **16** $7, 7, \dfrac{5}{8}$

17 $12, 12, \dfrac{4}{7}$ **18** $11, 11, \dfrac{7}{9}$

15쪽 **15 | 분모가 같은 분수로 나타내기**

1 $\dfrac{10}{40}, \dfrac{4}{40}$ **2** $\dfrac{6}{54}, \dfrac{9}{54}$

3 $\dfrac{36}{48}, \dfrac{20}{48}$ **4** $\dfrac{6}{84}, \dfrac{70}{84}$

5 $\dfrac{9}{21}, \dfrac{14}{21}$ **6** $\dfrac{9}{30}, \dfrac{20}{30}$

7 $\dfrac{40}{48}, \dfrac{6}{48}$ **8** $\dfrac{20}{100}, \dfrac{35}{100}$

9 $\dfrac{10}{24}, \dfrac{9}{24}$ **10** $\dfrac{9}{60}, \dfrac{16}{60}$

11 $\dfrac{24}{63}, \dfrac{14}{63}$ **12** $\dfrac{2}{72}, \dfrac{21}{72}$

13 $\dfrac{25}{120}, \dfrac{78}{120}$ **14** $\dfrac{15}{108}, \dfrac{8}{108}$

15 $\dfrac{3}{60}, \dfrac{14}{60}$ **16** $\dfrac{55}{132}, \dfrac{3}{132}$

16쪽 **16 | 분수의 크기 비교 / 분수와 소수의 크기 비교**

1 $<$ **2** $>$ **3** $>$
4 $>$ **5** $<$ **6** $<$
7 $<$ **8** $>$ **9** $<$
10 $>$ **11** $<$ **12** $>$
13 $>$ **14** $<$ **15** $=$

16 $\dfrac{2}{3}, \dfrac{3}{4}, \dfrac{7}{9}$ **17** $\dfrac{2}{7}, \dfrac{4}{9}, \dfrac{3}{4}$

18 $\dfrac{2}{15}, \dfrac{5}{18}, \dfrac{7}{24}$ **19** $2\dfrac{5}{7}, 2\dfrac{3}{4}, 2\dfrac{5}{6}$

5 분수의 덧셈과 뺄셈

17쪽 **17 | 받아올림이 없는 진분수의 덧셈**

1 $3, 4, \dfrac{7}{18}$ **2** $5, 14, \dfrac{19}{35}$

3 $12, 11, \dfrac{23}{33}$ **4** $15, 12, \dfrac{27}{40}$

5 $25, 28, \dfrac{53}{60}$ **6** $15, 32, \dfrac{47}{72}$

7 $\dfrac{5}{6}$ **8** $\dfrac{25}{42}$ **9** $\dfrac{37}{56}$ **10** $\dfrac{11}{12}$

11 $\dfrac{49}{60}$ **12** $\dfrac{47}{52}$ **13** $\dfrac{17}{30}$ **14** $\dfrac{47}{75}$

15 $\dfrac{65}{84}$ **16** $\dfrac{25}{36}$ **17** $\dfrac{31}{60}$ **18** $\dfrac{31}{72}$

18쪽 **18 | 받아올림이 있는 진분수의 덧셈**

1 $10, 9, 19, 1\dfrac{4}{15}$ **2** $10, 42, 52, 1\dfrac{7}{45}$

3 $52, 49, 101, 1\dfrac{17}{84}$

4 $1\dfrac{5}{12}$ **5** $1\dfrac{23}{72}$ **6** $1\dfrac{53}{70}$ **7** $1\dfrac{1}{8}$

8 $1\dfrac{5}{18}$ **9** $1\dfrac{3}{10}$ **10** $1\dfrac{1}{12}$ **11** $1\dfrac{7}{24}$

12 $1\dfrac{1}{12}$ **13** $1\dfrac{7}{80}$ **14** $1\dfrac{17}{72}$ **15** $1\dfrac{41}{90}$

19 | 받아올림이 있는 대분수의 덧셈

1 4, 3, 4, 3, 7, $4\frac{1}{6}$

2 9, 8, 4, 2, 9, 8, 6, 17, $7\frac{5}{12}$

3 14, 5, 56, 25, 81, $4\frac{1}{20}$

4 19, 18, 19, 36, 55, 5, $5\frac{1}{2}$

5 $4\frac{5}{12}$ **6** $8\frac{7}{30}$ **7** $4\frac{1}{18}$

8 $7\frac{25}{56}$ **9** $7\frac{13}{28}$ **10** $6\frac{1}{36}$

11 $7\frac{1}{30}$ **12** $5\frac{1}{14}$ **13** $6\frac{2}{45}$

20 | 받아내림이 없는 진분수의 뺄셈

1 15, 8, $\frac{7}{20}$ **2** 45, 32, $\frac{13}{72}$

3 18, 7, $\frac{11}{21}$ **4** 21, 6, $\frac{15}{28}$

5 21, 10, $\frac{11}{24}$ **6** 33, 8, $\frac{25}{54}$

7 $\frac{1}{10}$ **8** $\frac{1}{36}$ **9** $\frac{11}{18}$ **10** $\frac{7}{12}$

11 $\frac{1}{24}$ **12** $\frac{1}{10}$ **13** $\frac{27}{52}$ **14** $\frac{19}{60}$

15 $\frac{22}{45}$ **16** $\frac{13}{30}$ **17** $\frac{61}{70}$ **18** $\frac{13}{60}$

21 | 받아내림이 없는 대분수의 뺄셈

1 11, 2, 11, 2, 2, 9, $2\frac{3}{4}$

2 7, 4, 3, 2, 7, 4, 1, 3, $1\frac{3}{14}$

3 14, 9, 56, 27, 29, $2\frac{5}{12}$

4 23, 19, 92, 57, 35, $1\frac{11}{24}$

5 $2\frac{1}{10}$ **6** $2\frac{11}{20}$ **7** $3\frac{8}{21}$

8 $4\frac{5}{18}$ **9** $3\frac{7}{24}$ **10** $6\frac{5}{22}$

11 $2\frac{5}{9}$ **12** $4\frac{29}{48}$ **13** $3\frac{33}{70}$

22 | 받아내림이 있는 대분수의 뺄셈

1 12, 25, 42, 25, $1\frac{17}{30}$

2 7, 12, 28, 12, $2\frac{16}{21}$

3 25, 7, 50, 21, 29, $2\frac{5}{12}$

4 47, 35, 188, 105, 83, $2\frac{11}{36}$

5 $1\frac{19}{20}$ **6** $1\frac{25}{72}$ **7** $3\frac{17}{60}$

8 $2\frac{13}{24}$ **9** $4\frac{17}{28}$ **10** $6\frac{11}{12}$

11 $4\frac{25}{36}$ **12** $2\frac{7}{8}$ **13** $4\frac{65}{84}$

6 다각형의 둘레와 넓이

23 | 정다각형과 사각형의 둘레

1 21 **2** 24 **3** 25
4 48 **5** 28 **6** 24
7 20 cm **8** 28 cm **9** 28 cm
10 24 cm **11** 40 cm **12** 36 cm

24 | 1 cm² / 직사각형의 넓이

1 6 cm² / 8 cm² / 6 cm²

2 9 cm² / 8 cm² / 10 cm²

3 28 cm² **4** 30 cm² **5** 64 cm²

6 45 cm² **7** 49 cm² **8** 90 cm²

25 | 1 cm²보다 더 큰 넓이의 단위

1 20000 **2** 50000 **3** 90000
4 100000 **5** 140000 **6** 170000
7 3 **8** 4 **9** 8
10 12 **11** 16 **12** 20

13 3000000   **14** 6000000   **15** 7000000
16 11000000   **17** 13000000   **18** 19000000
19 2   **20** 5   **21** 9
22 10   **23** 15   **24** 23

26쪽 **26 | 평행사변형의 넓이**

1 21 cm^2 **2** 20 cm^2
3 77 cm^2 **4** 28 cm^2
5 72 cm^2 **6** 60 cm^2
7 4   **8** 3
9 5   **10** 8

27쪽 **27 | 삼각형의 넓이**

1 35 cm^2 **2** 56 cm^2
3 54 cm^2 **4** 100 cm^2
5 112 cm^2 **6** 108 cm^2
7 6   **8** 10
9 7   **10** 14

28쪽 **28 | 마름모의 넓이**

1 50 cm^2 **2** 20 cm^2
3 27 cm^2 **4** 24 cm^2
5 25 cm^2 **6** 28 cm^2
7 10   **8** 8
9 11   **10** 8

29쪽 **29 | 사다리꼴의 넓이**

1 18 cm^2 **2** 55 cm^2
3 39 cm^2 **4** 24 cm^2
5 90 cm^2 **6** 54 cm^2
7 7   **8** 6
9 9   **10** 5

미리 보는 수학 익힘

1 자연수의 혼합 계산

30쪽 **덧셈과 뺄셈이 섞여 있는 식**

1 (1) $63-27$에 ○표   (2) $27+15$에 ○표

2 (1) $56-29+7=27+7=34$
     ①
         ②

    (2) $30-(10+8)=30-18=12$
         ①
      ②

3 (1) 15   (2) 20
4 $12+13-9=16$ / 16명
5 350원
6 750원

3 (1) $17-11+9=6+9=15$
      ①
         ②

    (2) $41-(8+13)=41-21=20$
          ①
      ②

4 (동훈이네 반 학생 수)$=12+13$
   → (모자를 쓰지 않은 학생 수)
     $=$(동훈이네 반 학생 수)$-$(모자를 쓴 학생 수)
     $=12+13-9$
     $=25-9=16$(명)

5 (민기가 내야 하는 금액)$=350+500$
   → (희우가 더 내야 하는 금액)
     $=$(희우가 내야 하는 금액)
       $-$(민기가 내야 하는 금액)
     $=1200-(350+500)$
     $=1200-850=350$(원)

6 (내야 하는 금액)$=750+500$
   → (거스름돈)$=$(낸 금액)$-$(내야 하는 금액)
        $=2000-(750+500)$
        $=2000-1250=750$(원)

1 (1) 96÷8에 ○표   (2) 8×3에 ○표

2 (1) 36÷9×14=4×14=56
　　①
　　　②

　　(2) 45÷(3×5)=45÷15=3
　　　　　①
　　②

3 (1) 35   (2) 5

4 30×4÷15=8 / 8개

5 108÷(9×4)=3 / 3시간

6 24×6÷8=18 / 18모둠

1 (1) 곱셈과 나눗셈이 섞여 있으므로 앞에 있는 나눗셈을 먼저 계산합니다.
　　(2) 괄호가 있으므로 괄호 안의 곱셈을 먼저 계산합니다.

3 (1) 25÷5×7=5×7=35
　　　①
　　　　②

　　(2) 60÷(6×2)=60÷12=5
　　　　　　①
　　②

4 (전체 달걀의 수)=30×4
　　➜ (한 바구니에 들어 있는 달걀의 수)
　　　=(전체 달걀의 수)÷(바구니의 수)
　　　=30×4÷15
　　　=120÷15=8(개)

5 (4명이 한 시간에 접는 종이학의 수)=9×4
　　➜ (108개를 접는 데 걸리는 시간)
　　　=(접어야 할 종이학의 수)
　　　　÷(4명이 한 시간에 접는 종이학의 수)
　　　=108÷(9×4)
　　　=108÷36=3(시간)

6 (서 있는 학생 수)=24×6
　　➜ (모둠 수)
　　　=(서 있는 학생 수)÷(한 모둠의 학생 수)
　　　=24×6÷8
　　　=144÷8=18(모둠)

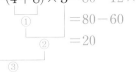

1 (1) 5×3에 ○표   (2) 12−7에 ○표

2 80−(4+8)×5=80−12×5
　　　　　①
　　　　　　　　=80−60
　　　②　　　　=20
　　③

3 (1) >   (2) <

4 47−(4+3)×5=12 / 12개

5 23−9×2+5=10 / 10명

6 30, 7, 50, 410 / 410분

2 괄호 안의 덧셈, 곱셈, 뺄셈의 순서로 계산합니다.

3 (1) • 51−5+9×3=51−5+27
　　　　　　　　　　=46+27=73
　　　• 51−(5+9)×3=51−14×3
　　　　　　　　　　=51−42=9
　　➜ 73>9

　　(2) • 26−8×3+7=26−24+7
　　　　　　　　　　=2+7=9
　　　• (26−8)×3+7=18×3+7
　　　　　　　　　　=54+7=61
　　➜ 9<61

4 (먹은 초콜릿 수)=(4+3)×5
　　➜ (남은 초콜릿의 수)
　　　=(처음에 있던 초콜릿의 수)−(먹은 초콜릿의 수)
　　　=47−(4+3)×5
　　　=47−7×5
　　　=47−35=12(개)

5 (발야구를 한 학생 수)=9×2
　　(현기네 반 학생 중 응원한 학생 수)=23−9×2
　　➜ (응원한 학생 수)=23−9×2+5
　　　　　　　　　　=23−18+5
　　　　　　　　　　=5+5=10(명)

6 (태민이가 운동한 시간)=7×30
　　(주현이가 운동한 시간)=(7−3)×50
　　➜ (태민이와 주현이가 운동한 시간)
　　　=7×30+(7−3)×50
　　　=7×30+4×50
　　　=210+200=410(분)

33쪽 덧셈, 뺄셈, 나눗셈이 섞여 있는 식

1 (1) $35 \div 7$에 ◯표　(2) $8-3$에 ◯표

2 $32 \div (9-5) + 7 = 32 \div 4 + 7$
$= 8 + 7$
$= 15$

3 (1) $<$　(2) $>$

4 $40-5$에 ◯표 / $15 \div 5 + 9$
$= 3 + 9$
$= 12$

5 $5000 - (800 + 6000 \div 12) = 3700$ / 3700원

6 $2\,kg$

---

1 (1) 덧셈, 뺄셈, 나눗셈이 섞여 있는 식은 나눗셈을 먼저 계산합니다.
(2) 괄호가 있는 식은 괄호 안을 먼저 계산합니다.

2 괄호가 있으므로 괄호 안의 뺄셈, 나눗셈, 덧셈의 순서로 계산합니다.

3 (1) ・ $7 + 40 \div 8 - 3 = 7 + 5 - 3$
$= 12 - 3 = 9$
・ $7 + 40 \div (8-3) = 7 + 40 \div 5$
$= 7 + 8 = 15$
➜ $9 < 15$
(2) ・ $12 - 8 \div 4 + 9 = 12 - 2 + 9$
$= 10 + 9 = 19$
・ $(12-8) \div 4 + 9 = 4 \div 4 + 9$
$= 1 + 9 = 10$
➜ $19 > 10$

4 괄호가 있는 식은 괄호 안을 먼저 계산해야 하는데 나눗셈을 먼저 계산하여 잘못된 것입니다.

5 (연필 한 자루의 값) $= 6000 \div 12$
(산 물건의 값) $= 800 + 6000 \div 12$
➜ (거스름돈) $= 5000 - (800 + 6000 \div 12)$
$= 5000 - (800 + 500)$
$= 5000 - 1300 = 3700$(원)

6 (달에선 잰 정우와 민하의 몸무게의 합)
$= (41 + 43) \div 6$
➜ $(41 + 43) \div 6 - 12 = 84 \div 6 - 12$
$= 14 - 12 = 2\,(kg)$

34쪽 덧셈, 뺄셈, 곱셈, 나눗셈이 섞여 있는 식

1 ㉠, ㉡, ㉣, ㉢

2 $28 \div (9-5) \times 7 + 9 = 28 \div 4 \times 7 + 9$
$= 7 \times 7 + 9$
$= 49 + 9$
$= 58$

3 (　)
(◯)

4 $4 + 42 \div (14-8) \times 5 = 39$

5 4900원

6 68, 32, 10, 20 / 20 ℃

---

1 괄호 안의 덧셈, 곱셈, 나눗셈, 뺄셈의 순서로 계산합니다.

2 괄호 안의 뺄셈, 나눗셈, 곱셈, 덧셈의 순서로 계산합니다.

3 ・ $9 + 4 \times (36-12) \div 6 = 9 + 4 \times 24 \div 6$
$= 9 + 96 \div 6$
$= 9 + 16 = 25$
・ $9 + 4 \times 36 - 12 \div 6 = 9 + 144 - 12 \div 6$
$= 9 + 144 - 2$
$= 153 - 2 = 151$
➜ $25 < 151$

4 $4 + 42 \div (14-8) \times 5 = 4 + 42 \div 6 \times 5$
$= 4 + 7 \times 5$
$= 4 + 35 = 39$

코칭Tip $4 + 42 \div 14 - 8 \times 5 = 4 + 3 - 40 = 7 - 40$은 계산할 수 없으므로 '×' 앞에 (　)를 넣어 봅니다.

5 (햄 3인분 가격) $= 1800$원
(양파 3인분 가격) $= (700 \times 3)$원
(당근 3인분 가격) $= (2400 \div 2)$원
(재료의 값) $= 1800 + 700 \times 3 + 2400 \div 2$
➜ (남은 돈)
$= 10000 - (1800 + 700 \times 3 + 2400 \div 2)$
$= 10000 - (1800 + 2100 + 1200)$
$= 10000 - 5100 = 4900$(원)

6 $(68-32) \times 10 \div 18 = 36 \times 10 \div 18$
$= 360 \div 18 = 20\,(℃)$

2 약수와 배수

35쪽 **약수와 배수**

1 1, 2, 4, 8, 16, 32 / 1, 2, 4, 8, 16, 32
2 ⑴ 예 7, 14, 21, 28   ⑵ 예 15, 30, 45, 60
3 (×) (○)
　　(×) (○)
4 54, 60, 66, 72, 78, 84, 90, 96에 ○표
　　/ 54, 63, 72, 81, 90, 99에 ◇표
5 24, 18, 27　　　　**6** 8번

1 32를 나누었을 때 나누어떨어지는 수를 찾습니다.

2 ⑴ 7에 1, 2, 3, 4, …를 곱합니다.
　　⑵ 15에 1, 2, 3, 4, …를 곱합니다.

3 $16 \div 3 = 5 \cdots 1$ (×), $28 \div 7 = 4$ (○)
　　$75 \div 10 = 7 \cdots 5$ (×), $117 \div 9 = 13$ (○)

4 • 6의 배수: 54, 60, 66, 72, 78, 84, 90, 96
　　• 9의 배수: 54, 63, 72, 81, 90, 99

5 • 18의 약수: 1, 2, 3, 6, 9, 18 ➜ 6개
　　• 24의 약수: 1, 2, 3, 4, 6, 8, 12, 24 ➜ 8개
　　• 27의 약수: 1, 3, 9, 27 ➜ 4개

6 8의 배수는 8, 16, 24, 32, 40, 48, 56, …입니다.
　　첫차가 오전 10시에 출발하므로 8의 배수가 출발 시
　　각이 됩니다.
　　➜ 버스가 출발하는 시각: 10시, 10시 8분,
　　　10시 16분, 10시 24분, 10시 32분, 10시 40분,
　　　10시 48분, 10시 56분 (8번)

36쪽 **약수와 배수의 관계**

1 1, 2, 4, 5, 8, 10, 20, 40
　　/ 1, 2, 4, 5, 8, 10, 20, 40
2 ⑴ 배수　⑵ 약수
3 1, 35 / 5, 7 / 1, 5, 7, 35 / 1, 5, 7, 35
4 ⑴ 예 5　⑵ 예 8
5 6, 42 / 8, 32　　**6** 12 / 8, 12, 16, 12

2 ■ × ▲ = ★에서 ★은 ■와 ▲의 배수이고, ■와 ▲는
　　★의 약수입니다.

3 $1 \times 35 = 35$, $5 \times 7 = 35$
　　➜ 35는 1, 5, 7, 35로 나누어떨어집니다.

4 주어진 수를 나누어떨어지게 하는 수 또는 주어진 수
　　를 몇 배 한 수를 써넣습니다.

5 $6 \times 7 = 42$, $8 \times 4 = 32$

6 48의 약수는 1, 2, 3, 4, 6, 8, 12, 16, 24, 48에서
　　7보다 크고 20보다 작은 수는 8, 12, 16이고, 이 중
　　에서 3의 배수는 12입니다.

37쪽 **공약수와 최대공약수**

1 1, 2, 3, 6 / 6
2 1, 3, 5, 15 / 1, 2, 4, 5, 10, 20
3 5　　　　　　　　**4** 1, 2, 4, 7, 14, 28
5 9
6 준호 / 예 28과 42의 공약수 중에서 가장 큰 수
　　는 14입니다.
7 공약수, 최대공약수 / 12명

1 공약수는 두 수의 공통된 약수이고, 최대공약수는 공
　　약수 중 가장 큰 수입니다.

2 • $1 \times 15 = 15$, $3 \times 5 = 15$
　　　➜ 15의 약수: 1, 3, 5, 15
　　• $1 \times 20 = 20$, $2 \times 10 = 20$, $4 \times 5 = 20$
　　　➜ 20의 약수: 1, 2, 4, 5, 10, 20

3 15와 20의 약수 중에서 공통된 약수를 찾으면 1, 5
　　이므로 최대공약수는 5입니다.

4 두 수의 공약수는 최대공약수의 약수와 같습니다.
　　➜ 28의 약수: 1, 2, 4, 7, 14, 28

5 어떤 수는 36의 약수이면서, 45의 약수이므로 36과
　　45의 공약수입니다.
　　➜ 36과 45의 공약수: 1, 3, ⑨—• 가장 큰 수

6 • 28의 약수: 1, 2, 4, 7, 14, 28
　　• 42의 약수: 1, 2, 3, 6, 7, 14, 21, 42
　　• 28과 42의 공약수: 1, 2, 7, ⑭—• 최대공약수

매칭북

수학 익힘

7 친구 수는 60과 48의 공약수이고, 최대한 많은 친구들에게 나누어 주어야 하므로 최대공약수를 구합니다.
→ 60과 48의 공약수는 1, 2, 3, 4, 6, 12이므로 최대공약수는 12입니다.

38쪽 최대공약수 구하는 방법

1 10 / 7, 10   **2** 3, 5 / 2, 5, 7
3 10   **4** 2, 7, 14
5 예
$2\,\overline{)\,30\quad 54}$ / 6   **6** 14명
$\quad\,3\,\overline{)\,15\quad 27}$
$\qquad\quad 5\quad 9$

7 (1) 12모둠   (2) 5권 / 7자루

---

3 **2**의 곱셈식에서 공통으로 들어 있는 수는 2와 5이므로 최대공약수는 $2 \times 5 = 10$입니다.

4 두 수를 나눈 공약수들의 곱이 최대공약수입니다.

5 최대공약수: $2 \times 3 = 6$

6 56과 70의 공약수 중에서 가장 큰 수를 구합니다.
$2\,\overline{)\,56\quad 70}$
$7\,\overline{)\,28\quad 35}$
$\quad\,\,4\quad 5$ → 최대공약수: $2 \times 7 = 14$

7 (1) 모둠 수는 60과 84의 최대공약수입니다.
$2\,\overline{)\,60\quad 84}$
$2\,\overline{)\,30\quad 42}$
$3\,\overline{)\,15\quad 21}$
$\qquad 5\quad 7$ → 최대공약수: $2 \times 2 \times 3 = 12$
(2) • 한 모둠이 받는 공책 수: $60 \div 12 = 5$(권)
  • 한 모둠이 받는 연필 수: $84 \div 12 = 7$(자루)

39쪽 공배수와 최소공배수

1 예 12, 24, 36, ... / 12
2 12, 18, 24, 30, 36, 42, 48, 54
  / 18, 27, 36, 45, 54, 63, 72, 81
3 18   **4** 예 21, 42, 63
5 24, 36, 48   **6** 90
7 (1) 30   (2) 30, 60, 90

---

1 3과 4의 공통된 배수: $\overset{\text{가장 작은 수}}{12}$, 24, 36, ...

2 6과 9에 각각 1, 2, 3, ...을 차례로 곱합니다.

3 6과 9의 공통된 배수: 18, 36, 54, ...
→ 최소공배수: 18

4 두 수의 공배수는 최소공배수의 배수와 같습니다.
→ 21의 배수: 21, 42, 63, ...

5 • 3의 배수: 21, 24, 27, 30, 33, 36, 39, 42,
      45, 48
  • 4의 배수: 24, 28, 32, 36, 40, 44, 48
  → 3과 4의 공배수: 24, 36, 48

6 9와 15의 공배수 45, 90, 135, ... 중에서 60보다 크고 100보다 작은 수는 90입니다.

7 (1) • 손뼉을 치는 수는 10의 배수입니다.
      → 10, 20, 30, 40, 50, 60, 70, 80, 90, 100
    • 제자리 뛰기를 하는 수는 15의 배수입니다.
      → 15, 30, 45, 60, 75, 90
  (2) 손뼉을 치면서 동시에 제자리 뛰기를 해야 하는 수는 10과 15의 공배수인 30, 60, 90입니다.

40쪽 최소공배수 구하는 방법

1 6 / 3, 6   **2** 2, 3 / 2, 3, 3
3 36   **4** 5, 5, 7, 175
5 예
$2\,\overline{)\,30\quad 42}$ / 210   **6** 4번
$\quad\,3\,\overline{)\,15\quad 21}$
$\qquad\quad 5\quad 7$

7 4월 21일

---

1 공통으로 곱해진 수가 가장 큰 곱셈식을 찾아 씁니다.

2 12와 18을 작은 수들의 곱으로 나타냅니다.

3 **1**의 곱셈식에서 공통으로 곱해진 수에 공통이 아닌 수를 차례로 곱하면 최소공배수는 $6 \times 2 \times 3 = 36$입니다.

4 두 수의 공약수와 밑에 남은 몫을 모두 곱합니다.

5 최소공배수: $2 \times 3 \times 5 \times 7 = 210$

6 3과 4의 최소공배수: 12
　→ 3과 4의 공배수: 12, 24, 36, 48, 60, ...
　따라서 출발 후 다시 만나는 시각은 12분, 24분, 36분, 48분, ...이므로 50분 동안 4번 다시 만납니다.

7 2) 10　　4
　　　　5　　2　→ 최소공배수: 2×5×2=20
　두 사람은 도서관에서 20일마다 만나므로 다음번에 만나는 날은 4월 1일에서 20일 후인 4월 21일입니다.

3 규칙과 대응

41쪽 **두 양 사이의 관계**

1 △△△△△ / 20　　**2** 50개
3 예 사각형의 수를 2배 하면 삼각형의 수와 같습니다.
4 예 의자의 수는 식탁의 수의 5배입니다.
5 2, 3, 4 / 예 사각형의 수는 고리의 수보다 1만큼 더 큽니다.
6 56, 84, 112　　**7** 2800장
8 예 만화 영화를 상영하는 시간에 28을 곱하면 필요한 사진의 수와 같습니다.

1 삼각형의 수는 사각형의 수의 2배입니다.

2 사각형의 수는 삼각형의 수의 반입니다.
　→ 100÷2=50(개)

4 식탁이 1개씩 늘어나면 의자는 5개씩 늘어납니다.

5 고리의 수는 사각형의 수보다 1만큼 더 작습니다.

6 시간이 1초씩 늘어날 때마다 사진은 28장씩 늘어납니다.

7 1초에 28장씩 필요하므로 만화 영화를 100초 상영하려면 2800장 필요합니다.

8 필요한 사진의 수는 상영 시간의 28배입니다.

42쪽 **대응 관계를 식으로 나타내는 방법**

1 30, 20 / 40, 30
2 예 지우의 봉사 활동 시간, ㅡ, 10, =, 민수의 봉사 활동 시간
3 예 △, ☆, △−10=☆
4 예 ○×5=△ 또는 △÷5=○
5 민지

1 지우가 먼저 10시간을 했으므로 10에서 시작하고, 지우와 민수 모두 한 달에 10시간씩 봉사 활동을 하기로 했으므로 10씩 늘어납니다.

2 (민수의 봉사 활동 시간)+10=(지우의 봉사 활동 시간)으로 나타낼 수도 있습니다.

3 • △에서 10을 빼면 ☆이 됩니다. → △−10=☆
　• ☆에 10을 더하면 △가 됩니다. → ☆+10=△

4 • 학생 수는 의자의 수의 5배입니다. → ○×5=△
　• 의자의 수는 학생 수를 5로 나눈 몫입니다.
　　→ △÷5=○

5 의자의 수인 ○의 값은 항상 학생 수인 △의 값에 따라 변합니다.

43쪽 **생활 속에서 대응 관계를 찾아 식으로 나타내기**

1 예 ① 옷의 수 / 옷장의 수에 6배 한 만큼 옷이 있습니다.
　② 옷장의 수 / 서랍의 수를 2로 나눈 몫만큼 옷장이 있습니다.
2 예 ① 옷, □×6=◎ 또는 ◎÷6=□
　② 옷장, △÷2=□ 또는 □×2=△
3 예 □×7=◎ (□: 옷장의 수, ◎: 옷의 수)
　/ 예 옷이 1벌씩 더 늘어났기 때문에 6배였던 대응 관계가 7배로 바뀌었습니다.
4 5, 28 / 예 천의 수를 △, 콩 주머니의 수를 ☆이라 하면 △×2=☆입니다.
5 예 동생의 나이(○)는 언니의 나이(△)보다 5살 적습니다.
6 31

매칭북

수학 익힘

1 옷장의 수와 옷의 수, 옷장의 수와 서랍의 수, 서랍의 수와 옷의 수의 대응 관계를 찾을 수 있습니다.

2 ① 옷의 수는 옷장의 수의 6배이고, 옷장의 수는 옷의 수를 6으로 나눈 몫과 같습니다.
② 옷장의 수는 서랍의 수를 2로 나눈 몫과 같고, 서랍의 수는 옷장의 수의 2배입니다.

3 옷장이 1개씩 늘어나면 옷은 $6+1=7$(벌)씩 늘어나게 됩니다.

4 콩 주머니의 수는 천의 수의 2배입니다.

5 두 양의 차이가 5만큼인 상황을 찾아봅니다.

6 $10+6=16$, $7+6=13$, $13+6=19$
(재인이가 말한 수)$+6=$(진우가 답한 수)이므로 재인이가 25를 말했을 때 진우는 $25+6=31$을 답합니다.

4 약분과 통분

44쪽 크기가 같은 분수

1  $\dfrac{1}{3}$ $\dfrac{2}{6}$ 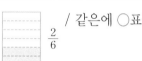 / 같은에 ○표

2 예 / $\dfrac{6}{10}$, $\dfrac{3}{5}$

3 예 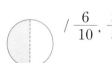 / $\dfrac{4}{6}$, $\dfrac{8}{12}$

4 예 $\dfrac{10}{16}$ / $\dfrac{10}{16}$, $\dfrac{5}{8}$

$\dfrac{7}{8}$

$\dfrac{5}{8}$

5 초코우유, 바나나우유

6 예  / $\dfrac{15}{18}$

1 • $\dfrac{1}{3}$: 전체를 똑같이 3으로 나눈 것 중의 1
• $\dfrac{2}{6}$: 전체를 똑같이 6으로 나눈 것 중의 2
➜ 색칠한 부분이 같으므로 $\dfrac{1}{3}$과 $\dfrac{2}{6}$는 크기가 같은 분수입니다.

2 색칠한 부분의 크기가 같은 분수를 찾으면 $\dfrac{6}{10}$과 $\dfrac{3}{5}$입니다.

3 색칠한 부분의 크기가 같은 분수를 찾으면 $\dfrac{4}{6}$와 $\dfrac{8}{12}$입니다.

4 수직선에 나타낸 길이가 같은 것을 찾으면 $\dfrac{10}{16}$과 $\dfrac{5}{8}$가 크기가 같은 분수입니다.

5 우유의 양을 분수로 나타내면 흰우유 $\dfrac{6}{10}$, 초코우유 $\dfrac{6}{9}$, 딸기우유 $\dfrac{5}{6}$, 바나나우유 $\dfrac{2}{3}$입니다.
➜ 같은 양이 담긴 우유:
초코우유$\left(\dfrac{6}{9}\right)$와 바나나우유$\left(\dfrac{2}{3}=\dfrac{6}{9}\right)$

6 크기가 같은 분수는 전체를 똑같이 18로 나눈 것 중의 15입니다.

45쪽 크기가 같은 분수 만들기

1 2, 2 / 3, 3   **2** 2, 2 / 4, 4

3 (1) 14, 21, 16 (2) 9, 8, 3

4 $\dfrac{2}{3}$, $\dfrac{24}{36}$에 ○표

5 (1) $\dfrac{8}{10}$, $\dfrac{12}{15}$, $\dfrac{16}{20}$, $\dfrac{20}{25}$ (2) $\dfrac{16}{20}$, $\dfrac{20}{25}$

6 세현, 민지 / 예 분모와 분자를 0이 아닌 같은 수로 나누어서 크기가 같은 분수를 구했습니다.

3 (1) 분모와 분자에 2, 3, 4를 차례로 곱합니다.
(2) 분모와 분자를 2, 3, 6으로 차례로 나눕니다.

4 $\dfrac{6}{9}=\dfrac{6\div3}{9\div3}=\dfrac{2}{3}$, $\dfrac{6}{9}=\dfrac{6\times4}{9\times4}=\dfrac{24}{36}$

> **코칭Tip** $\dfrac{6}{9}$과 크기가 같은 분수를 찾을 때에는 분모와 분자에 각각 0이 아닌 같은 수를 곱하거나 나누어서 알아봅니다.

5 $\dfrac{4}{5}$와 크기가 같은 분수는 다음과 같습니다.

→ $\dfrac{8}{10}$, $\dfrac{12}{15}$, $\dfrac{16}{20}$, $\dfrac{20}{25}$, $\dfrac{24}{30}$, ...
　　↓　　↓　　↓　　↓　　↓
　　18　 27　 36　 45　 54

따라서 분모와 분자의 합이 30보다 크고 50보다 작은 수는 $\dfrac{16}{20}$, $\dfrac{20}{25}$입니다.

6 지유는 분모와 분자에 0이 아닌 같은 수를 곱해서 크기가 같은 분수를 구했습니다.

46쪽 분수를 간단하게 나타내기

1 (1) $\dfrac{3}{7}$　(2) $\dfrac{10}{25}$, $\dfrac{4}{10}$, $\dfrac{2}{5}$

2 (1) 6, 6, $\dfrac{4}{5}$　(2) 12, 12, $\dfrac{5}{8}$

3 (1) $\dfrac{3}{4}$　(2) $\dfrac{6}{7}$　(3) $\dfrac{3}{8}$　(4) $\dfrac{1}{6}$

4 $\dfrac{3}{4}$, $\dfrac{31}{33}$에 ○표

5 2, 3, 4, 6, 12

6 1, 3, 7, 9에 ○표

7 $\dfrac{36}{45}$

---

1 (1) 6과 14의 공약수: 1, 2
　　→ 2로 분모와 분자를 나눕니다.
　(2) 20과 50의 공약수: 1, 2, 5, 10
　　→ 2, 5, 10으로 분모와 분자를 나눕니다.

2 (1) 24와 30의 최대공약수 6으로 분모와 분자를 각각 나눕니다.
　(2) 60과 96의 최대공약수 12로 분모와 분자를 각각 나눕니다.

3 (1) $\dfrac{12}{16}=\dfrac{12\div4}{16\div4}=\dfrac{3}{4}$　(2) $\dfrac{18}{21}=\dfrac{18\div3}{21\div3}=\dfrac{6}{7}$
　(3) $\dfrac{18}{48}=\dfrac{18\div6}{48\div6}=\dfrac{3}{8}$　(4) $\dfrac{5}{30}=\dfrac{5\div5}{30\div5}=\dfrac{1}{6}$

---

4 $\dfrac{26}{39}=\dfrac{26\div13}{36\div13}=\dfrac{2}{3}$, $\dfrac{2}{10}=\dfrac{2\div2}{10\div2}=\dfrac{1}{5}$,

$\dfrac{12}{15}=\dfrac{12\div3}{15\div3}=\dfrac{4}{5}$

→ $\dfrac{26}{39}$, $\dfrac{2}{10}$, $\dfrac{12}{15}$는 약분할 수 있으므로 기약분수가 아닙니다.

따라서 $\dfrac{3}{4}$, $\dfrac{31}{33}$은 분모와 분자의 공약수가 1뿐이므로 기약분수입니다.

5 $\dfrac{36}{60}$을 약분할 때 분모와 분자를 나눌 수 있는 수는 36과 60의 공약수입니다.
→ 36과 60의 공약수: 1, 2, 3, 4, 6, 12

6 • 진분수이므로 분자 ☐는 10보다 작습니다.
　• 기약분수는 공약수가 1뿐인 수입니다.
따라서 ☐는 1부터 9까지의 수 중에서 10과 공약수가 1뿐인 수입니다.
→ ☐ 안에 들어갈 수 있는 수는 1, 3, 7, 9입니다.

7 구하려는 분수를 $\dfrac{☐}{45}$라 하면 $\dfrac{☐}{45}=\dfrac{☐\div9}{45\div9}=\dfrac{4}{5}$
이므로 ☐÷9=4, ☐=36입니다.

47쪽 분모가 같은 분수로 나타내기

1 4 / 6, $\dfrac{8}{12}$ / 6, 12

2 20, 14

3 (1) 12, 9 / $\dfrac{48}{108}$, $\dfrac{45}{108}$
　(2) 4, 3 / $\dfrac{16}{36}$, $\dfrac{15}{36}$

4 (1) $\dfrac{22}{36}$, $\dfrac{21}{36}$　(2) $\dfrac{15}{40}$, $\dfrac{18}{40}$

5 20, 40, 60, 80

6 42 / 27 / 42

---

1 크기가 같은 분수를 만들기 위해서는 분모와 분자에 0이 아닌 같은 수를 곱하면 됩니다.

2 $\dfrac{4}{7}=\dfrac{4\times5}{7\times5}=\dfrac{20}{35}$, $\dfrac{2}{5}=\dfrac{2\times7}{5\times7}=\dfrac{14}{35}$

4 (1) 18과 12의 최소공배수: 36

→ $\frac{11}{18}=\frac{11\times2}{18\times2}=\frac{22}{36}$, $\frac{7}{12}=\frac{7\times3}{12\times3}=\frac{21}{36}$

(2) 8과 20의 최소공배수: 40

→ $\frac{3}{8}=\frac{3\times5}{8\times5}=\frac{15}{40}$, $\frac{9}{20}=\frac{9\times2}{20\times2}=\frac{18}{40}$

5 4와 10의 최소공배수: 20

→ 4와 10의 공배수: 20, 40, 60, 80, 100, ...

따라서 공통분모가 될 수 있는 수 중에서 100보다 작은 수는 20, 40, 60, 80입니다.

6 1×7=7이므로 ㉠=6×7=42이고,

$\frac{7}{㉠}$과 $\frac{㉡}{㉢}$은 분모가 같으므로 ㉠=㉢=42입니다.

이때 14×3=42이므로 ㉡=9×3=27입니다.

48쪽 분수의 크기 비교

1 ⑩ $\frac{9}{30}$, $\frac{8}{30}$ / >

2 (1) > (2) <

3 8, 15, < / ⑩ $\frac{15}{24}$, $\frac{14}{24}$, >

/ ⑩ $\frac{4}{12}$, $\frac{7}{12}$, < / $\frac{1}{3}$, $\frac{7}{12}$, $\frac{5}{8}$

4 $\frac{8}{15}$, $\frac{3}{5}$, $\frac{7}{10}$

5 (위에서부터) $\frac{5}{12}$, $\frac{1}{4}$, $\frac{5}{12}$

6 재인

---

1 10과 15의 최소공배수 30을 공통분모로 하여 통분하였습니다.

2 (1) $\left(\frac{4}{7},\frac{1}{2}\right)$ → $\left(\frac{8}{14},\frac{7}{14}\right)$ → $\frac{4}{7}>\frac{1}{2}$

(2) $\left(\frac{3}{4},\frac{5}{6}\right)$ → $\left(\frac{9}{12},\frac{10}{12}\right)$ → $\frac{3}{4}<\frac{5}{6}$

4 $\frac{3}{5}\left(=\frac{9}{15}\right)>\frac{8}{15}$, $\frac{8}{15}\left(=\frac{16}{30}\right)<\frac{7}{10}\left(=\frac{21}{30}\right)$,

$\frac{3}{5}\left(=\frac{6}{10}\right)<\frac{7}{10}$

→ $\frac{8}{15}<\frac{3}{5}<\frac{7}{10}$

---

5 $\left(\frac{1}{4},\frac{2}{9}\right)$ → $\left(\frac{9}{36},\frac{8}{36}\right)$ → $\frac{1}{4}>\frac{2}{9}$

$\left(\frac{7}{18},\frac{5}{12}\right)$ → $\left(\frac{14}{36},\frac{15}{36}\right)$ → $\frac{7}{18}<\frac{5}{12}$

$\left(\frac{1}{4},\frac{5}{12}\right)$ → $\left(\frac{3}{12},\frac{5}{12}\right)$ → $\frac{1}{4}<\frac{5}{12}$

6 분모와 분자에 0을 곱해서는 안 되기 때문에 재인이가 잘못 말했습니다.

49쪽 분수와 소수의 크기 비교

1 (위에서부터) $\frac{3}{10}$, $\frac{7}{10}$, $\frac{9}{10}$

/ 0.2, 0.5, 0.7, 0.9

2 4, 4, $\frac{52}{100}$, 0.52

3 (1) $\frac{7}{10}$, $\frac{9}{10}$ / 7, <, 9 / <

(2) 7, 9 / 0.7, <, 0.9 / <

4 (1) = (2) <

5 $\frac{2}{5}$, $\frac{17}{50}$, 0.26   **6** $\frac{3}{5}$ / 0.6

---

2 분모가 100이 되도록 분모와 분자에 4를 곱합니다.

4 (1) $\frac{4}{5}=\frac{8}{10}=0.8$

(2) $3\frac{13}{20}=3\frac{65}{100}=3.65$ → 3.65<3.7

5 $\frac{17}{50}=\frac{34}{100}=0.34$, $\frac{2}{5}=\frac{4}{10}=0.4$

→ 0.4>0.34>0.26 → $\frac{2}{5}>\frac{17}{50}>0.26$

6 만들 수 있는 진분수는 $\frac{1}{3}$, $\frac{1}{5}$, $\frac{3}{5}$, $\frac{1}{9}$, $\frac{3}{9}$, $\frac{5}{9}$이므로 $\frac{1}{3}$, $\frac{3}{5}$, $\frac{5}{9}$ 중 가장 큰 수를 찾습니다.

• $\left(\frac{1}{3},\frac{3}{5}\right)$ → $\left(\frac{5}{15},\frac{9}{15}\right)$ → $\frac{1}{3}<\frac{3}{5}$

• $\left(\frac{3}{5},\frac{5}{9}\right)$ → $\left(\frac{27}{45},\frac{25}{45}\right)$ → $\frac{3}{5}>\frac{5}{9}$

따라서 가장 큰 진분수 $\frac{3}{5}$을 소수로 나타내면

$\frac{3}{5}=\frac{6}{10}=0.6$입니다.

5 분수의 덧셈과 뺄셈

1 예 $\dfrac{1}{4}$ ▨▢▢▢ ▨▢▢▢ $\dfrac{1}{8}$ / 2, 1, 3

↓

$\dfrac{2}{8}$ ▨▨▢▢▢▢▢▢ ▢▢▢▢▢▢▢ $\dfrac{1}{8}$

2 3, 3, 9, 17

3 $\dfrac{5\times 6}{12\times 6}+\dfrac{1\times 12}{6\times 12}$

$=\dfrac{30}{72}+\dfrac{12}{72}=\dfrac{42}{72}=\dfrac{7}{12}$

4 (1) $\dfrac{13}{14}$　(2) $\dfrac{11}{18}$

5 $\dfrac{1\times 1}{3\times 4}$에 ○표

/ $\dfrac{7}{12}+\dfrac{1\times 4}{3\times 4}=\dfrac{7}{12}+\dfrac{4}{12}=\dfrac{11}{12}$

6 $\dfrac{17}{45}$ L

---

1 $\dfrac{1}{4}$ 과 $\dfrac{1}{8}$ 을 똑같이 8로 나누어진 막대에 색칠한 후 계산합니다.

2 공통분모가 21이 되도록 $\dfrac{3}{7}$ 의 분모와 분자에 각각 3을 곱합니다.

3 분모의 곱을 공통분모로 통분하여 계산합니다.

4 (1) $\dfrac{3}{7}+\dfrac{1}{2}=\dfrac{6}{14}+\dfrac{7}{14}=\dfrac{13}{14}$

(2) $\dfrac{2}{9}+\dfrac{7}{18}=\dfrac{4}{18}+\dfrac{7}{18}=\dfrac{11}{18}$

5 분수의 분모와 분자에 0이 아닌 같은 수를 곱하여 통분해야 합니다.

→ $\dfrac{1}{3}$ 의 분모에는 4를, 분자에는 1을 곱하여 계산을 잘못했습니다.

6 (유자차의 양)=(유자청의 양)+(물의 양)

$=\dfrac{1}{9}+\dfrac{4}{15}$

$=\dfrac{5}{45}+\dfrac{12}{45}=\dfrac{17}{45}$ (L)

---

1 예 $\dfrac{1}{2}$ ▢▢▢▢ ▨▨▢▢ $\dfrac{2}{3}$

↓

$\dfrac{3}{6}$ ▢▢▢▢▢▢ ▨▨▨▨▢▢ $\dfrac{4}{6}$

↓

▢▢▢▢▨▨ ▨▨▢▢▢▢

/ 3, 4, 7, 1, 1

2 $\dfrac{11}{15}+\dfrac{4}{9}=\dfrac{11\times 3}{15\times 3}+\dfrac{4\times 5}{9\times 5}$

$=\dfrac{33}{45}+\dfrac{20}{45}$

$=\dfrac{53}{45}=1\dfrac{8}{45}$

3 $\dfrac{6\times 14}{7\times 14}+\dfrac{9\times 7}{14\times 7}=\dfrac{84}{98}+\dfrac{63}{98}$

$=\dfrac{147}{98}=1\dfrac{49}{98}=1\dfrac{1}{2}$

4 (1) · (2) · (3) · 　　　**5** $1\dfrac{7}{30}$ 시간

6 $1\dfrac{27}{40}$ km, 자전거

---

1 $\dfrac{1}{2}$ 과 $\dfrac{2}{3}$ 를 똑같이 6으로 나누어진 막대에 똑같은 양만큼 나타내고 더합니다. 분수만큼 색칠하면 $\dfrac{1}{6}$ 이 7개이므로 $\dfrac{7}{6}=1\dfrac{1}{6}$ 이 됩니다.

2 분모의 최소공배수인 45로 통분하여 계산합니다.

3 두 분모의 곱을 공통분모로 통분하여 계산합니다.

4 (1) $\dfrac{3}{8}+\dfrac{5}{6}=\dfrac{9}{24}+\dfrac{20}{24}=\dfrac{29}{24}=1\dfrac{5}{24}$

(2) $\dfrac{5}{9}+\dfrac{11}{12}=\dfrac{20}{36}+\dfrac{33}{36}=\dfrac{53}{36}=1\dfrac{17}{36}$

(3) $\dfrac{3}{4}+\dfrac{7}{18}=\dfrac{27}{36}+\dfrac{14}{36}=\dfrac{41}{36}=1\dfrac{5}{36}$

5 (수진이와 유정이가 줄넘기를 연습한 시간)

$=\dfrac{8}{15}+\dfrac{7}{10}=\dfrac{16}{30}+\dfrac{21}{30}=\dfrac{37}{30}=1\dfrac{7}{30}$ (시간)

6 (민우네 집~시청)+(시청~수영장)

$=\dfrac{4}{5}+\dfrac{7}{8}=\dfrac{32}{40}+\dfrac{35}{40}=\dfrac{67}{40}=1\dfrac{27}{40}$ (km)

1 km가 넘으므로 자전거를 타고 가는 것이 좋습니다.

52쪽 받아올림이 있는 대분수의 덧셈

1 9, 8 / (예)

/ $1\dfrac{3}{4}+1\dfrac{2}{3}=(1+1)+\left(\dfrac{9}{12}+\dfrac{8}{12}\right)$

$=2+\dfrac{17}{12}=2+1\dfrac{5}{12}=3\dfrac{5}{12}$

2 $1\dfrac{7}{10}+2\dfrac{1}{2}=\dfrac{17}{10}+\dfrac{5}{2}=\dfrac{17}{10}+\dfrac{25}{10}$

$=\dfrac{42}{10}=4\dfrac{2}{10}=4\dfrac{1}{5}$

3 방법 **1** $1\dfrac{49}{56}+2\dfrac{24}{56}=3\dfrac{73}{56}=4\dfrac{17}{56}$

방법 **2** $\dfrac{15}{8}+\dfrac{17}{7}=\dfrac{105}{56}+\dfrac{136}{56}$

$=\dfrac{241}{56}=4\dfrac{17}{56}$

4 (1) $5\dfrac{5}{36}$ (2) $4\dfrac{11}{30}$

5 (1) $2\dfrac{5}{6}$ / $1\dfrac{3}{8}$ (2) $4\dfrac{5}{24}$

4 (1) $3\dfrac{8}{9}+1\dfrac{1}{4}=3\dfrac{32}{36}+1\dfrac{9}{36}=4\dfrac{41}{36}=5\dfrac{5}{36}$

(2) $1\dfrac{7}{15}+2\dfrac{9}{10}=1\dfrac{14}{30}+2\dfrac{27}{30}=3\dfrac{41}{30}=4\dfrac{11}{30}$

5 (2) $2\dfrac{5}{6}+1\dfrac{3}{8}=2\dfrac{20}{24}+1\dfrac{9}{24}=3+\dfrac{29}{24}$

$=3+1\dfrac{5}{24}=4\dfrac{5}{24}$

53쪽 받아내림이 없는 진분수의 뺄셈

1 (예) $\dfrac{7}{8}$

$\dfrac{1}{4}$ / 7, 2, 5

$\dfrac{7}{8}$ $\dfrac{2}{8}$

2 $\dfrac{5}{8}-\dfrac{3}{10}=\dfrac{5\times5}{8\times5}-\dfrac{3\times4}{10\times4}$

$=\dfrac{25}{40}-\dfrac{12}{40}=\dfrac{13}{40}$

3 $\dfrac{63}{70}-\dfrac{40}{70}=\dfrac{23}{70}$ **4** $>$

5 $\dfrac{13}{45}$컵   **6** $\dfrac{11}{42}$ m

1 $\dfrac{7}{8}$과 $\dfrac{1}{4}$을 똑같이 8로 나누어진 막대에 색칠한 후 계산합니다.

2 분모 8과 10의 최소공배수인 40으로 통분하여 계산합니다.

3 두 분모의 곱을 공통분모로 통분하여 계산합니다.

4 • $\dfrac{13}{18}-\dfrac{1}{6}=\dfrac{13}{18}-\dfrac{3}{18}=\dfrac{10}{18}=\dfrac{20}{36}$

• $\dfrac{17}{18}-\dfrac{5}{12}=\dfrac{34}{36}-\dfrac{15}{36}=\dfrac{19}{36}$

→ $\dfrac{20}{36}>\dfrac{19}{36}$

5 (㉯ 비커의 소금의 양)

$=$(㉮ 비커의 소금의 양)$-\dfrac{4}{15}$

$=\dfrac{5}{9}-\dfrac{4}{15}=\dfrac{25}{45}-\dfrac{12}{45}=\dfrac{13}{45}$(컵)

6 $\dfrac{13}{21}-\dfrac{5}{14}=\dfrac{26}{42}-\dfrac{15}{42}=\dfrac{11}{42}$ (m)

54쪽 받아내림이 없는 대분수의 뺄셈

1 4, 3 / (예)

/ 4, 3, 1, 1

2 16, 5, 1, 11

3 $\dfrac{52}{9}-\dfrac{29}{12}=\dfrac{208}{36}-\dfrac{87}{36}$

$=\dfrac{121}{36}=3\dfrac{13}{36}$

4 방법 **1** $6\dfrac{21}{28}-2\dfrac{8}{28}=4+\dfrac{13}{28}=4\dfrac{13}{28}$

방법 **2** $\dfrac{27}{4}-\dfrac{16}{7}=\dfrac{189}{28}-\dfrac{64}{28}=\dfrac{125}{28}=4\dfrac{13}{28}$

5 $2\dfrac{1}{6}$ L   **6** 민준 / $2\dfrac{1}{14}$장

1 $2\dfrac{2}{3}$만큼 색칠한 것에서 $1\dfrac{1}{2}$만큼 빼면 $1\dfrac{1}{6}$이 남습니다.

3 대분수를 가분수로 고친 후 통분하여 계산합니다.

5 $3\dfrac{7}{15}-1\dfrac{3}{10}=3\dfrac{14}{30}-1\dfrac{9}{30}=2\dfrac{5}{30}=2\dfrac{1}{6}$ (L)

6 $6\frac{5}{7} > 4\frac{9}{14}$ 이므로 민준이가 색종이를 더 많이 사용했습니다.

→ $6\frac{5}{7} - 4\frac{9}{14} = 6\frac{10}{14} - 4\frac{9}{14} = 2\frac{1}{14}$ (장)

55쪽 받아내림이 있는 대분수의 뺄셈

1 2 / 예 ☐ / 2, 3, 6, 3, 3

2 $4\frac{1}{5} - 2\frac{2}{3} = \frac{21}{5} - \frac{8}{3} = \frac{63}{15} - \frac{40}{15}$
$= \frac{23}{15} = 1\frac{8}{15}$

3 (1) $1\frac{33}{40}$　(2) $2\frac{29}{36}$

4 방법 **1** $3\frac{4}{6} - 1\frac{5}{6}$
$= 2\frac{10}{6} - 1\frac{5}{6} = 1\frac{5}{6}$

방법 **2** $\frac{11}{3} - \frac{11}{6} = \frac{22}{6} - \frac{11}{6}$
$= \frac{11}{6} = 1\frac{5}{6}$

5 $1\frac{9}{28}$　　　**6** $2\frac{11}{18}$ 컵

3 (1) $3\frac{1}{5} - 1\frac{3}{8} = 3\frac{8}{40} - 1\frac{15}{40}$
$= 2\frac{48}{40} - 1\frac{15}{40} = 1\frac{33}{40}$

(2) $5\frac{1}{12} - 2\frac{5}{18} = 5\frac{3}{36} - 2\frac{10}{36}$
$= 4\frac{39}{36} - 2\frac{10}{36} = 2\frac{29}{36}$

5 ㉠ $+ 2\frac{11}{12} = 4\frac{5}{21}$

→ ㉠ $= 4\frac{5}{21} - 2\frac{11}{12} = 4\frac{20}{84} - 2\frac{77}{84}$
$= 3\frac{104}{84} - 2\frac{77}{84} = 1\frac{27}{84} = 1\frac{9}{28}$

6 $5\frac{4}{9} - 2\frac{5}{6} = 5\frac{8}{18} - 2\frac{15}{18}$
$= 4\frac{26}{18} - 2\frac{15}{18} = 2\frac{11}{18}$ (컵)

---

6 다각형의 둘레와 넓이

56쪽 정다각형의 둘레

1 7, 7, 7, 7 / 5　　**2** (1) 33　(2) 35
3 48 m　　　　　　**4** 8 / 6
5 4 cm
6 예

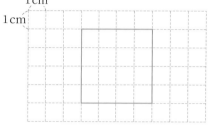

2 (1) (정삼각형의 둘레)$=11 \times 3 = 33$ (cm)
(2) (정칠각형의 둘레)$=5 \times 7 = 35$ (cm)

3 (레슬링 경기장의 둘레)$=$(정사각형의 둘레)
$= 12 \times 4 = 48$ (m)

4 • (정육각형의 한 변의 길이)$=$(둘레)$\div 6$
$= 48 \div 6 = 8$ (cm)
• (정팔각형의 한 변의 길이)$=$(둘레)$\div 8$
$= 48 \div 8 = 6$ (cm)

5 정사각형은 네 변의 길이가 모두 같습니다.
→ (한 변의 길이)$=$(둘레)$\div 4 = 16 \div 4 = 4$ (cm)

6 한 변이 4 cm(모눈 4칸)인 정사각형을 그립니다.

57쪽 사각형의 둘레

1 3, 5　　　　　　**2** (1) 26　(2) 24
3 (1) 36　(2) 40　**4** 20 cm
5 8
6 예

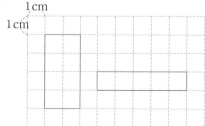

1 (직사각형의 둘레)=(가로+세로)×2
$$=(3+5)×2$$
$$=8×2=16 \text{ (cm)}$$

2 (1) $(9+4)×2=13×2=26$ (cm)
(2) $(7+5)×2=12×2=24$ (cm)

3 (1) $9×4=36$ (cm)
(2) $10×4=40$ (cm)

4 카드의 가로는 6 cm, 세로는 4 cm입니다.
→ (직사각형의 둘레)=$(6+4)×2$
$$=10×2=20 \text{ (cm)}$$

5 $(15+\square)×2=46$, $15+\square=46÷2=23$,
$\square=23-15=8$

코칭Tip (직사각형의 둘레)=(가로+세로)×2
→ (가로)+(세로)=(직사각형의 둘레)÷2

6 (가로)+(세로)=$12÷2=6$ (cm)
• (세로)=4 cm → (가로)=$6-4=2$ (cm)
• (가로)=5 cm → (세로)=$6-5=1$ (cm)

58쪽 1 cm^2

1 (1) 2 cm² / 2 제곱센티미터
(2) 7 cm² / 7 제곱센티미터

2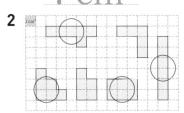

3 2
4 8 cm^2
5 40 cm^2
6 (예)

2 모눈 한 칸의 넓이: 1 cm^2
모눈 6칸으로 이루어진 도형을 모두 찾습니다.

---

3 가: 10 cm^2, 나: 12 cm^2
→ 나의 넓이는 가의 넓이보다 2 cm^2 더 넓습니다.

4 조각 1개의 넓이: 4 cm^2
조각 2개의 넓이: 8 cm^2

5 모양 조각이 차지하는 부분: 1cm^2 40개
→ 모양 조각이 차지하는 부분의 넓이: 40 cm^2

6 (1 cm^2씩 늘려가기)=(모눈 1칸씩 늘려가기)
도형을 그리는 규칙은 아래부터 시계 반대 방향으로
한 칸씩 늘어나는 것입니다.
빈칸에 알맞은 도형의 넓이는 6 cm^2이므로 둘째 도형
에서 오른쪽으로 한 칸이 더 늘어난 도형을 그립니다.

59쪽 **직사각형의 넓이**

1 (1) 5, 4 (2) 5, 4, 20
2 (1) 77 (2) 36
3 $9×15=135$ / 135 cm^2
4 3, 3 / 3, 4 / 6, 9, 12
5

○
○

6 4+6에 밑줄 / $4×6$

1 모눈 한 칸의 넓이는 1 cm^2이므로 모눈 20칸의 넓
이는 20 cm^2입니다.

2 (1) $11×7=77$ (cm^2)
(2) $6×6=36$ (cm^2)

3 (계산기의 윗면의 넓이)=(가로)×(세로)
$$=9×15=135 \text{ (cm}^2)$$

4 • 첫째: 모눈 $3×2=6$(칸) → 6 cm^2
• 둘째: 모눈 $3×3=9$(칸) → 9 cm^2
• 셋째: 모눈 $3×4=12$(칸) → 12 cm^2

5 • 세로가 1 cm 커지면 넓이는 3 cm^2만큼 커집니다.
• 직사각형의 넓이는 넷째 15 cm^2, 다섯째 18 cm^2,
여섯째 21 cm^2입니다.

6 (직사각형의 넓이)=(가로)×(세로)
$$=4×6=24 \text{ (cm}^2)$$

60쪽 1 cm²보다 더 큰 넓이의 단위

1 (1) 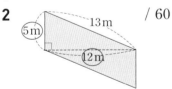 / 2 제곱미터

(2) / 5 제곱킬로미터

2 (1) 60000　(2) 7　(3) 3　(4) 12000000

3 8 / 8　　　　　**4** (1) 25　(2) 42

5 <　　　　　　**6** 20 m²

7 (1) km²　(2) m²

---

2 $1\,m^2=10000\,cm^2$, $1\,km^2=1000000\,m^2$

3 • $2000\times4000=8000000\,(m^2)$ → $8\,km^2$

• $2\times4=8\,(km^2)$

4 (1) $500\,cm=5\,m$ → (넓이)$=5\times5=25\,(m^2)$

(2) $7000\,m=7\,km$ → (넓이)$=6\times7=42\,(km^2)$

5 $1000000\,m^2=1\,km^2$ → $1\,km^2<10\,km^2$

6 (광고판의 넓이)$=500\times400=200000\,(cm^2)$

→ $200000\,cm^2=20\,m^2$

61쪽 평행사변형의 넓이

1 (1) 30　(2) 10

2 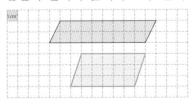 / 60

3 (1) 3, 4 / 3, 6, 9, 12　(2) 21 cm²

4 7

5 예 밑변의 길이와 높이가 모두 같기 때문입니다.

6 예

---

1 (1) $5\times6=30\,(cm^2)$

(2) $2\times5=10\,(cm^2)$

2 (평행사변형의 넓이)＝(밑변의 길이)×(높이)이므로 밑변의 길이와 높이가 필요합니다.

→ (평행사변형의 넓이)$=5\times12=60\,(m^2)$

3 (1) 밑변의 길이는 같고, 높이가 2배, 3배, 4배일 때 넓이도 2배, 3배, 4배가 됩니다.

(2) $3\times7=21\,(cm^2)$

4 $12\times\square=84$ → $\square=84\div12=7$

5 평행사변형의 밑변의 길이는 2 cm, 높이는 3 cm로 같습니다.

6 (평행사변형의 넓이)$=9\times2=18\,(cm^2)$

$18=1\times18$, $18=2\times9$, $18=3\times6$,

$18=6\times3$, $18=9\times2$, $18=18\times1$

→ 예 밑변의 길이 6 cm, 높이 3 cm인 평행사변형을 그릴 수 있습니다.

62쪽 삼각형의 넓이

1 (1) 40　(2) 42

2 5

3 평행사변형 / 높이 / 높이에 ○표

4 6

5 (1) 3, 3 / 4, 4 / 6, 6, 6, 6

(2) 높이, 넓이

6 예

---

1 (1) $8\times10\div2=40\,(m^2)$

(2) $7\times12\div2=42\,(m^2)$

2 삼각형의 밑변의 길이는 5 cm, 높이는 2 cm입니다.

→ (삼각형의 넓이)$=5\times2\div2=5\,(cm^2)$

4 $11\times\square\div2=33$ → $\square=33\times2\div11=6$

5 삼각형의 밑변의 길이가 3 cm, 높이가 4 cm로 모두 같습니다.

→ 넓이는 $3\times4\div2=6\,(cm^2)$로 모두 같습니다.

6 삼각형의 넓이가 9 cm²이므로 밑변의 길이와 높이를 곱해 18이 되는 삼각형을 그립니다.

63쪽 마름모의 넓이

1 (1)   (2)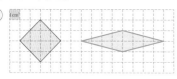

2 2 / 2 / 한 대각선, 2

3 (1) 27   (2) 28

4 (1) 14   (2) 16

5 (예)

6 1500 cm²

---

1 마주 보는 꼭짓점끼리 이어서 대각선을 그립니다.

2 (마름모의 넓이)＝(직사각형의 넓이)÷2
(직사각형의 가로)＝(마름모의 한 대각선의 길이)
(직사각형의 세로)＝(마름모의 다른 대각선의 길이)

3 (1) $6 \times 9 \div 2 = 27$ (cm²)
  (2) $7 \times 8 \div 2 = 28$ (cm²)

4 (1) $14 \times \square \div 2 = 98$ → $\square = 98 \times 2 \div 14 = 14$
  (2) $\square \times 10 \div 2 = 80$ → $\square = 80 \times 2 \div 10 = 16$

5 (마름모의 넓이)＝$4 \times 4 \div 2 = 8$ (cm²)
(두 대각선의 길이의 곱)＝$4 \times 4 = 16$
$16 = 1 \times 16,\ 16 = 2 \times 8$
→ 두 대각선이 (1 cm, 16 cm), (2 cm, 8 cm)인 마름모를 그릴 수 있습니다.

6 (손수건의 넓이)＝$60 \times 50 \div 2 = 1500$ (cm²)

64쪽 사다리꼴의 넓이

1 63   **2** 재영

3 7   **4** 5

5 (1) 8 / 3, 3 / 12, 12   (2)

6 (예)

---

1 (사다리꼴의 넓이)
＝(윗변의 길이＋아랫변의 길이)×(높이)÷2
＝$(12+9) \times 6 \div 2 = 21 \times 6 \div 2 = 63$ (cm²)

2 (사다리꼴의 넓이)＝$(4+8) \times 6 \div 2 = 36$ (m²)
민준: 삼각형으로 나누어 구하기
→ (사다리꼴의 넓이)＝$4 \times 6 \div 2 + 8 \times 6 \div 2$
               ＝$12 + 24 = 36$ (m²)

3 사다리꼴의 윗변은 3 cm, 아랫변은 4 cm, 높이는 2 cm입니다.
→ (사다리꼴의 넓이)＝$(3+4) \times 2 \div 2 = 7$ (cm²)

4 $(10+6) \times \square \div 2 = 40,\ 16 \times \square \div 2 = 40$
→ $\square = 40 \times 2 \div 16 = 5$

5 (2) 사다리꼴 가, 나의 윗변의 길이와 이랫변의 길이의 합이 같다고 윗변의 길이와 아랫변의 길이가 같은 것은 아닙니다.

6 (사다리꼴의 넓이)＝$(2+4) \times 3 \div 2 = 9$ (cm²)
사다리꼴의 넓이가 9 cm²이므로 사다리꼴의 윗변의 길이와 아랫변의 길이의 합과 높이를 곱하여 18이 되는 사다리꼴을 그립니다.

큐브
수학
개념

개념부터 응용문제 학습까지 딱 1권으로 완료!

개념만 하기에는 너무 쉽거나 부족할 것 같은데 그렇다고 심화를 하기엔 두 권을 풀어내는 게 역부족이다 싶을 때 정말 딱 괜찮은 책! 개념부터 약간의 응용까지 건드려줘서 아이도 한 권이라 부담이 덜하고 엄마 입장에서도 너무 어렵지 않은 문제를 고루 만날 수 있다는 게 가장 큰 장점이에요. 개념부터 응용까지 폭넓게 다루는 교재는 큐브수학 개념응용밖에 없어요.

닉네임
좋***

다양한 난이도 문제로 수학 자신감 UP!

세분화된 개념으로 개념을 꽉 잡을 수 있고, 문제는 간단한 기본문제부터 응용문제까지 난이도와 유형이 다양하게 구성되어 있어 단조롭지 않더라고요. 서술형 문제도 꼼꼼히 살펴보았는데 역시 짧은 서술형 문제부터 좀 더 사고를 요하는 긴 문장의 문제까지 갖춰져 있어서 지루하지 않았어요. **제대로 개념을 이해하면서, 시간이 걸리더라도 다양한 문제를 마주하고 익힐 수 있는 책이에요.**

닉네임
유*

서술형 문제 집중 훈련이 필요할 땐! 큐브수학 실력

서술형 코너는 연습→단계→실전의 3단계 학습으로 구성되어 있어요. 저는 이 부분이 가장 좋았어요. '연습'은 풀이 과정을 자연스럽게 익히면서 스스로 풀 수 있을만큼 쉽게 느껴졌고, '단계'는 연습의 복습, '실전'은 혼자 푸는 건데도 두 번의 연습으로 완벽하게 풀 수 있어 **서술형 문제를 내 것으로 만든다는 느낌이 강하게 들었습니다.** 답안 쓰기 훈련을 완벽하게 할 수 있어요.

닉네임
삼**

반복 학습으로 모든 유형을 제대로 익히기!

다양한 유형 문제가 있고, **문제마다 유형-확인-강화 순으로 반복 학습이 가능해요. 유사 유형의 문제를 반복적으로 풀어 볼 수 있으니 실력 향상에 도움이 많이 됩니다.** 또 서술형도 3단계 학습으로 답안 쓰기 훈련이 정말 잘 됩니다. 그리고 해설지도 문제에 따라 약점 포인트, 정답률까지 나와 있어서 참고하기 너무 편하게 되어 있더라고요.

닉네임
슈****

상위권 도전 첫 교재로 강력 추천!

개념과 유형 문제집까지 다 끝냈는데 심화를 안 풀고 넘어갈 수는 없잖아요? 심화 문제집도 아이에게 맞는 난이도를 선택하는 것이 무엇보다 중요한데요. **군더더기 없고 깔끔한 문제 구성과 적절하게 나누어진 난이도 덕분에 심화 시작 교재로 강력 추천합니다.**

닉네임
블***